Un Sitio aparte

El infierno de la esquizofrenia

Un Sitio aparte

El infierno de la esquizofrenia

Rachel Gagnon

Grupo Editorial Tomo, S.A. de C.V.,
Nicolás San Juan 1043,
03100, México, D.F.

1a. edición, octubre 2011.

Nicolás San Juan 1043, Col. Del Valle
03100 México, D.F.
Tels. 5575-6615, 5575-8701 y 5575-0186
Fax. 5575-6695
http://www.grupotomo.com.mx
ISBN-13: 978-607-415-328-6
Miembro de la Cámara Nacional
de la Industria Editorial No 2961

Traducción: Ivonne Saíd Marínez
Diseño de portada: Karla Silva
Formación tipográfica: Armando Hernández
Supervisor de producción: Leonardo Figueroa

Impreso en México - *Printed in Mexico*

Contenido

Agradecimientos 7
Prólogo.............................. 9
1. Sus ojos, su voz.............................. 11
2. Esquizofrenia 15
3. El origen de las voces 19
4. Familia y *PSI*.............................. *25*
5. Husshy.............................. 29
6. Maggy 35
7. Puck.............................. 43
8. Rubby.............................. 55
9. Yan simmon 73
10. Patsy.............................. 79
11. *Halloween* 85
12. Después de *Halloween* *93*
13. La decadencia.............................. 107
14. El infierno 121
15. Albert-Prévost 129
16. El regreso 167
17. La caída.............................. 187
18. Tanguay.............................. 197
19. La esperanza.............................. 217
20. Ayuno 251

21. Afuera 265
22. El comienzo del fin 277
23. La desbandada 295
24. En otra parte. 309

Epílogo. 311

Fuentes. 315

Agradecimientos

La escritura de *En otra parte* fue una aventura extraordinaria que no habría sido posible sin la ayuda de personas que me inspiraron la trama de esta novela. Ellos son los verdaderos héroes, yo no fui más que su voz.

Un gran agradecimiento a mis correctoras Louise Harel, Nadia Gagnon y Carole Gagnon que me apoyaron y alentaron a perseverar en mi proyecto.

Debo señalar el excelente trabajo de Carolyn Bergeron. Sus consejos y su opinión me ayudaron a concluir esta obra.

En fin, mi gratitud va a las Éditions de Mortagne por haber concretado mi sueño.

Ir hasta el fin permite abarcar el infinito...

A Antoinette, Joseph, Claude y a todas las Rubby del mundo.

Prólogo

E*n otra parte* evoca para mí un sitio en la periferia de nuestra conciencia, un lugar del cual cada uno de nosotros tiene la llave, el otro lado del espejo... la locura.

Desde mi infancia, la idea de que un día podría caer en la locura me atormentaba. Nada insignificante, un simple murmullo como el recuerdo de un mal sueño que, al despertar, pone una sombra en mi día. La vida nos hace a veces guiños... Qué ironía: Yo soy agente de servicios correccionales desde hace veinticinco años y trabajé, durante dieciocho años, en el servicio de psiquiatría.

En aquella época, yo ocupaba ese puesto debido a una decisión administrativa y no por elección, las asignaciones relevantes de la dirección y no del personal. Me sentía completamente aterrorizada, al no tener ninguna idea con respecto a la manera de abordar esta clientela. Me codeaba con todas las miserias humanas, pero cuando la enfermedad mental se mezclaba, tenía la impresión de pasar en ángulo recto en las ligas mayores. Me adapté y me di cuenta de que las pacientes que padecían de esquizofrenia me afectaban particularmente. Ellas me fascinaban y me intrigaban. Algunos de mis rasgos de carácter —como la propensión a la soledad, la disminución en lo imaginario, la dificultad para establecer contactos sociales— me acercaban a ellas y me confiaban su desgracia.

Tuve el privilegio de trabajar cerca de estas pacientes durante largos años. Yo las escuché, observé, situé, a veces regañé, todo tratando siempre de respetarlas. Hoy, cuando me cruzo con una vagabunda, una prostituta, una rechazada, trato de acallar esta pequeña voz en mi cabeza que se ofende de tal espectáculo y no puede dejar de juzgar. Pienso entonces... ¿y si fuera Rubby?

Capítulo 1

Sus ojos, su voz

Rubby, un metro cuarenta y siete, veinticinco años.

Ella nació hace diecisiete años, en los años noventa, en un callejón detrás de la *Main*, en una magnífica noche de verano. Una de esas noches que presagia un tiempo clemente, ideales para las cenas al aire libre y las reuniones entre amigos, para rasguear una guitarra y fumar al pie del monte Royal.

Para la ocasión, había trazado una delgada línea de lápiz negro en sus párpados. Como centenas de partículas insignificantes alineadas a lado unas de otras, ese trazo volvía su mirada brillante y misteriosa. La pupila, rodeada de azul acero, acentuaba ese efecto. Una cara angulosa, de elevados pómulos estriados, todo enmarcado en una melena color caoba. Era bonita y atractiva.

Su pequeña estatura siempre la había irritado. Uno terminaba por considerarla más como una muñeca de porcelana. ¿Cómo tomar en serio a un pedacito de mujer cuyos pies no tocaban el suelo cuando se sentaba en un autobús? Ella vivía convencida de que las ciudades eran concebidas para las personas que medían más de un metro cincuenta y dos. Por otra parte, la llegada a las tiendas en una gran superficie le daba la razón. ¿Cómo no sentirse liliputiense ante el tamaño de los rollos de papel higiénico?

En esa noche de agosto, llevaba una casaca negra y una falda roja. Una solitaria joya adornaba su oreja derecha: una argolla de oro con un minúsculo Merlín.

Todo comenzó cuando ese hombre, se acercó. Algo en ella se quebró, como una explosión en su cráneo. Con las manos húmedas, esperaba en el cruce que su padrote le había asignado. Conocía las reglas, los signos reveladores de la caza.

Sin embargo, su corazón se aceleró, como si fuera el payaso mecánico que tocaba el tambor que ella tanto quería a los siete años. Daba cuerda al mecanismo y el muñeco golpeaba furiosamente sobre su instrumento con las baquetas rojas. Eso irritaba a su madre. Además, Rubby esperaba que ésta se hundiera en el sofá a dormir la siesta, para jugar con Max. Giraba la llave incansablemente, la sostenía en su pequeña mano con el fin de sentir mejor su zumbido. El payaso parecía a la vez tan fuerte y tan vulnerable, incómodo en su pantalón a rayas. Al tocarlo, Rubby se sentía crecer literalmente, apropiándose de todo el espacio del salón. En aquellos momentos, nada ni nadie podía alcanzarla.

Cuando el hombre se acercó, ella esperó ilusamente, y creyó que si aquel pedazo de papel en el suelo llevado por el viento, tocaba su pie, antes de que el hombre la alcanzara, estaría salvada. Quiméricas y vanas esperanzas, pues el papel no se movió y ella dudó en satisfacer por unos cuantos billetes, las demandas del desconocido. Allí, entre los desperdicios, el esperma y la vergüenza, que ella originaba.

Hoy, ocho años más tarde, Rubby se transformó en una marioneta desarticulada. Con el curso del tiempo, una densa capa de humillación ha velado su mirada. La delgada línea de lápiz negro se ha convertido en una máscara grotesca que encierra sus ojos. Ahora su maquillaje cubre todo el párpado, se extiende hasta las cejas, y termina su curso en una amplia línea de tinta corrida bajo el ojo. Cuando cierra los ojos, se diría dos cuencas vacías, dos alas de cuervo. Su mirada es ciega y glacial, como si sus ojos hubieran visto demasiado, conocido demasiado, como si hubiera oído demasiado su voz, su locura. Su modo de andar, en otro tiempo ágil y ligero, se limita a pequeños pasos secos e indecisos, como si fuera una niña dando sus primeros pasos. Sus brazos y sus piernas están cubiertos de marcas y de abscesos dejados por las jeringas, verdadero mapa de carretera del infierno. Para ella, esas marcas, símbolos del silencio, privadas de voz, le recuerdan momentos felices, lugares, gente. Ésta, cerca del tobillo: en casa de Marc, en su estudio; por fin el Silencio. Aquélla, en el antebrazo derecho: una noche de invierno en el vestíbulo del YMCA, atrás de la inmensa vasija de cerámica. Es rápido y arriesgado, pero qué liberador; maravilloso Silencio, maravillosa Paz. Un poco más arriba, en el mismo brazo: una tarde lluviosa con Rosie y François, cuando fue el primer piquete. La aventura se echó a perder, fracasó... Él se había aterrado cuando la aguja se quebró en su brazo, aullando hasta hacer estallar las cuerdas vocales. Un vecino, que seguía de cerca al conserje, irrumpió en el departamento y amenazó con llamar a la policía. Más tarde, Rubby había tenido por fin su dosis y, de nuevo, el Silencio la había envuelto, arrullado, reconfortado...

Capítulo 2

Esquizofrenia

Ahora que usted conoce a Rubby y que ella vive en su cabeza, permítale que le cuente lo siguiente.

Me llamo Rubby, tengo veinticinco años y el doctor Wolf me ha diagnosticado esquizofrenia. Pobre doc, lo creo un poco rebasado; pertenece al hospital psiquiátrico Albert-Prévost desde hace mucho tiempo. Sin embargo, le he recomendado diversificar su práctica, es primordial para mantener un buen equilibrio. Se trata de una cuestión de higiene mental —lo leí en alguna parte de una revista especializada, en su consultorio—. En su época, la opción era simple: maniaco, *esquizo, borderline.* Hoy, existen seguramente otras enfermedades mucho más fascinantes y lucrativas. Sospecho que optó por la esquizofrenia por facilidad y exotismo. Facilidad porque el tratamiento es simple, teniendo en cuenta el sombrío pronóstico asociado a la evolución de la enfermedad. Pues bien, un poco de terapia y muchas píldoras: Moditen, Kemadrin, Stelazine, Modecat, Haldol... Exotismo en una palabra.

Hablando de palabras, me es necesario poner las cosas en claro. Se me ha pedido contar mi historia. Las palabras me fascinan pero, a veces, se me escapan, danzan en mi cabeza, desaparecen, para resurgir un poco más adelante. De manera que por las ideas está bien, pero las palabras, por su disposición y su ritmo, regresan al autor. Así lo establece nuestro contrato.

Pues bien, soy *esquizo* con tendencias paranoicas. Es un estado completamente apropiado y que es evidente. Esta opción de vida me permite mantener la cabeza fuera del agua porque la realidad es muy difícil de vivir. Puede parecer paradójico hablar de opción. Pero tengo la íntima convicción de que, en un minúsculo rincón de mi alma, sigo siendo la maestra de obras... Tengo quizás una ley cósmica por resolver donde acumulo las exenciones para vidas futuras, ¿quién lo sabe?

Mi vida se desarrolla entre la calle, la prisión y el hospital. Tengo el aire de un zombi sobre todo por mi mirada y por el Haldol. Sin embargo, detrás de mis ojos, la vida se agita y yo la guardo preciosamente para mí y Dana.

Según mi energía y el lugar donde me encuentro, he desarrollado pequeños trucos para impostar la voz. Me gustaría que una sola permanezca: la de Dana. Ella es dulce, me susurra siempre palabras amables y reconfortantes. Mientras que el grupo en mi cabeza habla fuerte y me molesta, Dana murmura que está ahí, que me protege. Sólo ella tiene un nombre, los otros son demasiado tontos o malos para gozar de ese privilegio. Es cierto, habría podido elegir nombres malévolos para señalarlos, pero sería darles demasiada importancia, demasiado poder sobre mí. Nuestro nombre es precioso. Cuando mi madre me llevaba en su seno, eligió Rubby porque ella ya me amaba y alimentaba aún llena de esperanza. Ahora me daría, seguramente, un número...

Por lo que se refiere a la *Gran Bocona*, yo la bauticé así por puro automatismo: este apodo se imponía a sí mismo.

Total, para reducir las voces al silencio, he aquí lo que hago: a veces, cuando no llego a dormir, viajo con la ayuda de mis brazos o mis piernas, pero es difícil, porque algunas voces me prohíben este juego, mientras que otras me animan. Yo elijo una cicatriz, luego la miro intensamente, comenzando por su contorno, para describir una espiral hasta su centro. Mis párpados deben permanecer muy abiertos sin moverse. Un fragmento de imagen termina por perforar la niebla, y si yo me aplico a mantener esta visión sucede que las voces se callan por un momento: maravilloso Silencio, maravillosa Paz.

Una segunda técnica, que no requiere ningún esfuerzo, consiste en utilizar un *walk-man*. El único inconveniente es que los nuevos modelos poseen un volumen controlado que deja filtrar las voces más invasoras. Para rechazarlas, debo utilizar casetes sobre un sistema de sonido potente, lo que me permite escuchar mi música con un máximo de decibeles.

Otro método para lograr el silencio: leer la Biblia en voz alta, sobre todo los pasajes del Apocalipsis. Hay que poner mucha intensidad y convicción. Es un ejercicio sofocante y espectacular, para practicarlo en la intimidad, en la naturaleza o también dentro de un grupo de discípulos de Krishna.

Para terminar, debo mencionar una última práctica que experimenté una sola vez, cuando tenía veintiún años, entonces me sostenía a la sombra del Estado: el ayuno íntegro. Al principio, el hambre me torturaba y volvía a la carga a menudo, pero al cabo de algunos días, esa misma voz se moría. Mientras tanto, los otros se debilitaban. Yo había sorprendido a la *Gran Bocona* suplicándome que la alimentara y, a pesar de mi debilidad, reí durante horas. Por supuesto, cuando los guardias se percataron de mi maniobra, intentaron que entrara en razón. Los había engañado y jugué el juego algún tiempo —comer; luego provocarme el vómito— pero el esfuerzo había sido demasiado grande para mi corazón y mis fuerzas habían disminuido. Así que me encontré en el hospital bajo estricta vigilancia.

Usé esos artificios para rechazar estas voces que me humillaban y me herían. A veces los engañaba, pero el error al "repartir las cartas" existía desde el principio: la G.B. (*Gran Bocona*) se cerraba... y estaba tan cansada.

Capítulo 3

El origen de las voces

Ahora que usted define mejor mi locura y comprende la importancia de las voces, es tiempo de explicarle su origen.

··*·*·*

Cuando era adolescente, creía ser la única en poder captar, con intermitencia, estas voces. Según yo, venían del cosmos. Estos gérmenes galácticos deseaban invadir la Tierra y yo tenía como misión salvar al mundo. Pero, en el curso de mis estancias en el instituto Prévost, encontré otros pacientes que se creían encargados de la misma misión. En mis sesiones con Wolf, mi *psi*, éste me explicó claramente que mi teoría reforzaba y alimentaba mi paranoia y que todo eso resultaba fruto de mi imaginación. "Malvada fruta podrida", pensaba. De mala gana debí adoptar su opinión: ningún complot cósmico existía para destruir a los profanos, la gente normal. No obstante, mi temor a los *hombres de negro* permanecía intacto.

Algunos años más tarde, cuando tomaba a sorbitos una bebida gaseosa en la sala común del pabellón C de Prévost, tuve una revelación, observando a Arthur. Éste había llegado al centro desde hacía algunas semanas y ocupaba la habitación cerca de la mía. Hablaba poco y no parecía controlar sus numerosas mímicas. Corría la voz de que él había agredido a su hermana mientras se creía James, una de sus múltiples personalidades. En ese momento, comprendí que las voces de Arthur seguramente lo habían tragado-integrado. Se volvía cada una de ellas, lo dominaban. Pobre tipo, era completamente inconsciente de lo que lograba. Vivía su vida por procuración, por episodios, como en una telenovela donde, cada semana, se sustituirían los actores por otros nuevos.

Yo hice que, contrariamente a él, mis voces conservaran una distancia respetable, permanecían circunscritas en mi cabeza. Las otras partes de mi cuerpo parecían prohibidas. Se trataba de una ventaja inestimable.

Su aparición se hizo sutilmente, un poco a la imagen de la marea que acaricia primero los pies y sube lentamente a lo largo de las piernas, mientras que los dedos de los pies se hunden sensualmente en la arena. Esta extraña impresión de avanzar en el océano cuando uno se queda inmóvil. Primero pensé que mi conciencia me hablaba y me reprendía por las tonterías que hacía. Escuché una vocecita aguda, semejante a la de mi madre. Me recomendaba no hacer esto o aquello o, también, hacer esto o aquello, pero a su manera —las instrucciones venían con el sermón—. Yo estaba muy chica, tenía cerca de nueve o diez años. ¿Será que esta voz anodina se presentaba explorando las otras? Sin embargo, ¡otros niños debían conocer bien dichos disgustos y no se volvían *esquizo* por eso! Yo era completamente normal en esa época y también feliz.

Esta voz llena de reproches creció conmigo. A pesar de su elevada tasa de ausentismo —sus visitas eran raras en mi juventud—, su seguridad se desarrolló más rápidamente que mi aptitud por las materias académicas. No entiendo aquí que yo equivalía a una mala estudiante, pero antes que aquella voz, poseía de verdad un don para la tortura mental. Esta voz salía de mi conciencia, por así decirlo, me provocaba y podía amenazarme con las peores catástrofes si no me sometía a su ley.

Una mañana, en el patio del recreo, mientras debía incorporarme a las filas, sentía que me sería imposible moverme antes de que esa extraviada oruga alcanzara una grieta en el asfalto, so pena de ver a mi madre caer enferma, la profesora me reprendió con vehemencia. El episodio terminó con las risas y las burlas de los otros alumnos, mientras que la maestra me cogía por el brazo y me arrastraba sin consideración hacia la oficina del director. A pesar de que protesté mucho, sus miradas me indicaban que ellos no se dejarían engañar. Finalmente, estuve suficientemente conectada a la realidad como para saber que era necesario callarme mis desventuras respecto a esta situación. El miedo me invadía, pero por fortuna estas injerencias seguían siendo poco frecuentes. Guardaba este desasosiego en mi interior, sin dejar traslucir nada. ¡Me alentaba pensando que, después de todo, algunos niños temían al *coco*! Esta historia constituyó un momento espectacular de mi infancia. Mucho más tarde, la *Gran Bocona* le reservaría un lugar preferente en su arsenal.

Yo tenía quince años cuando todo se vino abajo. El derrumbe se produjo en un chalet en Sainte-Adèle, en casa de mi amiga Andrée. Era un jueves. Nos habíamos bañado parte de la tarde y habíamos pasado la noche con amigos alrededor de una fogata, contando historias de terror. Dormía en el sótano, cerca de una ventana cuya vista daba al lago. Repentinamente, un gruñido partió la noche y una voz ronca, masculina, empezó: "¿Qué haces allí? ¡Estás en peligro!" Eché precipitadamente las mantas sobre mi cabeza, intentando convencerme de que tenía una pesadilla. Inmóvil, inspiraba ligeramente, gota a gota, por temor de que un loco furioso se encontrara emboscado bajo la ventana, dispuesto a destriparme. Cuando finalmente me arriesgué a sacar la cabeza por debajo de mis mantas, el reloj indicaba las dos horas veintidós de la mañana. No olvidaría jamás esas cifras. Francine, la médium que mi madre consultaba, afirmaba que en el Tarot ese número representa al arcano del loco.

Jamás había contado este suceso antes de hoy y estoy convencida de que mi locura nació en Sainte-Adèle, P.Q., a las dos horas veintidós. Sin embargo, su vida pública no se concretó sino hasta mis diecisiete años. Esta voz ronca y masculina, la *Gran Bocona* —G.B., para los íntimos—, fue sumamente maligna. Me dejó cocerme en mi jugo para aumentar mi confusión y, al mismo tiempo, para darme la ilusión de que este episodio nunca había ocurrido. Desgraciadamente, una semana más tarde —de vuelta a la ciudad y bien despierta, mientras discutía con mi madre a propósito de una salida, se manifestó de nuevo. Fui de tal manera ensordecida que, aún hoy, no llego a recordar sus palabras. Poco me importaba, era muy viva y me producía *mieditis*.

Con ella, las discusiones se volvieron mucho más vivas; pasaba del monólogo interior a la exposición oral. La G.B podía empezar su día muy pronto por una orden, seguida de comentarios desagradables:

"¡Levántate, puta, es la hora! ¿Has visto tu tamaño? ¡Exactamente buena para el circo!"

—¡Déjame en paz, no existes!

Incluso ocultando la cabeza bajo la almohada, su hiel se derramaba.

"¿No me digas, entonces hablas tú sola? ¡Estás loca!" Se burlaba.

—Si continúas...

"Si continúas, ¿qué? ¿Vas a echarme, puta?"

Por más que amenazara, discutiera o implorara, nada pasaba, seguía siendo intransigente. Yo no podía a refrenar su veneno, debía responderle en voz alta. Las primeras veces, la sermoneaba en privado, en mi habitación, en el cuarto de baño. Pero mis palabras se escaparon pronto en público. Primero una sola palabra, luego una frase...

Capítulo 4

Familia y *PSI*

A fin de obstruir las huidas y de situar bien las partículas de mi vida, es necesario ahora presentar a mi familia y a mis buenos doctores.

Los miembros de mi familia cabrían fácilmente en un *coupé sport,* puesto que sólo somos Marie, mi madre y yo. Mi padre, Jean, nos abandonó cuando nací y Marie no se embarazó nunca de otro hombre. Salió con algunos pretendientes, pero jamás hubo nada serio, como si ellos temieran alguna forma de contaminación. Sin embargo, mi esquizofrenia estaba en estado embrionario en mi infancia. Sólo otro hombre, aparte de Jean, se acercó mucho a Marie para destruir su corazón: Pierre Major. Pero eso se produjo mucho más tarde, cuando yo era adolescente, entre su mundo y la locura.

Mi madre trabajaba como camarera en un restaurante. En cierta época, ella tenía una solidez que le permitía seguir siendo funcional. Una bella mujer, de la cual heredé el cabello color caoba, pero que desgraciadamente no me legó su tamaño ideal: un metro sesenta y dos. Sus grandes ojos grises son un regalo de su madre. Marie es una mujer trabajadora que tiene mucho valor, pero ligeramente frustrada. Es preciso decir que su demandante trabajo le dejaba poca energía para frecuentar galerías de arte y obras de teatro. Para convencerme de la insignificancia de este tipo de actividades, me machacaba los oídos con su teoría de los falsos pintores. Es simple: cuando un cuadro es desconcertante, al grado que debe remitirse a un texto para comprender el sentido o el tema, éste se relaciona a un escritor disfrazado de pintor. Visto desde esa perspectiva, su teoría no parece tan tonta.

Marie era hija única y mis abuelos, Lucie y Paul, murieron hace diez años, con algunos meses de intervalo. Esas dos personas extraordinarias formaban una pareja muy bonita. De baja estatura para un hombre —un metro sesenta y siete—, mi abuelo no rebasaba a su mujer más que con una buena cabeza. Es decir, que mi metro cuarenta y siete no es para sorprender. Paul y yo teníamos los mismos ojos y los mismos pómulos. Lucie poseía una cara redonda, de labios delgados, además de un aspecto bonachón, cándido. Su unión era una perfecta simbiosis y, con el paso del tiempo, habían terminado por parecerse. Ellos manifestaban una gran bondad y generosidad con nosotras y contribuían regularmente a nuestro bienestar. Aunque no contaban con demasiados recursos, lograban ahorrar lo suficiente para costearnos viajes. A su muerte, mi enfermedad tomó vuelo, como si ésta se estuviera nutriendo de la esencia de ellos, de sus últimas fuerzas.

Por ese motivo, me encontré en el consultorio del psiquiatra Jack Wolf. Este hombre de unos cincuenta y tantos años, alto y delgado, llevaba lentes ligeramente ahumados que desanimaban a cualquiera que sondeara su alma. Su corte de pelo era impecable. Las patillas entrecanas se deslizaban a lo largo de sus orejas para detenerse en la punta del lóbulo. Yo nunca lo había visto vestido de otro modo más que de traje y corbata. Compartía su vida con dos chicos grandes y una mujer muy bonita de nombre Louise. Diplomado en Harvard, había atravesado los Estados Unidos algunos años antes de encontrar a su mujer y de instalarse definitivamente en Montreal.

Todos esos detalles me fueron confiados por Nicole, enfermera desde siempre en el pabellón C del Prévost. Esta mujer rebosaba de información y conocía todo de todos, al parecer colaboraba en el gran escrito cósmico del personal del hospital.

Un poco más como aval en mi vida, se me asignó un segundo psiquiatra: Berthe Bélaski. Las normas estipulaban que un mecánico del alma juvenil no estaba habilitado para reparar el alma adulta. Tenía dieciocho años y ella treinta, en nuestro primer contacto. Era una pequeña mujer con inmensos ojos azules relumbrantes de curiosidad. Una gran bondad interior transfiguraba sus facciones. Al principio me sentía desconfiada y rebelde frente a esta joven doctora. Sin embargo, con el tiempo, ella supo tocar mi corazón y acompañarme en los sombríos recovecos de mi existencia. Desde hace siete años soy una de las pacientes de Bélaski y, a pesar de sus esfuerzos, mi enfermedad se comporta de maravilla.

Capítulo 5

Hussby

Conservo pocos recuerdos de mi juventud. Esto se debe a que pensé encargar la narración a Husshy, Maggy y Puck. Durante ese tiempo, aproveché para poner en orden mi pasado de adulta.

Husshy. Un inmenso perro de peluche, compañero de travesías de Rubby durante cinco años, narra:

Rubby contaba con diez meses y era su primera Navidad. De momento, Marie la había abrigado y depositado tiernamente entre nosotros dos sobre la gran cama. Parecía muerta de cansancio, la pobre, se veía en la manera en que acariciaba a Rubby. Sus gestos eran lentos e indecisos, como si temiera romperla. La pequeña sonreía en su sueño. Sin duda andaba en las nubes en su antiguo mundo al escuchar los cánticos de Navidad. Una de sus manitas se perdió en mi peluche rosa. Mis largas orejas amarillas se parecían a las de un *basset hound* y mi largo hocico, mis ojos tristes y las dos manchas de color que tenía en la espalda acentuaban este parecido.

Le debía la vida a su mami Lucie, que me confeccionó con la ayuda de un patrón *Simplicity,* de retazos de tela y de medias de nylon recicladas, como relleno. Total, yo pesaba una tonelada de amor. Era preciso ver la carita de Rubby cuando me percibió por primera vez, indecisa entre el miedo y la admiración. Finalmente, ella se había volcado de alegría y gritaba jubilosa; fui adoptado.

Vivimos en cuatro habitaciones y media, en el segundo piso de un dúplex situado al noreste de la ciudad. El barrio estaba lleno de animación y de vida. La gente era amigable y siempre dispuesta a ayudar. El universo de Rubby, sus juegos, sus alegrías y esperanzas se forjaban en el laberinto de ese mismo barrio. Ella vivió allí once años, cerca de la tienda de abarrotes *Germain* que daba crédito a su clientela más fiel. Marie tenía ahí una cuenta que abonaba sistemáticamente todos los segundos jueves del mes. Germain, el propietario, se encontraba muy interesado en ella, pero Marie nunca le había abierto su puerta. Estaba también Firmin, el repartidor de servicio; con buen o mal clima, él montaba su bicicleta con entusiasmo. Junto a este comercio, se veía la tienda del limpiador de zapatos, el señor Saint-Onge.

Del balcón trasero del departamento, se veía la escuela primaria de *La Visitation* que se destacaba a la izquierda sobre el horizonte. Ese gran edificio de tres pisos en piedras grises se erigió a principios del siglo XX. Sus numerosas ventanas enrejadas en la primera planta daban la impresión de ser una cicatriz. Rubby no comprendía su utilidad. ¿Quién hubiera podido ser tan tonto para querer entrar en una escuela? Ante sus ojos, parecía más que probable que esas rejas se hubieran concebido más bien para detener a los niños prisioneros en el interior. Por otra parte, siendo pequeña, Rubby creía que los niños secuestrados eran detenidos a la fuerza en algunas clases de primer año. Fue así como ella desarrolló un miedo visceral a la escuela.

Un poco más al norte sobre la calle Gouin, una magnífica iglesia alzaba orgullosamente su silueta: la iglesia de *La Visitation*. Construida en grandes piedras grises, está flanqueada por dos torres cuadradas. Los niños del barrio contaban una historia a propósito de su construcción. En la torre de la derecha, debajo del ventanal ovalado, se encontraba una piedra llamada *piedra del diablo*. En el siglo XVIII, durante las obras, un espléndido caballo negro ayudaba a transportar el mortero y las piedras. En realidad, la historia dice que se trataba más bien del diablo, que encarnado bajo esta forma, intentaba sabotear la edificación de la iglesia. El párroco lo descubrió y le echó agua bendita en la frente. El animal se retorció de dolor, recobró una apariencia "humana" tocando el suelo. Satán, vestido con una larga capa negra y un sombrero ancho que le ocultaba el rostro, había huido, jurando vengarse. Desde esa época, la *piedra del diablo* amenazaba siempre con caer y su estabilidad seguía siendo precaria. Esta leyenda hacía a la iglesia aún más fascinante y misteriosa a los ojos de Rubby. Las campanas que se tocaban para el servicio del domingo, para los bautizos, las bodas y los entierros, la impresionaban extremadamente. Poco importaba su ocupación del momento, la pequeña prestaba oído, escuchando atentamente esta llamada, invadida por sentimientos urgentes, solemnes y sagrados.

Hacia el 18 de diciembre, Marie había instalado el pino navideño en la sala cerca de la ventana grande. Estaba inclinado, porque la base que mantenía el pie del árbol en su lugar, había conocido mejores días y parecía a punto de expirar. Pero, este año, la madre de Rubby tenía otras cosas que hacer; así que el pino siguió inclinado. Las esferas de Navidad bordeaban el pelo de ángel y los picos de hielo, pero a una distancia respetable del piso, para evitar que Rubby las tomara. La decoración se concentraba en lo alto del árbol, que parecía una buena y gruesa mujer, metida en un vestido de lentejuelas, dos tallas más pequeñas. Estábamos abrigados, pero, en el exterior, la temperatura había caído bajo cero y una fina capa de nieve tapizaba el suelo. No había la suficiente para hacer muñecos de nieve o castillos, pero sí bastante como para transformar esta temporada en todo un espectáculo.

El día de la Navidad la atmósfera se esperaba serena e impregnada de alegría. Marie había puesto la mesa con sus cubiertos más bonitos y su mantel de encaje bordado. Un candelabro dominaba en cada extremo, aportando un toque de opulencia a la decoración. Paul y Lucie llegaron a las diecisiete horas en punto; la puntualidad constituía una verdadera obsesión para Lucie. Esta fobia le venía del hecho de que su madre había esperado a su futuro esposo más de una hora al pie del altar, y Lucie y sus hermanos habían sufrido toda su infancia la resaca de esa afrenta.

Lucie cocinó pavo y Marie se ocupó de las provisiones necesarias: arándanos, puré de papas, empanadas. Una tarta de Navidad muy cremosa, regalo de Germain, completaba el festín. Alrededor de la mesa, la conversación iba a buen paso. Rubby reposaba confortablemente en su sillita, entre su mami y su abuelo. El amor que Rubby y su mamá se tenían era muy evidente. Marie había sabido transformar la desesperación unida al abandono de Jean, en un amor infinito por su hija. Era una de las bellas cosas que la separación le había dejado a ella.

Rubby pasó su primer invierno rodeada de sus abuelos y de su madre. Lucie se revelaba como una educadora sin igual y Paul, un compañero de juego formidable. La imaginación de la pequeña se desarrolló con el contacto de su abuelo. Entre ellos esta alquimia particular que se había entablado muy pronto perduraría más allá de la muerte, estaba convencido. Paul sería siempre su confidente.

La primera infancia de Rubby se desarrolló bajo el signo de una agradable soledad. Finalmente ella prefería la compañía de los adultos. En el parque, se quedaba atrás de los otros niños, su exuberancia parecía contrariarla. Se sentaba en la arena con sus cubos de plástico de distintos tamaños y cavaba con la ayuda de su pala hasta que alcanzaba la capa húmeda del suelo. Llenaba los envases hasta el borde, luego los devolvía y golpeaba ligeramente el fondo del cubo con el fin de asegurarse de que el molde estaba bien limpio. En ese rincón del parque, Rubby se divertía sola durante horas, se construía un universo de castillos, montañas, pasteles...

Nuestra complicidad duró cinco magníficos años. Yo la divertía, la consolaba. Presencié sus primeros dientes, sus primeros pasos, sus primeras palabras, sus últimos pañales...

Con el tiempo, con las lavadas y las caricias, mi piel se volvió frágil y quebradiza. En una bella mañana del mes de junio, Rubby me despidió en un mar de lágrimas. Prometimos encontrarnos algún día. Ella acompañó a Marie hasta el contenedor de basura, atrás de la tienda de abarrotes, y me colocó dentro, tiernamente. En ese momento, las campanas echaron al vuelo...

Capítulo 6

Maggy

Niñita rubia, pequeña nariz respingada, sonrisa adornada con hoyuelos, vive en los espejos. Acompañó a Rubby hasta el comienzo de sus once años.

✽·✽·❦·✽·✽

Yo he vivido siempre en los espejos, pero Rubby me descubrió cuando ella tenía seis años. Es preciso decir que la partida de Husshy dejó un gran vacío en su corazón. Yo me encarnaba principalmente en los espejos pero, si era el caso, llegaba a materializarme en los cristales. Era muy difícil porque mi reflejo se volvía confuso y transparente.

Nuestro primer encuentro tuvo lugar un jueves en la noche hacia las diecinueve horas, en el momento en el que Rubby se preparaba para ir a la cama. Ella me vislumbró en el espejo de su tocador, apoyada en la ventana de mi casa y esperando a que me dirigiera la palabra. Se paralizó, volvió lentamente la cabeza para asegurarse que nadie había entrado en su cuarto. Rubby se aproximó al mueble con pasos silenciosos y el *click* se produjo.

Nuestra conversación duró hasta muy tarde por la noche. Como Marie se había retirado pronto a su cuarto, nosotras dejamos la lámpara encendida.

Con el tiempo, Rubby notó que su madre se dormía en un gracioso estado. La copa de vino de la cena era ahora acompañada de un digestivo que se eternizaba toda la noche. A veces, cuando su abuela iba a recogerla a la escuela, le preguntaba sobre los hábitos de su madre, parecía temer algo. La pequeña intentaba eludir sus preguntas lo mejor posible. Temía traicionar a su madre y, al mismo tiempo, darle una pena a Lucie y a Paul. Rubby me confió que Marie parecía querer ahogar su corazón para evitar que se exaltara de nuevo. Y, desde lo alto de sus seis años, ella asistía, impotente, a la decadencia del ser al que más quería en el mundo.

En la escuela, después de haber superado su miedo, Rubby se había integrado y salía adelante. Sus materias preferidas comprendían el Francés y la Geografía. A causa de su pequeña estatura, siempre estaba sentada en la primera fila, cerca del profesor. Así que ni hablar de hacer escándalo. Además, eso no formaba verdaderamente parte de su temperamento.

En la casa, después de cenar, ella ayudaba a quitar la mesa. Cuando su madre no tenía invitados, podía hacer su tarea en la cocina. Cuando terminaba, esperaba tranquilamente a que Marie le echara un vistazo a su trabajo y le permitiera ir a jugar afuera o en su cuarto. Invariablemente, ella elegía su cuarto y me contaba su día detalladamente.

Rubby se mostraba muy sensible; una palabra fuerte, una reprimenda la traía al borde de las lágrimas. A veces, cuando me relataba un acontecimiento que le había afectado, su mirada se nublaba. Yo sabía cómo sus mandíbulas se tensaban y luchaba por no llorar. Sus lágrimas fluían mucho más a menudo a voluntad y la ponían en situaciones difíciles. Se diría que Rubby captaba las energías a su alrededor, sin lograr, no obstante, protegerse. Era vulnerable a la pena, a la angustia o al odio que la rodeaban. Los otros niños la respetaban, pero no la invitaban a participar en sus juegos. Ella parecía sumamente diferente.

Un día, me confió, con sus palabras de niña, que temía menos el dolor físico que el psíquico. Rubby hubiera preferido sufrir en su cuerpo, antes que en su alma. Este pensamiento me apena, pues era muy profundo para ser expresado por una niña de esa edad.

Se trataba de un pensamiento de adulto que no habría debido preocuparla, ni hacerle mal. Esa madurez precoz me inquietaba. En los peores momentos, ella se refugiaba en los brazos de su abuelo que vivía justo al lado. A pesar de mi buena voluntad, yo estaba encerrada y era incapaz de transmitirle un poco de calor humano.

En cuarto año, poco después de su desgracia con la oruga, Rubby creyó al fin tener una explicación lógica a "su voz", ese posible embrión de la *Gran Bocona*. El señor Girard, su profesor de catecismo, les enseñó que ciertas personas escuchaban voces: la llamada de Dios. Rubby se acordó entonces de una visita que ella y su madre hicieron al oratorio de Saint-Joseph, por Pascua. Atrás del oratorio, se podía visitar la casa del hermano André. Se le veía tendido en su cama, intentando con sus oraciones rechazar el ataque de dos enormes lobos negros. Esta escena permaneció grabada para siempre en su joven espíritu. La leyenda decía que el hermano luchaba día y noche con las voces y las tentaciones del Maligno. Rubby quedó persuadida de que él era parte de los elegidos de los que el señor Girard había hablado en su curso.

Después de algunas semanas de reflexión, debió darse cuenta de que su voz no mencionaba jamás a Dios, ni a la Virgen María. Parecía preocupada más tiempo por problemas mucho más triviales, como por ejemplo: tienes un agujero en tu calzoncito, eres una miedosa, cuidado vas a llorar... Pequeñas advertencias no tan malas al principio. Con el tiempo, esta idea de convertirse en una elegida se borró y desapareció.

A pesar de que el malestar de su madre le afectaba profundamente y que a veces la voz la incitaba a hacer tonterías —morder la goma en la clase de la señora Chartrand; robar el maquillaje a la propia Marie; beber del envase de leche (que estaba totalmente prohibido)—, Rubby pasó los años de la primaria serenamente.

Su quinto año fue maravilloso y digno de mención, sobre todo a causa de la señora Legendre, su profesora. Con una silueta sumamente delgada, esta mujer aparecía siempre vestida de colores pastel. De su persona emanaba una ternura infinita. Junto a ella cada niño se sentía único e importante. Hacía pruebas semanales donde todos tenían oportunidad de ganar, poco importaba el resultado de la semana. En el muro estaban prendidas seis abejas de papel atadas a una cuerda horizontal. Las abejas representaban los equipos, los cuales estaban formados por seis niños. La abeja de Rubby se llamaba Picadura y se encontraba a menudo delante de las otras. Una bella complicidad unía a los miembros del equipo de Rubby: Kathy, François, Louise, Francine y Michel. Las Matemáticas eran exclusivas de François y Louise; en cuanto a Rubby y Kathy, destacaban en Francés. Francine dominaba Geografía y, finalmente, Michel era experto en Ciencias Sociales. Era el encantador en turno. En su equipo, ningún líder imitaba realmente al otro: eran seis independencias reunidas por lo mejor.

La señora Legendre siempre se aseguraba de que cada niño tuviera derecho a tomar la palabra dentro de su grupo. Jamás los alumnos de una clase le habían parecido a Rubby tan solidarios. A pesar de la competencia que reinaba en la colmena, una red de ayuda mutua se había tejido finamente, pero tan sólida como una telaraña. El estímulo, la atención y el respeto constituían las piedras angulares de la enseñanza de su profesora. Para Navidad, todo un día había sido consagrado a la decoración. Un pesebre en papel *mâché* sobresalía muy cerca de la puerta. Un pino artificial se hundía bajo las decoraciones hechas por los niños. A sus pies, treinta y seis regalos esperaban ser abiertos rápidamente.

Rubby se acordará siempre de su regalo: un magnífico diario en piel donde brillaban sus iniciales grabadas en letras de oro. Incluso ni su propia madre habría podido dar en el clavo. Durante un año, ella oscureció fielmente las páginas.

Hacia el fin de la primaria, en abril, un acontecimiento trágico hizo caer a Rubby en una profunda reflexión. Louise, quien se volvió su buena amiga desde su participación en el equipo Picadura, fue mortalmente arrollada por un chofer. Un día después del accidente, el señor Harvey, el director, les anunció la triste noticia. El lugar vacío en la segunda fila, tercer pupitre, parecía devorar súbitamente el espacio. Algunos niños —Rubby al frente, vista su extremada sensibilidad—, prorrumpieron en llanto. La señora Legendre fue enviada al lugar de la escena con el fin de ayudar a la señora Duguay, la responsable. Enviaron a los alumnos a su casa más temprano y algunos de ellos no se presentaron a clase al día siguiente.

Dado que Marie trabajaba, Rubby tenía permiso para ir a casa de sus abuelos. Paul y Lucie la reconfortaron lo mejor posible, pero ella no dejaba de llorar. Parecía tranquila durante algunos minutos, luego, en cuanto recordaba el lugar vacío, las lágrimas se derramaban cada vez más. El dolor persistía, era demasiado vivo para que ella pudiera pensar en otra cosa. Esa endemoniada silla vacía ocupaba todo el espacio. Insistió en ver a Louise e hizo prometer a Paul que la acompañaría. Esa promesa aminoró su pena. Las noches siguientes estuvieron pobladas por pesadillas donde veía el cuerpo desmembrado de Louise. Nunca antes se había imaginado que un niño pudiera desaparecer. La muerte debía ocurrir cuando uno fuera grande y viejo; no pequeño y joven.

El cuerpo de su amiga fue expuesto en la sala Urgel Bourgie, a pocas calles del accidente. Rubby ascendió por el camino que conducía a la entrada del brazo de Paul, con su mano firmemente agarrada a la suya. Louise reposaba en la primera sala, tendida en un ataúd blanco. Había flores por todas partes y este olor simplón evocó en la niña el perfume barato de la señora Dumont, la vendedora de boletos en el cine Plaza. Este pensamiento incongruente en un momento semejante, la sorprendió. Sin embargo, ella reflexionó y recordó que las flores también estaban muertas. Ésa era quizá la explicación: su perfume agonizaba.

Había mucha gente y Rubby tenía la impresión de avanzar en cámara lenta entre la muchedumbre. Necesitó algunos instantes para darse cuenta que miraba a su amiga. La niña acostada delante de ella tenía la piel cerosa y tensa, mientras que la verdadera Louise lucía siempre un color de melocotón. Se impresionó. Prosiguió minuciosamente su inspección como si su vida dependiera de ello. Incluso sus lágrimas permanecieron bloqueadas detrás de sus ojos hinchados. Después de su examen, la imagen de Husshy en el contenedor de basura se superpuso a la de su amiga. Lentamente, sus lágrimas atravesaron la barrera de sus ojos.

La muerte de Louise precipitó mi desaparición —después de todo, yo no era más que una amiga imaginaria—. Para aumentar la confusión de Rubby, Marie, quien sufría los problemas financieros vinculados al ausentismo como resultado de su alcoholismo, decidió mudarse. Ella había encontrado un departamento de las mismas dimensiones, pero a un precio más módico en Henri-Bourassa, hacia el oeste. La única ventaja para la niña: estaba cerca de la escuela secundaria Sophie-Barat. Rubby no confió más en mí; permanecía postrada. Luego de varias tentativas infructuosas, decidí resignarme a cerrar mi ventana.

Capítulo 7

Puck

Gato callejero gris. Observó a Rubby hasta sus quince años.

Aterricé en su vida en plena mudanza. Mi padre provenía del oeste y mi madre del sur. Juntos decidieron que mi carrera empezaría en un terreno baldío al norte de la ciudad. Es ahí donde Rubby me descubrió y selló nuestra amistad. Durante su adolescencia, compartía sus confidencias entre Andrée y yo, una amiga que ella consideraba como su propia hermana. Yo gozaba de una gran libertad en su hogar. Esto era porque lograba seguirla un poco por todas partes en sus desplazamientos.

La mudanza tuvo lugar en julio. El señor Germain y dos de sus amigos hicieron el trabajo en pocas horas. Dos días antes, Marie, Lucie, Paul y Rubby habían pintado todo el departamento. Rubby había insistido en que los muros y el techo de su cuarto llevaran el color verde bosque. Dada su pena, nadie se atrevió a contradecirla y, contra toda espera, el resultado revistió un cierto encanto.

La distancia que la separaba de la casa de sus abuelos era más grande, pero a pesar de todo podría volver allí a pie. Él la llegaba a acompañar al final de camino. Ese verano, Marie multiplicó sus esfuerzos para distraer a su hija. Se mostró más presente y obtuvo tres semanas de vacaciones de su patrón. Acompañada de sus abuelos y su madre, Rubby se dirigió a la Florida.

Ese viaje —el primero de su joven existencia— la transportó al séptimo cielo. Contempló con encanto el paisaje que desfilaba ante sus ojos. Se dormía sobre el hombro de Lucie, soñando con el océano y las palmeras. Llegados a su destino, rentaron un espacio en el campamento municipal de Fort Lauderdale. Además, era la primera vez que Rubby dormía en una tienda de campaña. Una amiga de su madre, a quien le debía haber obtenido el empleo en el restaurante, les prestó el equipo.

El punto culminante de ese viaje fue indiscutiblemente la visita a *Walt Disney World*. El encanto y la magia del paraje sacaron nuevas lágrimas a Rubby. Su espíritu no llegaba a registrar todas las maravillas de ese lugar bendito. Deambulaba en un estado secundario, la sonrisa sosa en los labios, las manos revoloteando de un objeto a otro para asegurarse de su realidad.

El regreso a la ciudad se hizo sin dificultad. Rubby me fue a buscar a la casa del señor Germain y me contó su extraordinario viaje con muchos detalles. Se sentía casi avergonzada de estar tan divertida mientras que Louise...

El bálsamo curativo de su viaje a Florida se esfumó poco a poco, cediendo el lugar a una pesadilla recurrente que atormentaba sus noches. Se despertaba y, súbitamente, justo en medio de la acción, la oscuridad total se le echaba encima y la encerraba por todas partes, el terror la paralizaba; cientos de manos la empujaban y las risas surgían de todas partes: adelante, atrás, sobre ella... estaba ciega y se sentía impotente. Ese torbellino de locura la arrastraba hasta el techo de la escuela Sophie-Barat. Entonces, Louise se le aparecía y le suplicaba venir a verla. Su grito rompía la noche en el momento en que ella alcanzaba el suelo. Este visitante onírico la acompañó varios meses. Con el tiempo, aún si siempre provocaba un profundo pavor en casa de Rubby, su efecto se hacía más concentrado y se disipaba más rápidamente. Incluso, podía volver a dormir y soñar con otra cosa.

Contrariamente a sus temores, su entrada a la secundaria sucedió sin tropiezos. El colegio estaba construido con gruesas piedras grises, semejantes a aquellas de la iglesia de *La Visitation*. Un anexo más moderno, encerrando los laboratorios de química, prolongaba su parte oeste. Una estatua del Sagrado Corazón situada sobre la puerta principal protegía el edificio. Sin embargo, el santo había fallado en su tarea en 1929, año donde un incendio había destrozado casi la totalidad de la escuela. Una muy bella torre se elevaba al noroeste. Rubby había escuchado a un alumno contar que el actual cuarto de calefacción albergaba, en otro tiempo, una cuadra donde se guardaban caballos de verdad. En esa época, el colegio acogía a niñas ricas de todas partes del país y también de América Latina. El boulevard Gouin delimitaba su ubicación al sur, mientras que el río Prairies cerraba su frontera al norte. Las calles Georges-Baril y Christophe-Colomb rodeaban respectivamente sus costados oeste y este.

Rubby era catalogada como robusta. Se podía pues suponer que a los alumnos con los que ella se cruzaba no les interesaba otra cosa más que el cuerpo femenino. La población escolar era numerosa, pero cada uno —poco importaba su estatura— lograba encontrar un espacio suficiente para respirar. Por supuesto, su burbuja, su espacio vital, se limitaba entrando a la escuela. Sin embargo, era un tributo mínimo a pagar por su integración al medio estudiantil que ella tanto había temido.

✻·✻·❦·✻·✻

En primero de secundaria, Rubby hizo amistad con Andrée Léger. Las dos chicas pronto se volvieron inseparables. Algunos puntos comunes las unían: les gustaban las mismas materias y practicaban idénticos pasatiempos. Andrée también era hija única educada por una madre soltera. Raymonde, su madre, se ganaba muy bien la vida como modista. Andrée estaba siempre vestida con gusto y originalidad. Habiendo heredado el talento artístico de su madre, sobresalía en el dibujo y la pintura. Su fuerza venía de la luminosidad de los colores que elegía y de la luz que emanaba de sus obras. En cuanto a los temas, más bien se le había clasificado en la categoría de los "falsos pintores".

Andrée obtuvo rápidamente el permiso para cenar en casa de Rubby durante la semana. Por supuesto, la pequeña inspeccionaba siempre el departamento antes de partir a la escuela. Estaría muerta de vergüenza si su amiga descubriera una botella de vino o cualquier otro indicio que demostrara que su madre bebía. Ese secreto debía permanecer oculto, aun para Andrée.

Dos veces por mes, las dos amigas organizaban una noche de video en casa de la señora Léger. Para la ocasión, Rubby obtenía la autorización de dormir allá. Las dos niñas eran fervientes adeptas de las películas de terror y de suspenso. Después de la escuela, Rubby regresaba corriendo a su casa. Preparaba pronto su ropa para cambiarse, un pijama y un cepillo de dientes, que metía en su bolsa de deportes azul, ganada en una tómbola. Comía sola, pues su madre trabajaba hasta tarde el viernes. Hacia las diecisiete horas con cuarenta y cinco, le dejaba escritas unas palabras en la barra de la cocina y partía a reunirse con su amiga que la esperaba impacientemente. Raymonde, muy consciente de la importancia que revestía esta velada, procuraba dejar el departamento libre hasta las veintidós horas. Andrée estaba mimada; poseía su propia tele a color y su aparato de video en su cuarto. Así, ellas podían ver sus películas hasta tarde en la noche sin molestar a la señora Léger. Al día siguiente en la mañana, Raymonde les servía el desayuno en la cama y tenían derecho a un poco de café diluido. Ese ceremonial les encantaba; se sentían importantes. Antes de la cena, Andrée acompañaba a su amiga hasta su casa. En el camino, ambas planificaban ya su próximo fin de semana de video.

Este primer año transcurrió con rapidez, después que el verano se instaló. Como Andrée pasaba el mes de julio en el exterior, Rubby aprovechó para ocuparse de sus abuelos. Los había descuidado un poco durante el año escolar. Ellos tuvieron derecho a la versión íntegra de esta nueva y preciosa amistad. Paul y Lucie se alegraban de ver a su niñita tan feliz y alegre. El desconcierto de Marie no parecía herirla demasiado. Desde hace mucho tiempo, habían renunciado a cuestionarla sobre el vicio de su madre. Ellos permanecían vigilantes y dispuestos a apoyar a Marie si ella les avisaba o manifestaba la necesidad. Por el momento, aceptaban la situación y la compensaban cumpliendo el menor deseo de Rubby. A pesar de su corta edad, sus demandas continuaban siendo razonables y centradas en actividades donde su verborrea seguía sin perjudicar a nadie.

El mes de agosto volvió Andrée al hogar. Queriendo darle una sorpresa, no previno a Rubby de su regreso y se fue directamente a su casa. Cuando Rubby la vio de pronto detrás de la ventana de la puerta de entrada, el sol la deslumbró y creyó durante un microsegundo que se trataba de Maggy. Abrió la puerta de volada, se carcajeó de su equivocación, sintiéndose feliz de estrechar a su amiga en sus brazos.

Hacia el fin de mes, Marie le dio a su hija el dinero destinado a la compra de sus artículos escolares. Llevando a Lucie como asesora, las dos amigas pasaron una jornada inolvidable para encontrar las mejores gangas posibles. Regresaron rendidas, pero armadas de pies a cabeza para cursar su segundo año de secundaria.

Cuando observé a mi joven dueña, feliz y despreocupada, era difícil pensar en que un mal insidioso estaba latente paralelamente a esta bella vitalidad.

Rubby emprendió su año escolar con entusiasmo y confianza. Ella se compadecía de los pequeños de primero que debían abrirse un lugar en el tropel. Cuando la ocasión se presentaba, les ayudaba a orientarse en el laberinto de pasillos. Gradualmente, las preocupaciones de las dos amigas cambiaron y su principal centro de interés se manifestó en Michel Poirier, su profesor de Inglés. Los martes y viernes por la mañana, los lapsos entre las nueve y las nueve horas cincuenta, transcurrían mucho más rápido. En la intimidad, Rubby y Andrée apodaban a su profesor Bobby, pues se parecía hasta el grado de confundirse con Robert Redford. Extrañamente, en lugar de desarrollarse una competencia entre ellas, compartían la menor sonrisa, mirada o gesto de Bobby. Muy consciente de la atracción que suscitaba entre sus estudiantes, el señor Poirier distribuía equitativamente sus estímulos.

Los viernes de video volvieron, pero algunas películas de amor se intercalaban en lo sucesivo entre *Tiburón, Alien, Carrie...* Rubby y Andrée miraban primero las de suspenso, a fin de poderse dormir tranquilas y soñar con un Príncipe Azul.

Andrée mantenía lazos muy estrechos con su madre. Por su parte, Rubby envidiaba esa complicidad que Marie le negaba. A pesar de su amor, cierta molestia se insinuaba en su trato. Rubby explicaba a su amiga los problemas que tenía su madre. Lo discutían detenidamente. Una cosa les parecía cierta, el alcohol impedía a la madre y a la hija tener un acercamiento. Cuando Rubby quería hablarle, ella siempre se notaba un poco cansada o ¡ebria! Marie lamentaba esta situación, pero al parecer, no podía actuar de otro modo. ¡Como si sus sentimientos la hubieran abandonado y ya no encontraran el camino a casa! Rubby estaba apenada, incluso indignada. Sin embargo, estar en parte confiada a Andrée le quitó un peso enorme y reforzó otro tanto su amistad. Esa noche, cepillando mi pelo, Rubby se preguntó si Marie también era "particular" o si la "particularidad" en ella explicaba el alcoholismo de su madre.

Después de un momento oportuno, su voz la había dejado y una bienaventurada calma se había instalado. Ella esperaba que esta paz augurara un bello porvenir. Después de todo, ningún resbalón mayor se había producido desde el episodio de la oruga. Estaba algunas veces distraída pero eso era parte de su carácter; ¡no había realmente otra cosa qué hacer!

El acontecimiento más importante del año fue la elección de Andrée al puesto de presidenta de su clase. Por afiliación, Rubby se encontró catapultada hasta el proscenio al lado de su amiga. Esta nueva función acaparó toda su energía. Su máxima realización fue la de organizar un intercambio de regalos para Navidad. A fin de evitar los gastos excesivos, fijaron un límite de cinco dólares para el precio del regalo. Después de una ardua negociación, la dirección les concedió un periodo de dos horas —robado a los cursos de Educación Física y de Inglés— durante el cual el intercambio de regalos tuvo lugar. Las dos amigas se sintieron muy orgullosas de esa hazaña. Además, reunieron a algunos padres de familia que se comprometieron a servir un bufé durante el desmontaje del árbol, previsto para el 22 de diciembre.

Los días precedentes a la festividad, el ambiente ganó en efervescencia y en excitación. La fiesta fue un verdadero éxito y hasta los de fuera, la pandilla de Henri, un tipo duro de la clase, felicitaron a las organizadoras. Ningún contratiempo perturbó el desarrollo de las actividades. Rubby recibió un brazalete de cuero delicadamente trenzado al estilo indígena y Andrée, una agenda. El asueto por las fiestas fue bienvenido y reparador.

El año seguía al mismo ritmo con sus esperanzas y sus resplandores de entusiasmo. En la casa, Rubby no observó ninguna mejoría, pero tampoco ningún deterioro. Marie salía poco, recibía visitas muy raramente y trabajaba mucho. Ese modo de vida, la mantenía sobria más tiempo y mejoraba su cuenta en el banco. Pero la alegría permanecía ausente y Rubby veía mal que ella pudiera vivir así, con el corazón paralizado.

El último curso de Inglés llegó demasiado rápido. La emoción ayudaba, las dos chicas encontraron a Bobby más sexy que nunca. Sus ojos azules iban a faltarles cruelmente.

Cuando me reunía con Rubby en su cama y ella me acariciaba detrás de las orejas, yo me daba cuenta de cuán maravillosamente transformada estaba en pocos meses. Parecía más tranquila, más serena; se notaba que una bella personalidad buscaba desarrollarse. Yo agradecía al destino por haber permitido que nuestros caminos se cruzaran en ese terreno baldío.

En verano, para premiarla por sus calificaciones escolares, Marie le ofreció una bicicleta de carreras Peugeot roja. Sus abuelos contribuyeron y compraron a *Sporty* —la bicicleta en cuestión—, la cual tenía manubrios con reflectores atrás: odómetro, cartera, candado... Rubby pasó las vacaciones atravesando la ciudad. Ese nuevo modo de transporte le procuraba una libertad que la excitaba y la satisfacía. Cuando bajaba una cuesta, adoraba soltar los manubrios y extender los brazos. Como un pájaro tomando vuelo, esta sensación de ligereza y de peligro la embriagaba. Partía temprano en la mañana, sola o con Andrée, llevando una merienda que saboreaba en un parque, en la montaña o en el Viejo Montreal.

Entre el sol y la lluvia, el otoño empujó violentamente al verano y la época del tercero de secundaria llegó para las dos adolescentes. Se deslizaban lentamente, pero seguras en el mundo de los adultos, donde la regla quiere que las opciones de vida se precisen. Rubby aprendió a proyectarse en el futuro.

Andrée pretendía estudiar bellas artes a fin de desarrollar y de afinar su talento para la pintura. Por su parte, Rubby titubeaba entre una profesión relacionada con la ayuda, que requeriría largos estudios, o un oficio como el de peluquera, que le permitiría adquirir su autonomía más rápidamente. Las materias escolares no le representaban ningún problema; de manera que las perspectivas del futuro no tenían límites, pero le parecía que la segunda opción le permitiría madurar más, antes de elegir la carrera definitiva.

En noviembre, fue a consultar, por propia iniciativa, al orientador de la escuela. Él le hizo pruebas de aptitudes y de preferencias. Los resultados la dejaron perpleja. Según él, ella sobresalía en campos por los cuales no sentía ninguna afinidad, es decir, la mecánica, la aeronáutica o la carpintería. Discutió con su madre, que se guardó su opinión. Marie la imaginaba muy bien en el papel de terapeuta o de vigilante.

La madurez de Rubby inquietaba a veces a su madre; sus conversaciones la sorprendían, sus preguntas la desconcertaban. Ella prefería evitar estar a solas con su hija, eso la ponía incómoda. Marie admiraba mucho a Rubby, pero no encontraba las palabras para decirle y compartirle sus sentimientos. Nunca había tenido grandes disposiciones para la escuela y había abandonado muy joven las aulas. La vivacidad de espíritu de su hija la hacía darse cuenta más aún de sus límites y de sus *lagunas.* Temía no comprender su mundo, ser incapaz de responder a sus expectativas luego de ser juzgada por su hija. He aquí por qué ella se afanaba torpemente por rechazarla con las puntas de los dedos, para alejarla de su propia miseria y evitar que fuera manchada.

Como regalo de Navidad, Lucie y Paul obsequiaron a su hija y a su nieta un viaje a Cuba. Rubby se enteró de la feliz noticia el 22 de diciembre, entrando de la escuela. Los preparativos se efectuaron de prisa y el 24 en la mañana, la señora Léger sirvió de chofer al cuarteto. A pesar de su miedo, Rubby, para quien ese viaje representaba su bautismo aeronáutico, mostraba gran alegría y difícilmente dominaba su emoción, que parecía tan grande que, de no haber sido por su corta edad, seguramente habría sido víctima de un ¡mal cardíaco! Cuando el avión despegó y el paisaje se redujo bajo las ventanillas, las casas se volvieron tan minúsculas como aquellas colocadas en el árbol de Navidad. Esta magia maravilló a Rubby y le hizo saltar las lágrimas a los ojos.

Llegada a Varadero, Rubby estaba pasmada por el esplendor del océano. Se diría un inmenso espejo reflejando el azul del cielo. Sentía nacer en ella un profundo respeto por esta belleza y esta fuerza tranquila. Su habitación constaba de un cuarto en la planta baja, con un salón en la esquina, y otro en el segundo piso. La cabaña se encontraba cerca de la playa y del complejo central donde se servían las comidas. Desde su ventana, Rubby podía admirar el mar y dejarse arrullar por su melodía. La semana transcurrió en una bienaventurada pereza. Marie resplandecía de felicidad. Verla divertirse así y tener largas conversaciones con sus padres, tranquilizaba a la adolescente. Su madre se confiaba a Lucie, y Rubby les dejaba todo el espacio posible.

Esa estancia satisfacía a la pequeña familia. La armonía reinaba entre ellos. Un acercamiento pareció incluso comenzar en esa playa arenosa. El regreso se hizo en silencio, cada uno se absorbió en sus pensamientos.

Los cursos se reanudaron y Rubby se concentró todavía más en sus estudios. Se preparó cuidadosamente para los exámenes del ministerio. Rubby consideraba esta etapa como un hito importante para su porvenir. Andrée, menos motivada que su compañera, se esforzó no obstante por obtener buenas notas en los exámenes. Las dos amigas recibieron su boleta con mención. Lucie y Paul organizaron una pequeña fiesta en un restaurante para subrayar esa proeza.

Una mañana, al regreso de un paseo nocturno muy agitado, sorprendí a Rubby encogida al pie de su cama. Pedía a su Dios que restaurara la magia de las vacaciones en Cuba. El acercamiento tan esperado con Marie se iba entre los dedos. Su madre la escuchaba desde luego mucho más; Rubby le confiaba sus secretos, pero Marie guardaba los suyos. Se trataba más bien de un enlace en un solo sentido, ¡como un semibeso! Tal vez su madre la encontraba demasiado joven para compartir con ella sus estados de ánimo. A pesar de su cuestionamiento, la pequeña esperaba que la situación evolucionara: un paso a la vez... con su Dios por testigo.

A causa de mi desenvoltura, aquel día marcó el fin de nuestra relación. Por la tarde, antes de dejar el departamento, saludé a Rubby frotándome en sus piernas. Tenía la intención de darle una lección a ese gatito presumido que cazaba en mi territorio. Después, atravesando la calle Henri-Bourassa, subestimé la velocidad de un Honda rojo... Es falso pretender que los gatos tienen nueve vidas...

Lo más cruel de esta historia, es que mi joven dueña no conoció jamás el lugar de mi sepultura. Después del impacto, yo tenía justo suficientes fuerzas para tirarme en un solar.

Capítulo 8

Rubby

A los quince años, me decían más bien madura para mi edad. Sin embargo, luego de la desaparición de Puck, lloraba por nada. A pesar de ello, no era más que un gato y nada demostraba que estuviera muerto. Quizá simplemente se encontraba vagando o había encontrado su alma gemela. Entre más pensaba, más lo echaba de menos. Era mi confidente, mi Husshy miniatura viviente.

Andrée me invitó a pasar unos días en Sainte-Adèle en un chalét rentado por Raymonde para el verano. Esta sorpresa me haría un gran bien y me cambiaría las ideas. Así pues, acepté su invitación.

El chalét en madera redonda se situaba a la orilla de un lago. El pueblo se encontraba, con respecto a él, a veinte minutos de camino. Regresábamos todos los días para reunirnos con los amigos de Andrée para un refrigerio en Chez Toé, un lugar de moda. Andrée poseía un talento natural para reunir a la gente y organizar actividades de grupo. Como una líder democrática, incitaba a cada persona a involucrarse, a descubrir sus fuerzas y a utilizar su potencial en forma creativa. Por ejemplo, ella se desempeñaba de maravilla con Sam. Ese chico enclenque, introvertido y sin ningún sentido de réplica, se volvió gracias a Andrée "Sam el reintegrado". Éste último poseía una memoria fenomenal y rara vez olvidaba un aniversario o un dato importante. En efecto, como nunca pasaba nada en su vida, se interesaba un poco más en la de los otros. Andrée transformó su "voyerismo" en periodismo. Él aprendió a conocer los hábitos de cada uno y a reagrupar a los amigos en un tiempo record.

Con motivo de nuestra amistad, yo fui bien recibida dentro de la banda. Hacía esfuerzos de socialización y trataba de participar en las actividades. El tiempo era magnífico. Nos bañábamos en el lago todos los días. Adoraba tenderme en un colchón inflable y dejar que Sam me sirviera de motor. Me empujaba suavemente y me hacía regresar por mí misma. Esta sensación me embriagaba y me relajaba. Las noches terminaban muchas veces alrededor de una fogata detrás del chalét. Andrée y yo dormíamos en el sótano, mientras que su madre tenía su cuarto en el primer piso. Existía una puerta de salida a nuestro nivel, eso me causaba un poco de preocupación, pues lo que dice salida al exterior, dice entrada al interior... En el sótano, completamente descubierto, había una sala común donde se encontraban tres camas individuales y dos burós. Aquello representaba mucho espacio para dos jovencitas, más aún, que en el campo, la noche estaba verdaderamente negra.

Ese jueves fatídico quedó grabado por siempre en mi memoria. Ninguna advertencia, ningún signo precursor. La *Gran Bocona* llegó e hizo volar mi serenidad en pedazos. Tuve mucho miedo, sobre todo cuando constaté que Andrée dormía tranquilamente. Tenía tantos deseos de que ella se despertara para calmarme. Ambas habríamos sabido encontrar una explicación plausible de esta intrusión sonora. Enfrentar a un ladrón me habría parecido menos aterrador que la llegada de la G.B. Por lo menos, yo habría podido defenderme, combatir. Mientras que allí, dentro de mi cabeza, la guerra había estallado.

Al día siguiente, me sentí literalmente enloquecida. Temía ante todo que se descubriera mi pánico, mi desasosiego. Tenía la impresión de que mis ojos me traicionaban. Mis manos temblaban ligeramente. Me revelaba incapaz de soportar un solo bocado en el día. Cuando bajé al lago, el propio Sam no llegó a arrancarme una sonrisa. El agua que habitualmente me calmaba, me pareció negra y repulsiva.

Los amigos, las reuniones a la luz de la luna, todo perdió su brillo y su sabor. La inminencia de una catástrofe me atenazaba las entrañas. Traté de hacer el menor ruido posible. Mi letargo molestaba quizás a la *Gran Bocona,* quien se desinteresaría de mí o me atacaría con menos virulencia. Mi corazón lleno de inquietud no aspiraba más que a una cosa: regresar al regazo materno. Con el fin de no despertar sospechas y no inquietar inútilmente a Andrée, a costa de grandes esfuerzos, llegué a prolongar mi estancia hasta el sábado.

De regreso a la ciudad, me precipité a casa. Marie no estaba, terminé en casa de mis abuelos. Paul estaba solo: Lucie y Marie habían ido juntas de compras al centro de la ciudad. Ahora que me encontraba en la casa, mi pesadilla del jueves me parecía menos terrible, menos dramática. Paul me acogió con los brazos abiertos. Su bello rostro reflejaba la sorpresa y su mirada me envolvió de ternura. Me ofreció un café y yo le relaté mis vacaciones en el campo con entusiasmo. Sin embargo, mi voz se quebraba. Sabía a mi abuelo dispuesto a escucharlo todo, pero las palabras se me escapaban. ¿Por qué molestar con mis tonterías de adolescente impresionable? Sentada a la mesa delante de mi café, juzgaba ridículo haber reaccionado tan vivamente a una alucinación. Al regreso de mi madre, yo aún no había dicho nada; solamente me estaba encerrando más. Me llegó rápido, como consecuencia, pensar de nuevo en aquel sábado, me preguntaba si mi destino habría sido diferente si me confiara a Paul.

Recobré vida y respiré mejor los días siguientes. Pensando de nuevo en ese acontecimiento, yo misma llegué a esbozar una sonrisa. Pero no tan fantoche para reír francamente, por si acaso... Por otra parte, mientras discutía con Marie, a propósito de una salida, la voz se manifestó de nuevo. Soporté el golpe dolorosamente. Toda duda se desvanecía, y eso me dejaba estupefacta, me aterraba. Mi madre continuó hablando, pero su voz no era nada clara y parecía provenir de muy lejos. Me levanté para preparar un café y disimular mi confusión. El pocillo pesaba una tonelada y el agua que salía del grifo hacía un ruido infernal. Estaba tensa como cuerda de violín. Toda mi sangre retrocedió hacia mis pies y, si no hubiera sido su pesadez lo que me mantenía clavada al piso, habría caído de bruces. Me recobré, pues Marie me interpelaba en la sala y se impacientaba, logré penosamente acercarme y acorté la conversación. Me fui a mi cuarto, desaparecí tan rápido como fue posible, no sin antes pasar por el baño para vomitar.

El verano no terminaba nunca. Su encanto había desaparecido. *Sporty* permanecía encadenada al barandal de la escalera debajo de su toldo. La energía para ayudarme me hacía falta. La *Gran Bocona* me acosaba sin descanso, sobre todo por la noche:

"¿Duermes, puta? No parece, sabes que eso no sirve de nada. ¿Te manoseas?"

Esa última palabra había sido dicha con suavidad.

—¡Cállate! Grité, metiendo la cabeza debajo de la almohada y las sábanas.

"¡Eso es asqueroso, una puta en celo!"

—¡Me das asco!

"Le doy asco. ¡Ella es muy buena! Sería necesario ver que la mierda está aquí..."

—¡Déjame en paz, por Dios!

El tono había subido varios puntos.

"¡No mezcles al viejo en todo eso, estúpida de mierda!"

Ella deseaba sin duda debilitarme perturbando mi sueño. Sus ataques seguían siendo irregulares; saltaba días, incluso semanas enteras. Algunas veces, otros sonidos llenaban mi cabeza, pero se reducían a simples murmullos; la G. B. acaparaba todo el espacio disponible. A veces, perdía la calma y me obstinaba en voz alta, aprovechando la ausencia de mi madre, para arreglar mis cuentas. En varias ocasiones, tuve deseos de confiarme a Paul, pero la *Gran Bocona* adivinaba cada vez mis intenciones y hacía corto circuito mis proyectos, amenazándome: "¡Ve y cuéntale! ¡Lo vas a acabar, perra!" Eso me confundía. Mi sueño era perturbado y yo adelgazaba rápidamente. Marie intentó en varias ocasiones saber lo que pasaba, pues mi comportamiento la inquietaba. La tranquilicé lo mejor que pude e inventé diversos males detectados en mi reciente "condición femenina". La explicación pareció satisfacerla. Me propuso una visita con el doctor que decliné cortesmente. Yo no entendía nada de lo que me sucedía, pero mi instinto me sugería estar lejos del médico...

La reapertura del curso escolar me arrancó de mi melancolía. Las nuevas materias se revelaban apasionantes y estimulantes. El ambiente del colegio era electrizante. Aprendía secretamente todo para que Andrée no descubriera mi locura. Por suerte, la encontraba únicamente en mis cursos de Francés y de Historia. Demasiada promiscuidad habría podido traicionarme, y yo la tenía en muy alta estima para decepcionarla. ¿Por qué obligarla a ocuparse de una amiga completamente tarada? Andrée evitó cuestionarme abiertamente, pero anduvo con rodeos, me ayudó, se mostró disponible. Por mi parte, la esquivaba, hablaba sin decir nada. Consciente del hecho de que hería a mi amiga, eso me parecía en verdad no ser más que un mal menor pues revelarle la verdad habría sido una prueba terrible y dolorosa.

Una tarde, saliendo del curso de Historia, Andrée me dio orgullosamente una carta: una invitación a una super fiesta. Ella misma había diseñado las cartulinas, un bello trabajo. Al momento en que iba a felicitarla, la *Gran Bocona* se interpuso: "¡Mira esta Miss Perfección! ¡Tú eres una mierda para ella, una verdadera carga! ¡Devuélvele esta puta carta y lárgate!" Aún bajo el *shock* de este ataque desleal, solté la invitación. Permanecí muda, incapaz de reaccionar, y Andrée se inclinó para recogerla. De mala gana, hice la única cosa obligada para proteger a mi amiga: rechazar la invitación. Eso me hizo daño. Andrée no me insistió, pero su mirada expresó un desconcierto más profundo, un doloroso cuestionamiento: ¿por qué? Finalmente, la G.B. tenía razón: ¡yo no era más que una mierda!

El combate inhumano que llevaba me agotaba, me minaba completamente la moral. Andrée se alejó de mí sin que yo pudiera retenerla, como una silueta desvaneciéndose en la noche. Todos esos años transcurridos riendo, confiando, teniendo miedo, amando, parecían tan lejanos, fuera del alcance, en otra dimensión. Mi pasado se me iba de las manos. Mi felicidad había sido silenciada, contrariamente a la desgracia que se había instalado de manera estrepitosa en mi vida. La única forma de tranquilizarme era cuando me absorbía en un libro. En efecto, observé que ella surgía raramente en esos momentos. La *Gran Bocona* amaba aprender; pulía sus conocimientos por medio de mis lecturas. En el fondo de mi soledad, intentaba desesperadamente adaptarme a esta cohabitación forzosa.

Noviembre llegó. Un acontecimiento imprevisto en mi calendario escolar ocurrió: mi abuela murió, de la manera más tonta. Un martes, en plena noche, sonó el teléfono. Su estridente timbre rebotaba como una risa burlona por todos los cuartos del departamento. Unos minutos más tarde, Marie y yo nos lanzamos en un taxi rumbo al hospital Fleury. No intercambiamos ninguna palabra. Por mi parte, rezaba, pronunciando las palabras rápidamente, como una letanía susceptible de conjurar la mala suerte y de alejar la desgracia que se abatía sobre nosotros. Llegamos demasiado tarde. Lucie no había podido esperarnos o, simplemente, había deseado apagarse con mi abuelo como único testigo. Sentado a su lado, Paul le acariciaba afectuosamente los cabellos. Sus ojos enrojecidos que expresaban su desesperación me rompieron el corazón. Caímos en los brazos unos de otros, formando una gran bola de sufrimiento. Con mil precauciones, rodeé la cama para poder ver bien a Lucie y hablarle en mi conciencia. "Abuela, te amo ¿Por qué te has ido? ¿No estábamos bien los cuatro? Quizá si yo me hubiera esforzado más eso no habría... cambiado nada ¿no es verdad? Es como aquella mierdita de oruga. Aun si yo la hubiera aplastado, eso no habría cambiado nada ¿no es cierto?" Me veo en el patio de la escuela, paralizada de angustia ante todos esos ojos que me traspasaban. "No te inquietes abuela, cuidaré de Paul, prometido y jurado. Puedes dormir tranquila, yo me ocuparé por ti". Hice la señal de la cruz sobre mi corazón, con mi pulgar, a manera de juramento, después la besé cariñosamente en la frente. "Hasta luego, abuela. Te amo. ¿Sabes? Husshy te ha preparado un lugarcito a su lado; te espera". Su cara tranquila y serena revelaba una gran paz. Eso era hermoso a pesar de nuestro dolor. Con la yema de los dedos, recorrí lentamente sus finas arrugas que acumulaban todo lo que había vivido. Ese simple gesto puso un bálsamo en mi herida y me trajo un poco de consuelo.

··*·*·*

Después de los funerales, Marie le propuso a mi abuelo instalarse en nuestra casa. Él se negó, no estaba listo para dejar los lugares impregnados del perfume de su tierna esposa. Todos los viernes, él venía a cenar a la casa. Dos veces por semana, después de mis clases, me reunía con él en su hogar y discutíamos durante largas horas.

Paul se desviaba al filo de sus recuerdos y me llevaba a una maravillosa odisea donde evolucionaban héroes magníficos: mis ancestros. Paul había conocido a Lucie en una sala de baile situada al sur de la ciudad. Él la había cortejado durante más de un año. Acompañados por un chaperón —el hermano o la hermana de Lucie—, salían todos los viernes por la noche y los domingos después del oficio religioso. En 1938, Paul se había armado de valor y oficialmente pidió la mano de Lucie. Su futuro suegro tenía un empleo de subalterno en una gran compañía. Éste último había aprovechado la ocasión, del único momento donde él tenía influencia sobre un extraño, para hacer esperar a mi abuelo una larga semana. Decididamente, este hombre quería retardar las bodas, inclusive las suyas, puesto que había hecho esperar una hora a mi bisabuela al pie del altar. Paul había prometido amar a Lucie, respetarla y satisfacer sus necesidades hasta la muerte. Promesa que respetó escrupulosamente durante medio siglo.

Los jóvenes esposos, de veintiuno y veintitrés años respectivamente, habían vivido durante dieciocho meses en la casa de la señora Denis, que tenía una pensión. Lucie trabajaba en una fábrica de ropa y Paul, en el mantenimiento de un gran hospital. A pesar de su pobreza, habían conocido momentos de intensa felicidad. Como dos niños, jugaban a "cambiar el cuarto", transformando la pequeña habitación en dormitorio *Luis XV*, en suite real del *Ritz*, en salón oriental de la dinastía *Ming*...

Algunas veces, Paul se disfrazaba de mayordomo o de duque y Lucie, de doncella o de emperatriz. Su andar, actitud y lenguaje se plegaban a las reglas del juego. Esos fragmentos del pasado, vuelto a la superficie, metamorfoseaban el rostro de mi abuelo. Sus arrugas se atenuaban y una sonrisa interior iluminaba sus ojos. A pesar de la edad, conservaba una gran belleza y una parte de él me recordaba secretamente a mi madre. Sólo un punto negro, ningún bebé había venido a coronar sus "esfuerzos". No había sido más que quince años después de su boda, que Marie por fin se dignó a venir al mundo. Ese parto difícil había estado a punto de llevarse a Lucie y declaró a mi madre hija única.

Así, en el momento donde yo iba por fin a descubrir la infancia de Marie, tres meses después de la muerte de su mujer, Paul fue a alcanzarla. La odisea permaneció inacabada y yo fui arrojada en los arrecifes de la depresión. Mi madre rodeó el anuncio de la catástrofe con mil precauciones, pero la prueba se reveló demasiado grande. Yo me ahogaba. El aire no llegaba más a abrirse paso, a atravesar el nudo en mi garganta. Me sofocaba. Lo peor, fue ese terrible dolor que me atravesaba el estómago en el lugar preciso donde Husshy, a su muerte, había comenzado a descoserse cuando yo tenía cinco años.

Presa de su propio dolor, Marie no descubrió inmediatamente los signos de angustia que yo emitía. Curiosamente, esta doble pérdida la reanimó cuando, por mi parte, ella me aspiraba al infierno. Mi madre vivió su duelo en frío, sin ninguna bebida. Intentó tranquilizarme, pero llegaba quince años tarde: yo había levantado barricadas en mi interior. Esa peregrinación en el pasado con mi abuelo constituía a mis ojos su más bella herencia. Como una boya que me retenía en su realidad, atravesé esa pesadilla como verdadera sonámbula, sin conservar ningún recuerdo del 10 de febrero, día donde yo superé el límite de mis dieciséis años. Durante esta sombría tormenta, la *Gran Bocona* permaneció muda. Lo que era preferible, ya que ella me hubiera matado seguramente.

Mis fuerzas se debilitaron. Comía apenas, dormía mal, andaba de cabeza. Después de mi segundo desvanecimiento durante el curso de Biología, la enfermera de la escuela aconsejó a mi madre llevarme a ver a un especialista. Marie pareció aliviada de poder delegar esta responsabilidad maternal —mi salud— a un profesional. En verano, había logrado rechazar su sugerencia de tener consulta, pero no podía esquivarlo más ahora; estaba atrapada. No se trataba de un psiquiatra, pero después de una breve visita con el médico internista, fui a parar, después de todo, al consultorio del doctor Wolf. Una vez terminada la primera sesión, me di cuenta con quién tenía qué ver. Eso me asustó verdaderamente. A los dieciséis años, era muy inquietante tener que consultar a un psiquiatra infantil. Yo permanecía sobre aviso, filtraba mis palabras con el fin de que ninguna tontería saltara de mis labios. Para mí, el consultorio de Wolf representaba la antecámara del internamiento. Un boleto para el asilo si yo no me mostraba extremadamente prudente. Le hablaba de esto y de lo otro. Como la *Gran Bocona* parecía hibernar, nada me obligaba a revelarle su existencia. Después de todo, mi caso parecía bastante simple: una adolescente de un metro cuarenta y siete en pleno trastorno hormonal que no podía manejar la desaparición de la mitad de su familia. Sin rodeos, poseía una buena coartada. Inútil buscar en otra parte las causas de mi depresión. Él me prescribió pues el Élavil. Esas tabletas milagro debían devolverme a los caminos de la normalidad, asimilando mis duelos sin efectos secundarios. Seguí religiosamente el tratamiento: veinticinco miligramos en la mañana, para despertar un poco de humanidad en mí, y veinticinco miligramos en la noche, para impedirme permanecer mucho tiempo en contacto con mi sufrimiento. La medicación debía alcanzar a la G.B., pues permanecía en retirada.

✻·✻·✿·✻·✻

En lo sucesivo tenía un retraso en la escuela. Marie me inscribió pues, a los cursos de recuperación dos tardes por semana. En mi grupo, estábamos cinco alumnos; yo no me sentía en mi elemento. Las otras dos chicas de la clase, famosas, precisamente, sin tener fama, se preocupaban muy poco de la escuela. Un chico de nombre Neil, había tenido, por su parte, más éxitos en una escuela de lengua inglesa. Me confió que sus padres creían de manera ferviente que zambullirse en el estudio, constituía un método de aprendizaje infalible. Por su parte, él sentía francamente que se ahogaba. Por último, el quinto eslabón, Yan Simmon, despedía mucho encanto y carisma, sobre todo ante el género femenino. Su fama era la de un duro de pelar. El rumor decía incluso que él había tenido dificultades con la justicia. En efecto, una orden del tribunal explicaba la presencia de Yan en esta clase.

Esta inmersión en el universo de las excepciones despertaba en mí una gran curiosidad. Pasaba la mitad de mi tiempo observando a Yan y a su harén. La otra mitad, trataba de concentrarme en las matemáticas y la química. Finalmente, mi particularidad que, en ese momento se parecía a un "precoma intelectual", pareció diluirse al contacto con ese grupo. Incluso el profesor actuaba distintamente de aquellos que daban los cursos ordinarios. Normalmente, se enseñaba una materia en función de las capacidades de aprendizaje de los alumnos. Aquí, nuestra incapacidad se volvía la norma y justificaba la falta de motivación del profesor. A pesar de todo, logré salir a flote y recuperar mi retraso.

✻·✻·✿·✻·✻

Mientras tanto, Andrée y yo nos habíamos vuelto prácticamente dos extrañas —una separación amistosa, si puedo decirlo así—. Ningún escándalo, ninguna pelea, solamente el vacío y la incomprensión... Le envidiaba evolucionar con tanta facilidad en su mundo. Para ella, la vida era maravillosa, llena de posibilidades. Ningún enemigo invadía aún su joven existencia. Como le decía a Wolf, la muerte de un ser querido probaba al hombre y lo hacía envejecer. Esto explicaba en parte la sensación de desgaste y de cansancio que me habitaba; la zanja que se abría entre los adolescentes de mi edad y yo. Algunas veces, ese razonamiento me llevaba a creer que, más allá de cierta edad, no era necesario sufrir más lutos, so pena de muerte. Eso era lo que debió suceder con Paul. Setenta y tres años ¿era demasiado viejo para envejecer más?

Mientras que yo me aislaba cada vez más, mi madre llegaba a la cima de su formación. Salía desde hacía poco con un tal Pierre Major. Marie lo había conocido en el restaurante, cuando le servía el plato del día. Al día siguiente, después de una segunda pizca de tarta de limón, Marie tuvo lástima de él. Le dio su número de teléfono, antes de que él ordenara otra rebanada de tarta. Es preciso decir que Pierre tenía una buena apariencia: cabello negro, ojos negros muy brillantes, labios llenos ligeramente levantados en las comisuras, airecito burlón y complexión de atleta. Su único defecto: medía un metro ochenta y dos. Marie, con su metro sesenta y dos —setenta con tacones—, se acomodaba muy bien. Por mi parte, encontraba eso insoportable.

Pierre, divorciado y padre de dos hijos grandes, había venido algunas ocasiones a la casa, llevaba los brazos cargados de queso, mantequilla de maní y pastas —trabajaba desde hacía veinte años en *Kraft*—. Se mostraba delicado y atento con respecto a mi madre, lo que sorprendía, teniendo en cuenta su estatura. Yo reconocía sinceramente, que estaba feliz por Marie; el amor transformaba sus rasgos, los suavizaban. Canturriaba levantándose por la mañana. Tenía el aire de toda una jovencita, preocupada por agradar, pero insegura aún de su encanto y de su poder, me pedía a veces consejos respecto a su ropa y a su maquillaje. Formaban una bonita pareja y el futuro parecía prometedor.

Era como si Dios, quitándole a mi madre a Paul y a Lucie, los remplazara por Pierre. ¡Qué encantadora atención de Su parte! Pero Él me olvidaba a mí...

Terminé mis estudios, así como mis consultas con Wolf. Él parecía muy satisfecho de mis progresos. Mi sueño mejoraba y volví a engordar. A sus preguntas, yo ponía constantemente respuestas tranquilizadoras.

—Buenos días, Rubby. ¿Cómo vamos? Preguntaba ajustando sus anteojos con la ayuda de su pulgar y de su dedo índice derechos.

—Muy bien.

Siempre el mismo preámbulo y la misma pregunta fetiche, en el sobreentendido de que sólo eramos dos en esta galera. Eso me molestaba al final. Más aún cuando sus anteojos ahumados chocaban con el vínculo amigo-amigo que él buscaba suscitar usando el "mos".

—¿Cómo vas en la escuela?

—Bien. Alcancé a los estudiantes de mi clase. Las matemáticas ya no son un secreto para mí.

—¿Y los amigos, Rubby?

—Bien. Veo de nuevo a Andrée regularmente, para cenar, mentí. Además, ayudo a Neil, un estudiante del curso de recuperación, a perfeccionarse en Francés.

—Pareces ir por buen camino. ¿Y cuáles son tus proyectos futuros?

"Muy gracioso, pensé. ¿Cómo se atreve a hablar del futuro cuando existen la contaminación, la capa de ozono, las minas antipersonales, el hambre, la sobrepoblación, la *Gran Bocona*, y qué más?"

—Este verano, me gustaría trabajar un poco, empezar de abajo. Quizás en el restaurante donde trabaja mi madre o en el salón de belleza *Cleopatra*, que está ubicado enfrente.

—Perfecto, pero hazlo poco a poco, ¿de acuerdo? Me recomendó.

Después de un buen rato, me parecía claro que un psiquiatra no equivalía a un adivino. Había sentido culpa por creer que podría leer mis pensamientos. La prueba: ignoraba todavía la presencia de la G.B. La sesión prosiguió sin obstáculos. A pesar de todo, lo encontraba simpático. Extrañaba esas reuniones hasta cierto punto; pues no conocía a nadie más con quien hablar.

Terminé mi cuarto año de secundaria en la media. En realidad, no había formulado ningún proyecto para el verano de mis dieciséis años.

A principios de julio, Marie me hizo una proposición interesante. Jenny, una peluquera del salón *Cleopatra*, que se abastecía de sandwiches en el restaurante, conocía a una clienta que buscaba una niñera para sus hijos. Ofrecía un buen pago y los días de guardería eran fijos: lunes, martes y jueves de las ocho a las dieciséis horas. Por conducto de Jenny y con mi consentimiento, Marie fijó una cita con la señora Beauchamps. Pauline, una bonita mujer de treinta y cinco años, que poseía un enorme don de gente, me recibió muy amable. Me explicó que el trabajo de su esposo, un ingeniero, lo llevaba a menudo a las afueras de la ciudad. Repentinamente, la puerta de entrada crujió y Henri, de ocho años de edad, hizo irrupción en la sala, deteniendo su carrera justo antes de chocar con una maceta de geranios.

—¡Oops! ¡Hola!

—Hola, aventuré.

—Te presento a Rubby. Ella se va a ocupar de ti, este verano.

—*¡Cool!*

Abandonándose sobre un taburete, él comenzó a limpiarse las uñas.

Hecho bastante asombroso, la cara del chico no se parecía en nada a la de su madre. De temperamento nervioso, se reía tontamente y sus facciones irregulares parecían darle un tic irritante: la comisura izquierda de su boca se levantaba mientras que arrugaba los ojos, todo en treinta segundos. Sin interesarle nada, Henri desapareció en la cocina. La señora Beauchamps me hizo un montón de preguntas sobre mi experiencia y mi familia. Puesto que yo cuidaba ocasionalmente a los niños del vecindario, podía así lógicamente pretender ser experimentada. Anticipaba que, sin querer jactarme, había tenido siempre buenas relaciones con los niños. Mi pequeña estatura debía tener algo que ver, pensé interiormente.

El segundo lunes de julio, comencé a trabajar para los Beauchamps. Acudí allá con *Sporty* y comí en ese lugar con Henri. No hacía el aseo doméstico, ni cocinaba. Pauline preparaba la comida de antemano. A pesar de sus ventajas, el trabajo no era del todo descanso. Mantener a Henri sentado a la mesa más de diez minutos era pura y simplemente una hazaña. Cuando se ensuciaba, por ejemplo, atascándose en el lodo, y que él debía cambiarse, mi labor se transformaba en un verdadero infierno. La operación necesitaba más de una onza de tacto y degeneraba bastante a menudo en conflicto armado. Le dije dos palabras a Marie. Ella me indicó que ciertos niños seguían siendo solapados, sobre todo en presencia de extraños. "Con el tiempo y paciencia, ganarás su confianza. No le hagas el juego", me tranquilizó.

No obstante, me divertí mucho con el pequeño quien, en ciertos aspectos, se parecía a mí. Él mismo carecía de amigos, yo había sorprendido a algunos niños burlarse de él en el parque. Se jactaban entre ellos de que "Henri, el lelo" les pagaba los caramelos. Para un chico de su edad, Henri llevaba siempre mucho dinero con él. Una parte de dicho dinero, para gastos pequeños, servía para comprar golosinas... y una fingida amistad. El señor Beauchams, verdadero padre-fantasma, aparecía en el domicilio algunos días por mes, con los brazos cargados de regalos costosos, después desaparecía de nuevo. Henri lo adulaba y me hablaba de él continuamente, alabando a cual más sus méritos. A pesar de ello, él raramente aparecía durante las competencias de natación o las visitas a la clínica. Yo consideraba mi caso preferible al suyo. Mi padre no estaba allí para hacerme promesas vacías que me destrozaran el corazón. Había un límite en las decepciones que un chico podía soportar. Más tarde, el cinismo corría el riesgo de convertirse en un compañero de ruta fiel. Eso me entristecía y me inquietaba, cuando pensaba en el hombre en que un día Henri se volvería.

Contrariamente a mis previsiones, el verano pasó a todo correr. Ahorré suficiente dinero para abrirme una cuenta de ahorros que era mi orgullo. Mi contrato en casa de los Beauchamps finalizó el 30 de agosto. Pauline, muy satisfecha, no cesaba de alabarme. Recibí una fina cadena de oro a manera de regalo de despedida. Me sentí feliz y confusa, ese gesto me afectaba profundamente. Ensarté mi signo del zodiaco obsequiado por Paul con motivo de mi decimotercera Navidad. El día de mi partida, Henri se negó a reunirse con nosotros en la sala. Comprendí y compartí su dolor. Le entregué a su madre una tarjeta de *base-ball* con la imagen de Babe Ruth, acompañada de unas líneas: *Tú siempre serás mi campeón. Rub.*

En casa, Pierre Major se integraba desde ahora en el ambiente. A pesar de la calidad de nuestra relación, yo guardaba mis distancias. No sabía mucho cómo actuar en su presencia; me faltaba práctica. En cuanto a Marie, tejía la perfecta felicidad y elaboraba proyectos futuros.

Capítulo 9

Yan Simmon

Yan Simmon entró en mi vida por accidente un 12 de septiembre e hizo daños considerables. Todo comenzó ese sábado en la tarde cuando yo estaba de compras en las Galeries d'Anjou. Curioseaba en La Baie, en el departamento de aparatos eléctricos, buscando un televisor para mi cuarto que calculaba adquirir con una parte de mis ahorros. Las decenas de modelos disponibles complicaban mi elección. Todos los televisores pretendían emitir la imagen más clara y mejor definida. Un poco más lejos, en el mostrador de los radios, algunas personas agrupadas discutían enérgicas. Cuál no fue mi sorpresa —y la palabra se queda corta— al escuchar pronunciar mi nombre. Levanté la cabeza y vi de pronto a Yan Simmon. Él apuntaba su dedo índice hacia mí y me invitaba a la reunión. Al aproximarme al grupo —dos vendedores, Yan y otros tres clientes—, mi respiración se aceleró. Varios *walk-man* cubrían el mostrador y Yan increpaba a un joven empleado. Escuché claramente las palabras "sorpresa fracasada", "incompetencia", "calumnia" y "atenta contra la reputación".

—Sabrá que yo nunca he "hurtado" sea lo que sea, querido señor, se rebelaba Yan insistiendo en el "querido". ¿Mi reputación por un *walk-man*? ¡No me diga! ¿Está bien de la cabeza?

Los empleados intentaban desesperadamente calmar a Yan. Él movía la cabeza y abría las manos, las palmas dirigidas al cielo, en señal de resignación.

Cuando llegué a su altura, Yan me rodeó de autoridad los hombros con su brazo. La parte agraviada devolvió un *walk-man* al vendedor. Dio media vuelta arrastrándome con él y juró no volver a poner jamás los pies en esa tienda. Nos alejamos rápidamente sin decir palabra. Afuera de La Baie, nos bifurcamos en una calle transversal. Yan se detuvo y me mostró un *walk-man* nuevo, oculto en la bolsa interior de su chaqueta. Me rozó los labios con un beso, me agradeció risueño y desapareció entre el gentío. Esa escena no había durado más que algunos minutos. Yo no había aun abierto la boca, salvo de estupefacción.

Estaba pasmada. Localicé una cafetería un poco más lejos a mi izquierda. Me metí y ordené un doble exprés. Sin haberlo probado jamás, estaba persuadida de que ese café convendría perfectamente a ese tipo de situación. Mis ideas salían en todos los sentidos e intenté, en vano, ordenarlas. La sensación de que quizá me habían seguido y que un agente de seguridad se encontraba agazapado en un rincón, dispuesto a detenerme, se me clavaba en la piel. El miedo y la vergüenza me inundaban a la vez; estaba preocupada y hechizada con mi gran desconcierto. En el momento en que Yan me había abrazado, una descarga eléctrica me había recorrido la espina dorsal. Su beso me quemaba aún los labios. Me sonrojé confundida.

Muy a mi pesar, admiraba la manera en la que Yan había captado la simpatía y la aprobación muda de los otros clientes. Había ridiculizado al joven vendedor, aprovechando el desorden general para cometer su robo. ¿Yan había planeado su robo dándose cuenta de mí en la tienda o mi presencia fortuita le había servido de coartada? De una manera o de otra, utilizándome así, me vuelve cómplice de su fechoría. A pesar de todo, me indigné, no podía llevar la responsabilidad de su gesto. Mi sentido impulsado al sacrificio terminaría por convencerme de que yo era la instigadora del robo, si no suspendía mis divagaciones. Abandoné el lugar tan pronto como me lo permitieron mi corazón, mis piernas, mi respiración y mi cabeza, lo que no se concretó sino dos horas más tarde.

El lunes, aunque mi primera clase comenzaba a las ocho treinta, acudí a la escuela a las ocho. Sutilmente, saqué información por todos lados sobre Yan Simmon. Ese tipo me fascinaba y me intrigaba con sus ojos azul verdoso, su quijada voluntariosa y su cabello oscuro, deliciosamente rizado. Su airecito revoltoso, al límite de la insubordinación, le distinguía de la masa. Le gustaba provocar y, fuerte con su metro ochenta, suscitaba el respeto. A su modo, era una *Gran Bocona*...

Nadie parecía haber reparado en él en la escuela desde la reapertura del curso escolar. Patsy, una de las chicas de mi clase de recuperación, mencionó que Yan había festejado sus dieciocho años el 30 de agosto. Legal y judicialmente, eso lo liberaba del baño escolar y habría sido —cito— "hiper sorpresa si traía consigo sus zapatillas deportivas a la escuela". De golpe, la vida de estudiante se volvió mucho más sorprendente que interesante. Fui a mis clases, elegidas sobre todo en función de mi inscripción al bachillerato, sin gran entusiasmo. A veces, aún sufría algunos resabios de mi depresión: la nostalgia. Por su parte, la G.B. no comenzó ninguna nueva maniobra para molestarme. Mis esfuerzos para convencerme de la utilidad de ocuparme de mis estudios seguían siendo vanos. Me encontraba sola en mi isla y Paul, mi *Robinson*, no estaba más allí para alentarme.

A veces, me cruzaba con Andrée en los pasillos, y no teníamos más remedio que hacer un simple saludo con la mano. La misma desgarradora interrogación vivía en su mirada. No me sentía con el valor de explicarle la situación, y no tenía ningún derecho de arrastrarla en mi pesadilla. La G.B. esperaba seguramente un momento favorable para despertarse y embestir... Pronto, nuestras vidas tomarían tangentes distintas, se separarían, y ese cruel ritual acabaría.

Un medio día, a consecuencia de uno de estos penosos encuentros, mi moral rozaba su más bajo nivel. Vagaba sin un objetivo en los pasillos y terminé por llegar a la puerta de la "guarida". En cinco años, nunca había penetrado en ese sitio. Se le tachaba como lugar de perdición. Por otra parte, para ir ahí, era necesario utilizar pasillos interminables, de techo bajo. Inspiré profundamente y empujé la puerta. La gran sala, ahumada, contaba con numerosas persianas de las cuales una sola permanecía abierta, lo que volvía a la atmósfera un poco de color verde claro. Algunos alumnos de quinto y de cuarto se encontraban diseminados aquí y allá, alrededor de mesas bajas. Un radio portátil emitía algo de música. En términos generales, el ambiente me gustó. Nadie ponía atención en mí y yo me sentía protegida. Veinte minutos más tarde, dejé la guarida para dirigirme a mi clase de Química. No obstante, me prometí repetir la experiencia en un futuro cercano.

El sueño ocupaba una parte cada vez más importante en mi vida. Elaboraba toda suerte de escenarios donde Yan y yo jugábamos el papel de héroes. Imaginaba que éramos *Robin Hood* de los tiempos modernos, despojando a los acaudalados para distribuir sus riquezas a los desprovistos. Se nos adulaba en cualquier parte a donde íbamos. En mis sueños más locos, hacímos el amor en lugares salvajes donde los animales cuidaban tranquilamente de nosotros.

Tres o cuatro historias diferentes alimentaban, según mi humor, mis fantasmas. Cada escenario era meditado, con elementos nuevos, la intriga mejoraba. Me retrasaba mucho en las escenas de amor y precisaba los más mínimos detalles, en función de mis conocimientos puramente teóricos, por supuesto. Mi clase de Biología y una enciclopedia de la sexualidad que hablaba de las relaciones físicas y afectivas constituían mis únicas fuentes de información. Al no tener ninguna amiga con quien hablar sobre esas "cosas", ignoraba si mis ideas eran descabelladas. ¿Concordaban con la realidad y las jóvenes de mi edad? En la guarida, escuché bien las historias concernientes a las relaciones sexuales, pero no llegaba a tener conocimiento del asunto.

Capítulo 10

Patsy

Adopté la costumbre de esconderme en la guarida todos los días, en mi hora de cenar. A principios de octubre, Patsy me invitó a su mesa; dos chicos la escoltaban: Tim y Jean. Ella me presentó a Tim como su chico. Rubio, delgado y apenas más grande que ella, tenía bonitos ojos azules, risueños. En su mirada se percibía una dulce ternura.

—Para Yan, lo de La Baie, fue muy gracioso de tu parte, me dijo Patsy.

—¡Mmm!

Ninguna respuesta más inteligente me vino a la mente.

—¿Ya cenaste? (ella registró en su mochila y sacó un sándwich) ¿lo compartimos?

—Gracias, ya comí, rehusé, un poco sorprendida por el giro de los acontecimientos.

Mi propia temeridad me asombró. El Élavil, mi súper medicamento, debía ser más eficaz de lo previsto…

Jean abrió un paquete de cigarros y ofreció por turno. Tim agarró uno al paso. Nadie me hizo preguntas indiscretas, lo que era muy agradable. Me aceptaban tal cual. A causa de mi encuentro con Yan formaba oficialmente parte del grupo. Patsy me confirmó que él se interesaba en mí. Le había relatado nuestra aventura. Según ella, él admiraba mi sangre fría, mi dominio y no parecía indiferente a mi persona. "Ella es bonita, la pequeña y audaz", él le había revelado. Sus confidencias se imprimieron en letras de fuego en mi espíritu y me tocaron directo al corazón. Pese al efecto explosivo de esas palabras, pude, gracias a la iluminación tamizada, disimular mi incomodidad y mi entusiasmo. Esa noche, tan pronto terminé mis deberes, elegí mi mejor escenario. Me dormí muy tarde, la cara partida por una sonrisa estática.

En casa, mi madre planeaba la posibilidad de ir a vivir a la residencia de Pierre. Su chalé, situado al noroeste de la ciudad, poseía un gran patio y una piscina al aire libre. Vivir bajo el mismo techo sería más económico que asumir cada uno por su lado los costos de un alquiler y de una casa. Los argumentos de mi madre eran válidos, pero yo no percibía esa mudanza con muy buenos ojos. Iba con mucho cuidado. Quería a Pierre. Sin embargo, si algún día las cosas estuvieran mal entre nosotros, ¿qué me pasaría? Tendría justo diecisiete años en el verano y me sentía muy vulnerable. El señor Major se mostraba amable y atento conmigo, pero actuaba aún como un invitado en nuestro departamento. Si nos mudábamos a su casa, su papel de dueño se le subiría quizás a la cabeza. Habituada a llevar sola mis asuntos, esperaba que Pierre no se empeñara en jugar el rol de seudopadre. De todos modos, octubre apenas comenzaba y muchos acontecimientos podían ocurrir de aquí al verano. Relegué así esta posibilidad y me concentré en el momento presente, o sea, en Yan Simmon.

En lo sucesivo me mostraba abiertamente con Patsy. Teníamos una sola materia en común: Educación Física. Formamos un singular dúo. Patsy medía un metro sesenta y dos; su cabello oscuro, muy corto, y sus ojos grises, ligeramente rasgados, le conferían un loco encanto. Llevaba siempre unos *jeans* muy ceñidos así como una chaqueta de cuero negra. Patsy no caminaba, ella deambulaba. Cuando circulaba por los pasillos, inevitablemente los hombres se arrastraban a su paso. Extremadamente consciente de ese poder, lo usaba para causar sensación en los espectadores. Asombrosamente, su modo de andar excluía toda forma de vulgaridad.

Al lado de Patsy me sentía fuerte e importante. Mi relación con ella se distinguía de aquella que había compartido con Andrée. En el umbral de su mayoría de edad, Patsy sacaba fuerza de su apariencia, de su complexión de mujer. Oponía una arrogancia absoluta a los extraños que la veían con insistencia. En cambio, mostraba una extrema amabilidad con sus amigos. También se creía diferente de las otras adolescentes, su vida no era simple y dorada como la de ellas. Esta distinción la había incitado a abordarme en la guarida. Su interés primero me había intrigado; yo no me identificaba con su "raza". Para mí, ella se parecía a la peor de las desvergonzadas, la candidata ideal a desatarse; en pocas palabras, encarnaba el mal. Mi obsesión por Yan había hecho inclinar la balanza a favor de una apertura para Patsy y su partida de malhechores. Yo había bajado mi guardia antes de aventurarme en su mundo fascinante. A veces, cuando me encontraba sola en casa, me preguntaba sobre la elección de mis amistades. ¿Había peligro? ¿Era razonable afiliarme a ellos? Y luego me tranquilizaba diciéndome que nadie me retenía a la fuerza. Después de todo, debía reconocer que su compañía me proporcionaba felicidad. Desde la muerte de Paul, me sentía viva por primera vez. Valía pues la pena tomar riesgos.

Por su parte, Marie pedía todavía noticias de Andrée. Por más que le explicaba que nuestras visiones del futuro ya no concordaban, que nuestra amistad pertenecía ahora a los buenos recuerdos del pasado, ella mostraba un escepticismo irritante. Creía en una posible reconciliación y parecía sufrir por mí. Era cierto que yo hablaba rara vez de Patsy —mi madre no habría apreciado mucho su estilo—. Pues bien, me imaginaba sola en esta fauna estudiantil y se inquietaba por mí. Sin embargo, no había sucedido. Desde las revelaciones de Patsy a propósito de Yan, vivía, bien atendida, en mi pequeña nube. Mi amiga representaba aún un enigma; su pesado bagaje sexual me asustaba. No estaba verdaderamente segura de comprender las vertientes de su vida. Cuando ella percibía mi confusión, en lugar de burlarse, sonreía amablemente y orientaba la conversación hacia otro asunto. En privado, algunas veces le pedía que me precisara ciertos hechos. Se mostró muy comprensiva y atenta. En sólo algunas semanas, mis conocimientos se multiplicaron. Así informada, me creí muy astuta.

La vida no había sido un regalo para Patsy. Soñaba con dejar el hogar familiar y mudarse con su novio. Vivía la mayoría de las veces con su padre y su madrastra. Su hermano Rock, de dieciséis años de edad, vivía en un centro de rehabilitación, los enfrentamientos entre su padre y él se estaban volviendo cada vez más violentos. La trabajadora social había decidido que era mejor, por el bien de la familia, separar al hijo del padre. Mi amiga sufría enormemente por su ausencia, a pesar del hecho de que ella lo visitaba regularmente. Un vínculo poderoso los unía, reforzado por la muerte de su madre, ocurrida cinco años antes. Desgraciadamente, su padre la había remplazado por otra, incluso antes de su fallecimiento. Ella detestaba a su madrastra, sentimiento que ésta última compartía. Su padre, literalmente subyugado por esa mujer, se sometía a su dominio. En su presencia, él perdía todas sus facultades y su dignidad, lo que a Patsy le repugnaba profundamente. Esperaba llegar a sus dieciocho años el 10 de diciembre, luego pensaba marcharse ese mismo día.

Preocupada por perfeccionar mi educación, Patsy agregó una "iniciación a las drogas suaves" a manera de complemento a mi programa escolar. Yo conocía algunos rudimentos sobre el asunto, sin haber experimentado su uso. Los olores que no engañan se extendían a veces en algunos recovecos sombríos de la escuela, como en los baños del gimnasio, donde ya me habían ofrecido un carrujo. Era muy fácil abastecerse de hachís o mariguana en el colegio. Además, la guarida era famosa en ese sentido y Tim resultaba un intermediario de primer orden. Mi amiga seguía siendo inflexible en un punto: ni pensar en tocar la cocaína ni la heroína, dos drogas que ella consideraba carísimas y destructoras. En cambio, un buen carrujo relajaba y no ocasionaba ninguna consecuencia fastidiosa. La mariguana además debía ayudarme a exteriorizar y a superar mi timidez. Patsy me aseguró que fumar no representaba ningún daño. Y que, después de todo, el cigarro y el alcohol se revelaban más nocivos para la salud. Los viejos bebían, los jóvenes fumaban. Pero como las leyes eran dictadas por los viejos, el carrujo conservaba su aspecto tabú. Lo importante consistía en procurarse una buena hierba, a un precio razonable. La colombiana, muy solicitada, comprendía efectos suaves, pero vigorosos. Se fumaba placenteramente y todo se volvía *OK*, incluso Latreille, el director.

Habíamos convenido que yo descubriría los beneficios terapéuticos del *cannabis* la noche de *Halloween.* Una mega fiesta debía reunir un montón de gente interesante en casa de Jean. Y Yan Simmon figuraría probablemente entre los invitados. Esta noticia me trastornó y me excitó extremadamente. Terminaron los argumentos falsos, la realidad prometía rebasar la ficción. Me quedaban apenas algunos días para obtener la aprobación de mi madre.

Los días anteriores a la fiesta transcurrían interminablemente. Era incapaz de concentrarme en las materias escolares, los protones y los átomos se infiltraban en mis teoremas matemáticos; era la anarquía. Debía entregar un trabajo de poesía en dos días y aún no había escrito nada. Ni una sola línea. Una sola idea me obsesionaba: impresionar a Yan a fin de que él se interesara en mí.

En la casa, Marie notó mi excitación y lo atribuyó a aquella invitación. Ella no tenía completamente la culpa. Salvo que no sospechaba de la importancia de lo que se jugaría para mí esa noche: un amante en perspectiva y nuevas experiencias por vivir. Obtuve fácilmente el permiso de ir a la fiesta. Me autorizó volver a las dos de la madrugada y me dio el dinero para regresar en taxi.

Capítulo 11

Halloween

Patsy debía pasar a recogerme en auto hacia las veinte horas. Marie me había confeccionado mi disfraz: un vestido de los años 20, recordando la época del *Charleston*, en lamé dorado, con cinco rayas de un tono más elevado. Coser las rayas a igual distancia e intercalarlas sin perjudicar el movimiento de las franjas superiores, exigía una gran habilidad. Sin embargo, se trataba de un talento extraño en mi madre. Me di cuenta de que ella había debido trabajar mucho a fin de darme gusto. Todo su amor por mí se reflejaba en su creación y eso me afectó. Era tonto, pero no llegamos a decírnoslo con palabras. Como si nuestra capacidad para expresar nuestros sentimientos, enmohecida e incapaz de reanudar el servicio, hubiera sido desplazada por una vía de prevención. Sin embargo, el amor permanecía siempre presente; se percibía silenciosamente a través de pequeños gestos cotidianos.

Para completar mi atuendo, elegí tacones altos, puse en mi cuello dos collares de perlas que me llegaban a la cintura, ceñí mi frente con una banda, después tomé una pequeña bolsa de mano con lentejuelas descubierta y adquirida en un bazar. Confirmaba sin falsa modestia que ese disfraz me favorecía. El vestido me llegaba a la mitad del muslo y los finos tirantes resaltaban mis hombros. Cuando Patsy me vio, silbó de admiración. Mi amiga, por su parte, se encontraba disfrazada de vampiro. Dado su tamaño de modelo, aun vestida con un pijama informe, habría sido sexy. Una capa negra podía parecer menos amenazante y comprometedora que unos *jeans* y una chaqueta de piel. Aproveché pues la ocasión para presentar a Patsy con mi madre.

—Mamá, ella es Patsy.

—Buenas noches, dijeron en eco.

—Tu disfraz es magnífico, la elogió Marie.

—Gracias, señora. ¿Una sangría?

Uniendo la acción con la palabra mi amiga descubrió dos largos colmillos. Con un gesto teatral, ocultó la parte inferior de su cara bajo su capa. Mi madre sonrió.

—¿Estudias en el mismo colegio que Rubby?

"¡Y empezó el típico interrogatorio!", me dije.

—Sí, misma escuela, mismo año, pero no el mismo hogar. Su hija es demasiado "mimada" para mí.

—¿Tienen tiempo de tomar un café?

—Imposible, intervine, la fiesta ya comenzó. En otra ocasión, prometido.

Después de hechas las recomendaciones y advertencias de costumbre, dejamos la casa hacia las veinte horas con quince. Llegamos a la casa de Jean a las veinte horas con treinta precisas. Sus padres estarían ausentes durante el fin de semana, la fiesta prometía ser grandiosa. Una veintena de invitados —payasos, bailarinas, hechiceras— se colocaban ya en sus lugares. El disfraz era obligatorio, de lo contrario un equipo de maquillistas —chicos muy fuertes reclutados entre los jugadores de futbol— se encargaban del rebelde. Patsy me presentó en el círculo. Yo admiraba y envidiaba su soltura. Ella conocía a la mayoría de las personas y me cuchicheaba un comentario sobre cada una. Entre otras cosas, me enteré que Pierre se había acostado con

Fanny, mientras que él salía con Lucie, y que toda la escuela lo sabía, salvo la principal interesada. Que Louisette era una ¡puerca de primera! Las intrigas se tramaban y se exponían en público. Sentí estúpidamente incomodidad por los protagonistas.

Mientras más sonreía mi amiga a una conocida, menos parecía estimar a esta persona. Patsy me había recomendado observarla bien a fin de poder identificar a los instigadores del disturbio y evitarlos. Encontré el ambiente bueno y la música rítmica. Pero ninguna señal de Yan. Patsy se dio cuenta de mi decepción y me bromeó amigablemente. Sin haberle confesado de manera explícita mis sentimientos, ella conocía mi entusiasmo por él. Observaba siempre con gran discreción cuando hablaba. Como se conocían desde la pequeña infancia, casi se les habría podido creer hermano y hermana. Se observaban en ambos los mismos gestos, el mismo modo de expresarse y de mover las manos cuando hablaban. Un gran cariño los unía. Esperaba convertirme en íntima de los dos —aunque concediendo, por supuesto, un lugar preferente a Yan. Me acordé que, cuando los había conocido en mi curso de recuperación, me había equivocado sobre su relación. Patsy se había carcajeado cuando le pregunté si ella y él eran... Esta pregunta le había informado enseguida sobre los sentimientos que yo experimentaba hacia Yan. Y, desde entonces, me daba regularmente noticias del guapo Yan.

Tim nos pidió reunirnos en la sala. Confortablemente instalado en el suelo sobre los cojines, nos guardaba un lugar. Patsy se colocó en el hueco de su hombro y me señaló un cojín a su derecha. Tim intentó entonces enrollar un cigarro de mariguana. Trabajaba rápido y se aplicaba en recuperar cada migaja de la preciosa hierba. Encendió el carrujo, dio una fumada y lo dirigió a Patsy. Nerviosa, rogué para que las cosas transcurrieran bien. Los otros tenían una ventaja considerable sobre mí: ellos fumaban el cigarro mientras que mis pulmones jamás habían requerido otra cosa más que oxígeno y monóxido de carbono.

Evidentemente, desde que aspiré el humo, sin duda me asfixié. Asaltada por violentas náuseas, el pecho ardiendo y los ojos llenos de lágrimas me sentí cambiar al púrpura. Patsy me fue a buscar un vaso de agua y me golpeó la espalda. Aparte de algunas leves sonrisas, nadie se burló. Durante mi agonía, el carrujo prosiguió su camino, saltando discretamente mi turno. Demasiado tarde me di cuenta de mi error: me había faltado respirar suave y gradualmente el humo antes de aspirarlo con el fervor de un pescador de perlas. Para alguien que deseaba pasar inadvertido, había fracasado.

A fin de cambiarme las ideas, mi amiga me llevó al comedor, donde se había habilitado una pista de baile. Los pasos de baile practicados frente a mi espejo estos últimos días, se revelaron totalmente inútiles. Acorralada entre Drácula, R2-D2, Popeye y otros, mis movimientos se limitaron a un pisoteo en el mismo lugar. Sin embargo, la fiesta estaba en su apogeo; la música era ensordecedora y endiablada a más no poder.

Cuando iba a sentarme de nuevo —tocaban *Unchained Melody*—, un diablo me interceptó. Estuve a punto de desmayarme al darme cuenta que Yan Simmon me tenía en sus brazos. Mi sobreexcitación probablemente liberó un voltaje muy alto y mitigaba el hecho de que me sentía tan flexible como un poste eléctrico. Yan me estrechó suavemente contra él y me marcó su ritmo. No alcanzaba el suelo. Todos mis sueños se concretaban a través de esta danza. Tenía la cabeza vacía y el corazón repleto de felicidad. El encantamiento acabó con una nota lánguida. Yan nos abrió un camino en la marea humana y movediza. Mi emoción era tan fuerte que mis piernas vacilaron. Afortunadamente, Yan me sostenía con firmeza.

Cuando Patsy nos vio de pronto, saltó al cuello de su amigo. Ella me echó una ojeada de complicidad y yo le devolví una sonrisa. A su vez, Yan sacó una bolsita de cuero que contenía mota. Se inclinó a mi oído y murmuró:

—Te eché de menos, pequeña hada.

Creí que mi pobre corazón iba a desfallecer. Sonreí tontamente, desgranando las perlas de mis collares, incapaz de alinear dos pensamientos coherentes. La droga circuló de nuevo. Esta vez, esperaba atravesar la prueba con brío. Ante Yan, eso era para mí una cuestión de vida o muerte. Había observado a los otros y registré la técnica. Bastaba con tomar el carrujo entre el pulgar y el índice, con firmeza. En cambio, una presión demasiado fuerte aplastaba el filtro y así se podían quemar los labios. Al mismo tiempo que se aspiraba el humo, se dejaba entrar un poco de aire. Era toda la maña. Con el carrujo en mano, di una bocanada. El humo me quemó primero la garganta, después una suave euforia me invadió. La cabeza me dio vueltas ligeramente, sin que eso fuera desagradable. Extremadamente orgullosa de mí misma, participé en tres rondas sin asfixiarme. Patsy levantó el pulgar en señal de triunfo. Louisette, una admiradora incondicional del hermoso Yan, se acercó a nuestro grupo. Vestida con un disfraz de religiosa, susurró algunas palabras al oído de mi diablo. Patsy intervino prontamente:

—¡Eh! ¿Dónde has abandonado a tu cura? Empezó ella irónica.

—En los baños de abajo. Profundizando sus nociones de Bio, sobretodo lo concerniente al aparato digestivo. (Imitó a alguien vomitando).

—¡Podrías echarle una mano!

—No te preocupes, es un muchacho grande.

Louisette parecía querer pegarse, eso dijo Patsy furiosa. Creo que ella gustosa la habría mordido. Después de todo, los vampiros y las sotanas habitualmente no se llevan bien... "Va a arruinar mi noche", pensé. Es curioso, pero mis razonamientos se efectuaban lentamente, como si me encontrara atontada de cansancio. Mis extremidades se adormecían poco a poco. Si no me movía pronto, me desintegraría. Por lo menos, tenía esa impresión...

Patsy me ayudó a levantarme y me llevó afuera. La noche era fresca, el cielo estrellado. Mi cerebro se reactivó; el aire libre le gustaba. Nuestros compañeros nos alcanzaron poco después. Habían cambiado su disfraz por unos *jeans* y una playera.

—Colgué a sor Sonrisa con Popeye, dijo Tim alegremente.

Patsy le dio un beso ruidoso en la frente.

—¿Quién está yendo por una pizza? Propuso Yan.

Consultándome todo con la mirada, Patsy respondió:

—¡Perfecto, morimos de hambre!

—Está decidido. Quédense ahí hermosas, recuperamos los autos.

Así, atravesaron el césped corriendo y se volatilizaron en la noche. En el restaurante, nuestro cuarteto comió con voracidad. Yan ajustó la cuenta entre todos. Sugirió llevarme a mi casa. Después de un breve titubeo, acepté valientemente su proposición.

Yan estacionó su Ford a unas calles del departamento. Después me besó tiernamente en la boca. Sus labios se hacían a la vez apremiantes y ansiosos o tiernos y voluptuosos. Ese tiempo se reveló agradable y doloroso a la vez. Nunca había conocido sensación parecida. Un poderoso calor se propagó en mis entrañas, destrozándome deliciosamente. Sus manos exploraron mi cuerpo mientras yo me enrollaba, palpitante de deseo, contra su pecho. Los sollozos que apenas nacían, murieron en mi garganta, hasta tal punto era grande mi turbación. Su ternura me hacía mal. El tiempo, el espacio, todo se paralizó. Solos Yan, yo y nuestro deseo mutuo existían. Con una infinita delicadeza, me apartó y clavó su mirada en mi alma.

—Mi pequeña hada, eres muy bella. Te amo... Te deseo toda para mí.

Sus palabras me atravesaron el corazón, pulverizaron mis últimas defensas. Me llevó a su casa, lo que mitigó un poco mi deseo. El miedo y la indecisión aprovecharon la desviación para abrir, hipócritamente, un camino en mis pensamientos. Sin embargo, después de que Yan me acercó, las dudas se disolvieron. Mi cuerpo se consumía, mi cabeza renunciaba. Era prisionera de mis sentidos y de Yan Simmon. Me desnudó toda, me cubrió de besos. Me levantó en sus brazos y me llevó a la cama. La sensación de nuestros cuerpos desnudos estrechándose uno contra el otro me resultó insostenible, como una verdadera tortura. Sus caricias despertaron en mí un deseo visceral. Su boca exploró ansiosamente cada partícula de mi cuerpo. Cogió mis senos y mordisqueó los pezones. Mi cuerpo se arqueó en respuesta a ese exquisito dolor. Todo mi ser mendigaba su amor. Sentí su sexo duro e inmenso junto a mi vientre. Me separó los muslos y me penetró. Su miembro se movió con más y más ardor y frenesí. El dolor creció al ritmo de sus golpes de riñón. Yan desgarró mi juventud y se derramó en mí.

Esa noche, hacia las cuatro de la mañana volví al hogar, perpleja y extenuada. A pesar de mi mal, lo volví a pedir. Patsy me había prevenido que en ocasiones las primeras veces podían ser dolorosas, pero que esa ligera molestia valía la pena y se atenuaba con el tiempo. Debía darle completamente la razón; las primicias dominaban todos los escenarios que me había imaginado. Marie había dejado una luz encendida. Tan pronto atravesé la puerta, me quité los zapatos a fin de no despertarla. Cuando me desmaquillaba delante de mi tocador, la *Gran Bocona* me recriminó.

"¡Mira a esta puerca! Ha cogido con Satán."

—¡No! ¡No! ¡No! Grité desgañitándome, sin importarme despertar a mi madre, completamente aterrada por ese ataque perverso.

"¿Te has visto esas fachas? ¡Una verdadera María-Nalga fácil! (y siguiendo con un tono burlón:) ¡Pequeña hada, te deseo!"

Derrumbada en mi cama y con la cabeza escondida debajo de la almohada, mordí mi puño, llorando para no gritar mi angustia. Un pozo sin fondo me atraía. Dirigí una súplica silenciosa a Paul a fin de que me salvara. "Abuelo, ayúdame, te lo ruego. Ella me mata". Me castigaba por haber hecho el amor con Yan. Yo habría debido preverlo. Para lograr más eficazmente su objetivo, atacaba cuando yo alcanzaba una cima, ¡la caída causaba más daños! Su asalto duró una larga hora. Hacia las cinco de la mañana, el sueño consiguió dar una tregua a la G.B.

Capítulo 12

Después de *Halloween*

Pasaba mucho tiempo en casa de Yan. Él venía y me recogía en la escuela después de mi última clase. Fumábamos a menudo y yo estudiaba rara vez. Mi rendimiento escolar se resintió un poco. Mi madre se preocupaba mucho por mí. Le veía un aire preocupado. Las ojeras recalcaban sus bellos ojos grises. Una noche de noviembre, no pudo soportar más y me detuvo en la puerta de mi recámara.

—¿Rubby, tienes un minuto? Quisiera hablarte.

—Por supuesto, déjame soltar mis libros. Te alcanzo en la cocina.

Cuando entré, ella preparaba café.

—La secretaria del señor Latreille me llamó al restaurante, esta mañana.

Me dio una taza y se sentó con la suya frente a mí.

—¿La señora Sévigny?

—Sí. Has faltado a dos clases sin autorización.

Esta advertencia cargada de inquietud, no contenía verdaderamente un reproche.

—Bio y Lab. Nada importante.

—¿Se puede saber dónde estabas? (El tono ya parecía menos conciliador) ¿O es mucho pedir?

Mis ojos vagabundearon de su cara a mi taza. ¡Como si el líquido pardusco pudiera detener la respuesta a esta pregunta! Decidí hundirme.

—En casa de Yan, mi novio.

La hermosa cara de Marie tomó el color de sus ojos. Se llevó la taza a los labios y después cambió de opinión. Sus manos temblaban imperceptiblemente.

—¿Yan qué? Dijo con un hilo de voz.

—Simmon, Yan Simmon.

Ningún escándalo, ninguna reprimenda. Marie soportó el choque con valor. Un observador menos informado que yo la habría juzgado totalmente indiferente. Pero yo sabía que era de un modo distinto. Mi intención jamás fue la de anunciarle esta noticia tan brutalmente, sin poder matizar ni atenuar el impacto de la revelación. Para una madre, esa clase de situación era difícil de aceptar. Sobretodo si ella vislumbraba que podía significar una potencial ruptura escolar. Me tranquilicé lo más posible. Estaba avergonzada de ser un motivo de angustia para mi madre.

Desde ese día en que me había cruzado con Yan en La Baie, toda mi vida parecía desarrollarse a una rapidez vertiginosa. Así, ahora yo tomaba la píldora. La enfermera del Sophie-Barat me había asegurado total discreción. Decidí dar ese paso luego de una recomendación de Patsy. ¡Dios la bendiga! Algunas veces por la noche, sola con mis pensamientos y lo otro, creía perder el control. La G.B. no me consideraba.

"Secreto profesional ¡mi culo! ¿Qué te crees, pendeja? ¡Abre los ojos! ella te anotó en su libro de citas."

Esa ridícula voz lograba hacerme dudar.

"¡Tienes miedo de que ella le diga a mamá! ¿Por qué no respondes? ¿El querido Pucky te ha comido la lengua?"

—Eres verdaderamente asquerosa.

Echando sus toxinas en todo mi organismo, se volvía insoportable.

"Eres verdaderamente as-que-ro-sa", arremedaba ella.

—¡Cállate!

"As-que-ro-sa, as-que-ro-sa, as-que-ro-sa..."

Prometí a Marie no volarme las clases. Me dio permiso de ir a casa de Yan a condición de que le avisara. Igualmente, quería conocerlo cuanto antes. Se planificó pues una cena en buena y debida forma para principios de diciembre. Mi madre se angustió y me consultó por lo menos una decena de veces en cuanto al menú: ¿Ternera con papas? ¿Pollo con arroz? ¿Quizás algo italiano? Finalmente ella reaccionaba bien; eso calmó mi conciencia.

Por mi parte, intenté ponerla al corriente respecto al chico que yo frecuentaba, de eso dependía mi equilibrio —demasiadas zonas de sombra oscurecían su vida—. Mis prioridades habían efectuado una vuelta completa digno de los mejores saltos. Yo rayaba en la obsesión: pensaba en Yan, vivía para Yan, enfocaba mi futuro en función de Yan. Eso era insensato, pero no podía evitarlo. Comprendía ahora plenamente el sentido de los términos "flechazo": sentimiento amoroso debilitante, trastornante y cuán maravilloso.

Mi chico vivía en la plaza Meilleur, un rincón tranquilo situado en una cerrada. Su departamento era semejante a un delicado nido donde yo me sentía bien. Esas cuatro habitaciones y media comprendían dos recámaras, una sala y una gran cocina. Un cine casero dominaba la sala. El color de los muebles de cocina y de la recámara, en palo de rosa, cuadraba bien con su temperamento de fuego. Las líneas eran puras, sin adornos. Ninguna planta. Un solo cuadro. Una gran lámina de Charlie Chaplin, con flores en la mano y languideciendo por su bien amada, recibía a la gente en el vestíbulo. Esta imagen me gustaba. Yan me decía que él se sentía parecido a Charlot en mi ausencia.

La segunda recámara servía de mini almacén; las cajas estaban por todas partes. Yan conocía a un tal Frank que trabajaba en Sears, en envíos. Él recuperaba artículos de lujo —teles, aparatos de sonidos, videos— y se los pasaba a Yan. Enseguida, los enviaba a determinados clientes y ellos compartían los beneficios sesenta/cuarenta. Frank se arriesgaba mucho más, se otorgaba pues la mayor parte del ahorro. Él robaba pequeñas cantidades a la vez y espaciaba prudentemente sus golpes. Frank y Yan demostraban una paciencia ejemplar; comían poco a poco su queso, tranquilamente. Yan no se percibía como un ladrón. Le gustaba decir que él nivelaba las riquezas terrestres: un poco menos para Sears y un poco más para él. Yan no buscaba atacar a los individuos. No perjudicaba a nadie y no le hacía daño a cualquiera. Según él, daba el mismo servicio a los compradores sin exigirles los impuestos...

Esta actividad no constituía más que una de las dos que tenía. Yan trabajaba, además, cuatro noches por semana en una fábrica en la calle Saint-Laurent. Se desempeñaba como responsable del mantenimiento, le gustaba mucho su empleo, pues no había que rendir cuentas a un superior inmediato. Acababa sus tareas a su ritmo y de manera autónoma. Se trataba de un trabajo relativamente bien pagado, poco exigente y tranquilo.

Honestamente, en mi alma y conciencia, yo reprobaba su modo de vida. Sin embargo, me esforzaba en respetar su elección. Esperaba que con mi contacto y gracias a mi amor, él sentara cabeza. Hoy, me doy cuenta hasta qué punto ese chico me obsesionaba. Pero en esa época, mi juventud y mi enorme ingenuidad hacían de mí un ser fuertemente influenciable.

El día fatídico de la cena se aproximaba. Ante Yan, yo insistía en la necesidad de dar una buena impresión. Lo amaba profundamente; hubiera querido que la Tierra entera compartiera mi felicidad y mi admiración. Sobre todo Marie y Pierre. Yo tenía a toda costa que tranquilizarlos. A mis casi diecisiete años, deseaba probarles mi madurez y quería forzarlos a reconocer que desde ahora podía tomar mis propias decisiones respecto a mi vida amorosa.

Esa idea de la cena no hacía nada feliz a Yan. Las apariencias y las cursilerías le desagradaban. Logré finalmente ganarle a fuerza de persuasión.

—Iré por ti, pequeña hada, porque te amo.

—¡Eres un amor! Juro que no lo lamentarás.

Me acerque a él y lo besé con ardor.

—No trates de comprarme, resistiré hasta mi muerte, dijo, haciendo mueca de rechazarme, los ojos al cielo.

—¿Crees eso? Dije acariciándole la entrepierna.

Sentí que su resistencia se tambaleaba y sus *jeans* se abultaban. ¡Qué poder alucinante aquel de los sentidos! Yan lograba desde entonces transportarme hacia cimas de éxtasis cuando hacíamos el amor. Sus manos se transformaban en catalizador de goce. Era asombroso. Se diría que yo desarrollaba una dependencia de sus manos y de su boca...

El sábado 3 de diciembre, mi madre puso la mesa con la vajilla heredada de mi abuela —Lucie la utilizaba únicamente para las grandes ocasiones—. Este detalle me conmovió.

Esperaba ardientemente que Yan respondiera a las atenciones de mi madre. Pierre llegó hacia las diecisiete horas con treinta, una media hora antes. Nos felicitó por nuestros atuendos. El mismo fuego brillaba, mientras tanto, en los ojos de Marie a la vista de su amante. Era hermoso y alentador. Yan se presentó veinte minutos más tarde. Llevaba un pantalón de pana y un cuello de tortuga negro. Un chaleco rojo, hacía resaltar su musculatura. Para mi asombro y mi más grande alegría, le ofreció a mi madre una botella de vino y flores. Esa iniciativa le ganó el favor de mi madre y de Pierre, quien parecía también apreciar esa atención.

La noche se desarrolló con buen humor y esparcimiento. La cena —ensalada César, pulpa de ternera, gratín delfinés y *mousse* de chocolate— se reveló digna de un rey. Todo el mundo le hizo honor, lo que encantó a Marie. La comida fue espléndida sin exagerar. Yan se despidió hacia las veintidós horas, después de haber agradecido mucho tiempo a su anfitriona. Me besó "decentemente" y regresó a su casa. Inmediatamente que su Ford dio vuelta en la esquina de la calle, los comentarios estallaron.

—¡Bueno! Buen tipo y simpático además de eso, empezó Pierre haciéndome un guiño. ¿Y tú qué piensas?

Se acercó a Marie y rodeó su cintura.

—Al ver el brillo en tus ojos, tuve la impresión de tener competencia, ¿verdad?

—¡Hum! Dijo Marie, soñadora. Si tuviera quince años menos, señor Major, usted se encontraría en la alfombra.

—Tú eres testigo, Rubby, dijo Pierre dirigiéndose a mí, el semblante falsamente abatido. Apenas nueve meses de amor y hela ahí dispuesta a cambiarme por un nuevo par de calcetines. ¡Ingrata! Susurró en la oreja de mi madre.

—Así es la vida, comenté pesimista.

Nos carcajeamos. Por el modo como ellos bromeaban conmigo al respecto, deduje que Yan les agradaba. Eso me tenía loca de alegría.

El viernes siguiente, en el minuto preciso —hora simbólica—, montamos guardia en casa de Patsy. Ella quería dejar su hogar exactamente en el momento donde atravesara el umbral de su mayoría de edad. Cuando llegamos, Tim, Yan y yo, Patsy nos esperaba en la entrada. Estaba muy derecha, con dos bolsas de basura a sus pies. Se diría dos viejos monigotes entusiasmados. Dieciocho años de recuerdos amontonados en esos hatillos: nueve años por monigote. Pese a su sonrisa y su porte de cabeza guerrera se revelaba una pizca de tristeza en su cara. Volver la espalda a su pasado, sin echar una mirada hacia atrás, exigía mucho valor y fuerza. Festejamos buena parte de la noche en casa de Tim, el nuevo hogar de Patsy. Otros amigos se reunieron con nosotros.

Patsy había dejado el colegio por motivos de "crueldad mental", como a ella le gustaba decirlo, yo me sentía muy bien sola. Me levantaba temprano para estudiar y todos mis momentos libres los pasaba en la biblioteca para evitar llevar trabajo a la casa. Así, liberaba mis tardes y podía ver a Yan. Fumábamos mucho; tenía mis propias reservas personales. Cuando la *Gran Bocona* se ponía demasiado pesada, consumía un poco más. La mota no la perturbaba realmente, por el contrario, eso me volvía tolerante, una pequeña bravucona. Me ponía *cool* y, por esta razón, su dominio disminuía. Una noche cuando descansaba cómodamente ante el televisor, mi torturadora desenvainó la espada. Felizmente, Marie trabajaba.

"¡Eh! Puta. ¿Eso funciona en el colegio? ¡Tu puta vampiresa se largó!"

—¡Déjame en paz! No me vencerás.

Me apresuraba a recuperar un carrujo oculto en mi cabecera.

—¡Mira un poco lo que tengo ahí!

"Perra, quieres aplastarme".

—¡Tienes miedo, *Gran Bocona*!

Me reía de placer encendiendo mi carrujo; éste me garantizaba un mini dominio de la *Gran Bocona*.

"¡Un cáncer! ¡Te vas a pescar un cáncer!"

—¿Tienes miedo de reventar, *Gran Bocona*? ¡Véte al diablo!

Permanecí totalmente concentrada en mi "operación de liberación".

"¡Eres una perdedora de mierda!" Concluyó ella.

··❀·*·*

Los tiempos de las fiestas se aproximaban y la ausencia de mis abuelos me pesaba. En mis buenos momentos, los imaginaba caminando, tomados de la mano, en paisajes mágicos. Allá arriba, estarán seguramente llenos de amigos y se prepararán a festejar Navidad, enamorados. Pero aquí abajo, la cena de Nochebuena no sería nunca la misma. Felizmente, me quedaban Yan, Marie y Patsy.

La compra de los regalos consumió todos mis ahorros. Para Marie, había encontrado un bello par de aretes en un mercado de cháchara s. Finas cadenas retenían en el broche semicírculos en oro de diez quilates donde se balanceaba un querubín sentado en un aro representando la luna. Para Pierre, no había encontrado nada mejor que una corbata, en tonos vino. Patsy apreciaba mucho los adornos. Pude regalarle un brazalete de plata hecho con eslabones en forma de rombos y de minúsculas piedras incrustadas en cada punta. En el sol, la joya lanzaba chispas: eso le daba un atractivo adicional. En fin, para mi amor, me decidí por un reloj deportivo numérico, que mostraba mil y una funciones.

Mi programa en la época de fiestas se organizó, teniendo en cuenta a mi madre y a Yan. No quería molestar, ni herir a nadie. Pensé pasar la Nochebuena con mis amigos y la cena de Navidad en familia. Pierre nos recibiría en su casa para presentarnos a sus hijos: François, de veintitrés años, y Alice, de veinticinco. Mi madre quería que cenáramos solas las dos el día de Navidad. Mis sentimientos rozaban a la vez la febrilidad y el miedo. Desde que había presentado a Yan con mi familia, Marie me trataba diferente. Me sentía en un plan de igualdad, como si hubiera alcanzado los quince centímetros que me hacían tanta falta. Nuestras conversaciones englobaban un abanico de temas mucho más extenso. Por supuesto, los estudios figuraban siempre en el centro de nuestras pláticas; sin embargo, abordábamos también nuevos temas como el amor, el trabajo y la familia. Esas ideas y esas palabras se inmiscuían gradualmente en nuestra cotidianidad. Las presencias respectivas de Pierre y de Yan en nuestras vidas nos alejaban físicamente, pero nos acercaban psicológicamente.

El colegio cerró sus puertas del 22 de diciembre al 4 de enero. Mi excelente promedio me permitiría inscribirme a la preparatoria en febrero. Sentía mucha satisfacción hacia mí misma y me sentía libre de aprovechar mis vacaciones puesto que todas mis prácticas estaban terminadas.

La ausencia de mis amigos en la escuela traía consigo un lado bueno: trabajaba más. Tenía también acceso a una buena materia prima: la biblioteca y el señor Sirois, el simpático bibliotecario. Él adoraba su trabajo y me aportaba una ayuda preciosa en mis investigaciones; no tomaba en cuenta nunca sus horarios. El señor Sirois me recordaba a la señora Legendre y a mi abuelo. Además, su timbre de voz se parecía al de Paul: bajo y cantarino. Creo que me tenía afecto —eso era recíproco—. Lamento no haber frecuentado antes ese lugar. Pero era gracias a la guarida que había encontrado a Patsy y a su banda...

El 24 de diciembre, Yan pasó a recogerme hacia las veinte treinta horas. Frank recibía gente y nosotros estábamos invitados. La idea no me gustaba mucho. Para calmar mis reticencias, Yan me prometió acortar nuestra visita. Su amigo "El expedidor" vivía en una casa muy lujosa, mucho más de lo que podía prometerse un manipulador empleado de Sears. Mucha gente estaba ya en su lugar cuando llegamos. No conocía absolutamente a nadie y no me sentía cómoda. Además, para colmo, Yan desapareció con su cómplice durante una larga hora. Un tipo me abordó amigablemente y me ofreció una línea de coca. Puesto que Yan y yo habíamos compartido un carrujo y bebido una cerveza antes de salir, mis reflejos eran un poco más lentos. Rehusé su oferta, al parecer sin gran convicción, porque él insistió. Después de rechazarlo por segunda vez, pareció captar el mensaje. Mi chico llegó en aquel momento disculpándose.

—Lo siento, pequeña hada, Frank me hacía una proposición bárbara. ¿Me quieres mucho?

Demasiado imbécil para decirle lo que realmente pensaba, lo tranquilicé:

—No, no, se estaban ocupando bien de mí.

Eso, a mi juicio, sonó totalmente falso. Yan me respondía a menudo "a medias". Puesto que temía disgustarlo y herirlo, le daba la respuesta que él quería escuchar. A fuerza de actuar así, borré una parte de mí. Tal acumulación de concesiones aparentemente insignificantes crearía tarde o temprano un monstruo.

Hacia las veintitrés horas, nos despedimos y nos reunimos con Patsy y Tim. Aprovechamos esta intimidad para desenvolver los regalos. Mis amigos me regalaron una bolsa-cartera en piel, que se llevaba en la cintura, muy práctica para mis salidas y mis paseos con *Sporty*. Yan me dio un anillo de oro grabado con una cruz egipcia. Yo tenía un afecto muy especial por ese símbolo —me imaginaba a los grandes sacerdotes transmitiendo su sello a través de los tiempos—. Para mí, simbolizaba el amor y la sabiduría. Sin saber qué ofrecerle a Tim, le había cooperado a Patsy para comprarle un suéter de lana. Por su parte, ella adoró el brazalete que le ofrecí y lo fijó inmediatamente en su muñeca. Yan parecía encantado con su reloj; lo puso en su brazo antes de besarme. Al ver a mis amigos tan felices, me costó trabajo contener mis lágrimas.

Pasada la medianoche, nos reunimos con amigos en casa de Jean, que sabía organizar *partys* muy concurridas. La noche transcurrió en la euforia. El alba nos sorprendió y me llamó la atención: debía hacer honor a una cena importante.

El ruido que hacía Marie ocupándose en la cocina me sacó de mi sueño. Mis neuronas necesitan unos segundos para activarse. Me dirigí como tromba hacia la ducha y al pasar saludé a mi madre. Cuando me reuní con ella, terminaba los preparativos. Una bella mesa para dos dominaba orgullosamente la mitad de la habitación. Frutas, quesos, pan, patés y carnes frías se amontonaban. Los colores, las formas y los olores, todo contribuía a hacer agua la boca.

—¡Magnífico! Eres una verdadera maga.

Me agradeció con una sonrisa feliz, me preparó una mimosa —sabrosa mezcla de champagne y jugo de naranja— e hizo un brindis.

—¡Por nosotras dos y nuestros amores!

—¡Por nosotras dos y nuestros amores! Repetí mecánicamente, sorprendida, chocando apenas mi copa contra la suya.

Jamás habría creído escuchar esas palabras en la boca de Marie. Me conmovieron profundamente y sentí un poderoso impulso por ella. La incomodidad o la idiotez o las dos cosas, me impidieron levantarme para abrazarla. Comí un poco de pan para ocultar mi turbación. Marie me sonrió y me animó a comer. Notando mi confusión, se esforzó en distraerme. Eligió ese momento para darme mi regalo: una magnífica Mont-Blanc. Me quedé petrificada; esa pluma valía una fortuna y significaba probablemente que mi madre se había privado durante meses para ofrecerme ese precioso objeto.

—Escribirás tus memorias, es una garantía de vida. Me dijo tímidamente.

Me levanté, la estreché en mis brazos y le entregué su regalo: los aretes. Su cara se iluminó cuando abrió la cajita. Acarició pensativamente los aros donde se balanceaban los querubines, se levantó a la vez y me besó tiernamente en la frente. Este día de Navidad fue uno de los más bellos de mi vida. Rodeada de tanto amor, sentía claramente la presencia de mis abuelos. Como si Marie leyera mis pensamientos, murmuró:

—Pienso que Paul y Lucie no están tan lejos. ¿Sientes su presencia?

Marie propuso un segundo brindis:

—¡A Lucie y Paul! Nos hacen falta...

—A Lucie y Paul, mis amores.

Vacié mi copa de un solo trago. La cabeza me dio vueltas ligeramente. Marie siguió al mismo tiempo mi ejemplo. Se sirvió paté en una rebanada de pan.

—Según tú, ¿qué habría dicho tu abuelo al vernos comer de este modo? Se preguntó en un tono serio.

Sonreí y recitamos en coro:

—¡La gula es un afecto desordenado del beber y del comer que vuelve al hombre semejante a la bestia y a menudo la hace morir!

La costumbre dictaba que ese sermón fuera recitado de un solo respiro.

Marie se carcajeó y estuvo a punto de ahogarse. Por mi parte, me doblé de la risa. Esos buenos recuerdos eran como la comida: unificadores y cargados de emoción.

¡La G.B. no encontró una ocasión parecida!

"Escribir sus memorias... ¡Pfff! ¡Primero necesitas tener una, tu memoria está arruinada, perra!"

Yo titubeaba al encender un carrujo. Mi madre venía justo a acostarse y el olor la alteraría. Salté sobre mi *walk-man* y puse el bulto en la alfombra.

"¡Por nuestros amores! No es preciso despertar a los muertos, pequeña hada. No se recomienda."

—¡Cállate!

"¡Y de paso, perra, tu regalo para Marie es una verdadera mierda!".

¿Para qué discutir? Lo que yo hacía o decía le importaba muy poco. Ella proseguía así su monólogo de injurias.

Pierre vivía en una muy bonita casa unifamiliar, situada cerca del bulevar Gouin, algunas calles al oeste de la Acadie. Su tamaño era modesto, comparativamente a ciertas fincas de su cuadra. Pierre nos recibió rodeado de su hija Alice, de su nieto Sam, de su yerno Louis y de su hijo François. Todas esas distinguidas personas me parecieron muy simpáticas. Mientras que Pierre preparaba los aperitivos, François nos mostró su casa. La residencia, mucho más amplia de lo que parecía al exterior, tenía habitaciones bellamente acondicionadas y decoradas con buen gusto. La cocina, el comedor y la sala estaban en un área abierta. Un cubo de luz, situado en la sala, iluminaba este espacio libre. Al ponerse el sol, el color naranja quemado de los muros, parecía encenderse.

Muy solemne, Pierre se levantó y dirigió un brindis al círculo. Las copas se entrechocaron a la salud de todos. La atmósfera permaneció tranquila y las conversaciones fueron por buen camino. Supe que François y Louis eran profesionistas, especialistas en informática; trabajaban en Burroughs. Alice aprovechaba una pausa para atender a su hijo. Deseaba obtener su diploma de contadora-abogada en un tribunal de comercio, en un futuro próximo. Sentado al lado de François, Yan sostenía una discusión apasionada sobre los juegos de video.

La Navidad llegaba a su fin y ese primer contacto con mi creciente familia era un buen augurio. Mi novio me confesó que encontraba a mis familiares muy simpáticos. ¡El colmo de la felicidad! Mis dos amores se entendían bien. El futuro anunciaba días felices y armoniosos.

Capítulo 13

La decadencia

La escuela reinició y puso fin a las festividades. Yo fumaba mucho y este hábito comenzaba a inquietarme. A veces, justo en medio de una clase, las ganas de un carrujo me prendían. Nada alarmante, pero esos pensamientos fugaces se repetían a menudo. Por su parte, la *Gran Bocona* se hacía más presente. Un día, quise abordar el tema con Yan. En el último minuto, me faltó valor. "¿Qué pensará de mí? ¡Que soy una loca de atar!" Su amor era demasiado precioso para arriesgarme. Yo no sobreviviría a nuestra ruptura. Guardando así mi secreto, continué luchando sola contra ese mal que me partía el alma. Sin sospechar, precipité mi enfermedad fumando la hierba —no importaba que el psicólogo confirmara que las drogas aceleran el proceso psicótico—. Ingenuamente, buscaba municiones contra la *Gran Bocona*.

El 4 de febrero, fecha de aniversario de la muerte de Paul, los espectros de mis abuelos se perfilaron en el horizonte. A pesar de mi reciente felicidad y mis buenas notas, sentía surgir un malestar en mí. Mi alegría disimulaba en realidad un fondo de tristeza indefinible. Evité los lugares populosos; la gente me parecía sospechosa y peligrosa. Por ejemplo, un día, en el centro comercial, tuve un momento de pánico inexplicable. Ignoro lo que provocó esa sensación, esa tensión al nivel de las sienes y del corazón.

De forma súbita y sin razón aparente, sentí que una amenaza pesaba sobre mí. Mi pulso se aceleró, mis manos comenzaron a sudorar y tuve la desagradable sensación de que me faltaba el aire. El mundo me pareció hostil, demasiado apretado. También al exterior del complejo, ese sentimiento continuó persiguiéndome. Con el tiempo, se atenuó, pero su presencia no desapareció completamente. Otros episodios parecidos ocurrieron así, esporádicamente, en mi vida.

Los ataques repetidos de la G.B. me llevaban más a menudo a mostrarme tensa e irritable hacia las personas de mi alrededor. Por suerte, mi madre y Pierre salían mucho. Eso me evitaba estar en compañía de Marie y tener que disimularle mi problema. En el colegio, sentía la misma molestia que me oprimía en los lugares públicos: encontraba que ciertos alumnos me miraban con demasiada insistencia. Ese tejemaneje, que no noté antes, me parecía ahora evidente. Cuando me dirigía a la biblioteca, alguien se sentaba, invariablemente, frente a mí. Rara vez el mismo individuo. Eso me perturbaba aún más. ¡Me preguntaba cuántos tipos me perseguían!

Esos pensamientos absurdos poseían una vida propia y no tenía ningún dominio sobre ellos. Surgían de ninguna parte y se desarrollaban. Mi desconcierto aumentó. Intenté disimular mi turbación lo mejor posible. Salía poco y mi *walk-man* permanecía pegado a mi lado. Le rogué a Paul que me ayudara a desenredar este lío. Sola, me preocupaba perderme. ¿Esa situación existiría en realidad o se trataba únicamente del fruto de mi imaginación? ¿El hecho de fumar la hierba era lo que engendraba esta clase de monstruo, esta paranoia? ¿La *Gran Bocona* estaba por algo? No podía más...

Para conmemorar la muerte de Paul, escogí el oratorio de Saint-Joseph. Encontraba siempre un bienaventurado consuelo y, por los tiempos que corrían, sentía verdaderamente la necesidad de visitarlo. Mi abuelo había adorado ese lugar y mi abuela y yo lo habíamos acompañado repetidas veces en mi infancia. Por mi parte, no me consideraba muy creyente. En cuanto a Paul, él había admirado al hermano André, ese pequeño hombrecillo gruñón. "La madre Teresa, en sotana" le apodaba Paul, afectuosamente.

—¿Ves esas muletas? El hermano André es quien ha curado a toda esa gente enferma.

—¿Puedo tocarlo, abuelo?

Paul me había levantado en sus brazos para acercarme a las reliquias.

—Éstas de aquí —había dicho señalando otras muletas más pequeñas— pertenecen seguramente a un niño.

Miró a mi abuela buscando su apoyo.

—¿Cura a los niños el "hermano Teresa"?

Paul y Lucie habían intercambiado una sonrisa, incitándome a bajar el tono.

—Por supuesto, él curaba a los niños. Él también cuidó a mi hermanito Bobby.

Con esas palabras, su mirada se había hecho lejana.

—¿Dónde están las muletas de Bobby?

Y yo había seguido con mi impulso, incapaz de saciarme. Las lamparillas, como centinelas, iluminaban la sepultura del santo hombre, espectáculo que me había impresionado mucho. Las flamas danzaban, agrupadas en su vaso, y parecían cuchichearse secretos. Proyectaban su luz en los muros, creando amenazadoras sombras chinescas.

A los dieciséis años, el oratorio y sus santuarios me fascinaban todavía. Ese lugar me inspiraba un profundo respeto y conservaba un aura de magia, impresa de misterio. Me reuní en la tumba del hermano André, dejando las imágenes de mi infancia invadir mi memoria. Me sentí abrigada y protegida en ese territorio sagrado donde la *Gran Bocona,* yo esperaba, no podía aventurarse. Antes de partir encendí tres lamparillas: una para Paul, una para Lucie y la tercera para mi salvaguarda.

Mi ruego fue escuchado y, como un murmullo del alma, una voz me susurró: "No te inquietes, estoy ahí." Esas palabras tranquilizadoras brotaban de la nada. En mi nerviosismo exclamé en voz alta:

—¡No es posible! ¿Dónde estás?

Una mujer de mediana edad, vestida toda de negro me echó una breve ojeada, mezcla de asombro y de temor. Aun si el mensaje se esperaba reconfortante, me quedé petrificada. "No es verdad, seguramente es mi imaginación. Estoy demasiado cansada. Necesito dejar de hacer pendejadas. Nada de mariguana, ¡lo prometo!". Imaginaba un coro de hombres, de mujeres y de niños sin cara. Una armada de voces prestas a atacarme por todo el borde y por todos los costados. ¡Deliraba! ¿La *Gran Bocona* tenía compañía o me jugaba una mala pasada? Salí precipitadamente del oratorio. El ruido de la circulación sobre Cote-des-Neiges me acosaba, como una banda sonora sacada de un film de ciencia-ficción.

Rápidamente me acordé de Puck. Lo había encontrado en un terreno baldío, cuando me acercaba a un cartel deteriorado que había atraído mi atención. El gatito, todo tembloroso, se disimulaba, acurrucado debajo del cartel. Un ángel adornaba la esquina superior izquierda del letrero y se podía leer: Dana salvará su prote... El resto de la publicidad había desaparecido. Puck aún no había sido destetado y tuve que alimentarlo con biberón. Lo había librado de una buena. En mi conciencia, siempre me había imaginado que "Dana" había salvado a Puck. Convencida de que ella representaba una especie de ángel protector quien sabría preservarme de los ataques de la G.B., nombré instintivamente a esta nueva voz Dana.

A pesar de mi creciente confusión, los pasajes alegres y las brechas de felicidad aún podían surgir de esa oscuridad.

Mis dieciséis años llegaban a su fase terminal y Yan planeaba enterrarlos con gran pompa en Quebec. No quería desagradarlo, rehusando su proposición, él se alegraba de conducirme a través de esa ciudad que quería particularmente. Marie dio su aval al proyecto. Yo esperaba que todo iría bien, que yo no sucumbiría a ningún ataque de pánico. Rodeada de mis amigos, me disponía a asumir ese riesgo. Él había convenido que saldríamos el viernes después del mediodía y debíamos regresar la noche del domingo. El carnaval llegaba a su apogeo el día de mi cumpleaños.

Patsy y Tim nos acompañaron y compartieron los gastos del viaje. Nuestro pequeño grupo dejó Montreal a las diecisiete horas y el punto de Quebec se perfiló en el horizonte a las diecinueve horas y veinte exactamente. Se trataba de mi primera visita a la Vieja Capital. La vista del Parlamento, del Chateau Frontenac y de las planicies de Abraham, valían el viaje.

La preparatoria Limoilou recibía a los visitantes y los sacos de dormir y las mantas ocupaban el mínimo milímetro disponible. Centenas de jóvenes venían a calentarse y a apilarse por la noche.

La más grande de las fiestas se desarrollaba en lo alto de la ciudad, cerca de las planicies. Esa noche de febrero enfrentamos un frío intenso. El aire seco volvía el tiempo más soportable. Para calentarse, corríamos en las calles, mano con mano, formando una mini cadena humana. Al filo de nuestra ascensión hacia las planicies, se sumaron numerosos eslabones. Un tipo de nombre Arthur, dos manos detrás de Patsy, entonó canciones para responder.

Sin aliento, le grité a Yan:

—Estoy agotada. Paren las máquinas.

Se volvió hacia mí, me levantó y me dio vueltas por los aires. Me puso en un banco de nieve y me besó mucho tiempo. Viéndonos, los curiosos aplaudieron y nos silbaron ruidosamente.

Me sentía extenuada, helada y en el paraíso. Tim sugirió unirnos a un grupo de jóvenes que discutían alrededor del fuego.

—¿Podemos calentarnos? Averiguó Yan.

—No hay problema, respondió un gran pelirrojo.

Estrecharon los lugares para poder acercarnos a las flamas. Patsy sacó su paquete de cigarros y le ofreció al círculo. Sólo el pelirrojo tomó uno. Por el modo en el que él la miraba de reojo, se comprendía que ella le gustaba. Tim se acercó a su rubia para notificar al predador que el sitio estaba ocupado.

Más tarde, mientras nos dirigíamos a la prepa, escuché a Tim sermonear a Patsy:

—Hablas de un sabelotodo. Ni pensar que la zanahoria ponga de nuevo los ojos en ti.

—No te enojes, mi amor. Lo calmó Patsy. Sabes bien que tú eres el que me interesas.

Eso me sorprendió; no creía a Tim tan posesivo. No sabía si debía admirar o temer ese rasgo de carácter en mi amigo... En el camino, noté que Tim la seguía muy de cerca. Patsy debía plegarse al ritmo que él le imponía.

Hacia la una de la mañana, encontramos un rincón para dormir. Dormitamos algunas horas antes de que despuntara el alba. El sábado, después de haber descansado con los recursos de que disponíamos, salimos en busca de un lugar para comer. Apenas atravesamos la puerta de entrada, nos encontramos con Nick —el pelirrojo—. Se propuso acompañarnos, buscando ganarse la simpatía de Yan.

Tim no dejó a Patsy ni a sol ni a sombra. Por su parte, Nick habló exclusivamente con Yan. La animosidad que provocaba casi no parecía preocuparle. Era así mismo inconciente, suicida. Su jueguito puso una sombra en nuestro fin de semana, pero Yan no se daba cuenta. Nick mantenía su distancia respecto a

Tim, y la atmósfera se relajó y la alegría volvió a media tarde. Después del desfile de la noche, nos reunimos en casa del amigo de Nick sin haber pensado realmente en la continuación del programa.

El departamento se situaba en el último piso de un antiguo almacén. Los cristales cubrían todo el espacio. La fragilidad de los vidrios ahumados contrastaba con la solidez de las vigas de acero. Éstas se encontraban dispersas en lugares estratégicos del inmueble y atravesaban el *loft*, como astillas monstruosas. El efecto era muy inquietante.

Sentados juntos en mi saco de dormir, Yan y yo fumamos mientras discutíamos con otra pareja. Repentinamente, vimos a Tim proyectar a Nick contra el muro. Éste replicó asestándole un puñetazo en la cara. Tim arremetió sin pensarlo sobre su rival. Siguió una disputa. Ayudado por otros invitados, Yan consiguió separar a los beligerantes. No hace falta añadir que después de esta escaramuza, nos pidieron amablemente abandonar el sitio.

—¡Bravo! Exclamó Yan furioso, dirigiéndose a Tim. Qué atinado. Nos helamos. ¿Se te ocurre algo para más tarde?

—Regresemos a la prepa, no está tan mal, respondió Tim, avergonzado.

—¿Por qué no regresamos a Montreal? Sugirió Patsy. La fiesta ya acabó no hay ni un alma en la carretera a esta hora.

—No es tan tonto. Apoyó Tim.

—Preferiría tomar la carretera antes de regresar al colegio, dije bostezando.

—OK, votado por unanimidad. Salimos de aquí, concluyó Yan.

En el camino de regreso, Tim apoyó la cabeza en los muslos de su rubia. Su ojo inflamado ya tomaba un tinte azulado. Patsy lucía un aire cansado y triste.

Desde hace unas semanas mis enfrentamientos con la *Gran Bocona* tomaban una importancia desmesurada. Sus asaltos cotidianos eran sin piedad.

"¡Es su culpa! Es lo mejor para empezar el desorden, bramó ella un día. ¿Te has visto en Quebec? Demasiado pendeja para prevenir a Yan."

—¡Cállate! ¡Déjame en paz! Silbé apretando mis manos en mis orejas.

"¡Puta, has echado a Tim en la mierda!"

—Eso es falso, no podía hacer nada.

"Pobre hadita, la idiota del barrio. Una simple oruga le impide avanzar". Se burló la otra con maldad.

—¡Es suficiente *Gran Bocona*! ¡Ciérrala!

Grité esas palabras de rabia con todo mi corazón. ¿Con qué derecho se permitía destruirme así? ¿Por qué me atacaba a mí? Su veneno se esparcía en mi vida en dosis masivas, me incitaba a aislarme cada vez más. En la casa evitaba a Marie como la peste. Cuando ella llegaba del trabajo, hablábamos unos minutos y enseguida me encerraba en mi cuarto. Yan seguía siendo mi única ancla. Sin embargo, sus nuevos compromisos al lado de Frank le tomaban mucho tiempo.

Dana estaba muerta y no me había contactado más que una sola vez después de mi peregrinación al oratorio. Durante un control escrito en la clase de Geografía, no llegué a acordarme del nombre de ciertas capitales. Sin embargo, conocía muy bien mi materia. Cuanto más pasaban los minutos, más subía mi angustia. Dana había intervenido: "¡Cálmate! ¡Conoces las respuestas! ¡Lo vas a lograr!". Esta benévola intrusión había desbloqueado mi memoria como por arte de magia.

No obstante, mi situación, en general, se deterioraba. El señor Sirois me convocó en su oficina y no ocultó su inquietud.

—Buenos días, Rubby. ¿Tu trabajo en Historia avanza bien?

—Sí, no tengo ningún problema, pero es un trabajo más grande de lo previsto.

—¿Necesitas ayuda?

—No, gracias, qué amable, me las arreglo bien.

Evitaba su mirada, ya que tenía la íntima convicción de que podía leer mis pensamientos. Si se enteraba de que fumaba hierba, me merecería una suspensión.

Prosiguió con un tono de confianza:

—Si tuvieras algún problema, incluso cualquier cosa que no estuviera relacionada con los estudios, sabrías donde encontrarme, ¿verdad?

—Desde luego, pero tranquilícese, todo está bien. Estoy un poco cansada quizá. Es normal, los exámenes se acercan.

—¡Llévatela tranquila y acuérdate de mi oferta!

Le agradecí y dejé su oficina. El señor Sirois era muy simpático, no obstante se volvía un poquito curioso a mi gusto. En el futuro, me esforzaría en tener cuidado y desconfiaría un poco más.

Una tarde, cuando me instalaba en mi mesa habitual en la biblioteca, encontré una revista. Un artículo sobre los ovnis suscitó en gran parte mi interés y despertó en mí un sentimiento de algo ya visto. Empecé a indagar en esa cuestión. Las semanas siguientes me hundí en la lectura de todo lo que se relacionaba con el tema. Libros, revistas, periódicos: mi sed era inmensa. Me enteré que en los Estados Unidos, ciertas agrupaciones ayudaban a las víctimas que habían sido secuestradas por extraterrestres. Estas personas pretendían haber sido secuestradas desde su primera infancia. Cuando alcanzaban la edad adulta, los extraños las visitaban regularmente. Una mujer afirmaba incluso que había asistido, impotente, al secuestro de su cónyuge. En su caso, los extraños habían causado una forma de letargo en ella. Gracias a la hipnosis, las víctimas se acordaban de esos traumas ocultos en su subconsciente. Varios científicos ponían en duda dichos testimonios. Alegaban que este método, mal utilizado, llegaba a inculcar falsos recuerdos. Las sugerencias emitidas por el hipnotizador podrían llevar al paciente a forjarse una experiencia ficticia y a hacerla suya.

Existía una literatura abundante sobre los *hombres de negro*. Éstos conocían bien los fenómenos extraterrestres. Su misión consistía en impedir al público acceder a estas pruebas. Trabajaban en conexión con los Gobiernos y los extranjeros.

Europa, Bélgica en particular, demostraba aún más apertura en ese ámbito. Los testimonios eran confirmados, a menudo, por las fuerzas del orden. La información circulaba en los periódicos serios y no solamente en los sensacionalistas. Me enteré que los montes Saint-Hilaire y Saint-Bruno figuraban entre los lugares más frecuentemente visitados por los ovnis, en Quebec. Realizaba mis investigaciones en la biblioteca del barrio. Nadie me conocía; así, evitaba despertar la curiosidad de quienes me rodeaban. Empezaba a comprender mejor quiénes eran los visitantes, los visitados y los "desaparecidos". Tan pronto como la *Gran Bocona* se dio cuenta de que me interesaba realmente ese tema, mostró su arsenal. "¿Ya viste a esta idiota? ¡Cree en los hombrecitos verdes! ¡En los ovnis, en los platillos voladores! ¡Rubby la platillo voladora! ¡Rubby la platillo voladora!" Cantó este estribillo interminablemente. "¿Viste como se controla bien, la hadita? Sin ninguna reacción". Tomé mis auriculares y puse a todo volumen mi *walk-man*, "Pinche pende/..." El resto del mensaje fue ahogado por una ola de *hard rock*.

Desde hace poco, planeaba mentalmente mis días. Al principio, preveía *grosso modo* mis actividades. Sin embargo, al compás de las semanas, este método se amplió, al grado de relacionarse cada vez más con la compulsión. Debía pasar y repasar en mi cabeza la mayoría de mis acciones y gestos, antes de ejecutarlos en la realidad. Este super *planning* me agotaba mentalmente y mataba en el momento toda chispa de creatividad o espontaneidad. Si un nuevo elemento se presentaba, debía inmediatamente integrarlo a mi telaraña mental. A veces, este imprevisto actuaba como un virus y hacía que toda mi programación se fuera al carajo.

Me sentía agotada y desmoralizada. Todos los días, desplegaba esfuerzos titánicos para seguir siendo funcional. Me había inscrito a los bachilleratos Montmorency y Maisonneuve, en cuidados de enfermería. Ese proyecto me parecía muy alejado y de un futuro incierto. Por la mañana, no podía despegarme de la cama antes de pensar durante unos quince minutos. Dedicaba toda mi energía a mis estudios y a Yan. No me quedaba tiempo para otra cosa.

Decidí no asistir al baile de fin de cursos. Varias razones justificaban esta decisión. En primer lugar, no experimentaba ni la fuerza ni el deseo, y no compartía ninguna afinidad con los estudiantes de mi escuela. Por otra parte, Yan guardaba un muy mal recuerdo del Sophie-Barat y no tenía la intención de abrir de nuevo esta herida. Marie reaccionó muy mal al anuncio. No comprendía que pudiera seguir siendo indiferente a tal acontecimiento. Le confesé que prefería celebrar con mis amigos en la intimidad.

—Pero Rubby, te acordarás de ese baile toda tu vida. Argumentó ella, completamente desconcertada.

—Tendré mis fotos y mi diploma para eso.

—¡Una foto sin baile no es más que un recuerdo fijo!

Esta observación resonó como una queja.

—Quizá tengas razón, pero eso no me interesa.

—Quería regalarte tu vestido, un magnífico vestido de lino.

Marie se obstinaba, caminando de un lado para otro en el salón.

—¡Te verías tan bonita!

—Qué amable, pero Yan tampoco es muy apasionado y muy cálido.

—¡Sabía que esta idea venía de él! Tú...

Le corté inmediatamente la palabra:

—No lo acuso, no es por nada. Soy bastante grande para tomar mis propias decisiones.

—No te enojes, retrocedió. Solamente quería agradarte.

Toda su energía la abandonó de golpe. No me atreví a enfrentar su mirada; su herida me infectaba. Esta situación que deploraba y que minaba la moral, minaba también mis relaciones con mi madre. Comprendía su reacción, para ella, quien no había tenido la oportunidad de terminar su secundaria, un baile de fin de cursos, cerraba con broche de oro cinco años de esfuerzos y eso se debía de festejar con esplendor.

Cuando le conté a Yan mi discusión con Marie, se mostró en primer lugar furioso. Luego me tranquilizó lo mejor que pudo.

—No te rompas la cabeza, se volverá a entrometer. No siempre se puede agradar a nuestros viejos. Lo importante es que te amo.

Sollozaba con la cabeza apoyada en su pecho. Sus palabras me reconfortaban en gran parte, y calmaban mi tormenta. Formaban un escudo contra la incomprensión de mi madre.

Esa noche decidí pasarla en casa de Yan. Era extraño dormir en casa de mi novio cuando tenía cursos al día siguiente. Pero su presencia y su protección me parecían indispensables. Para mi gran asombro, la *Gran Bocona* no emitió ninguna protesta. A lo sumo algunas palabras ininteligibles. Como si temiera que Yan la escuchara. Ésa fue una noche de sueño en todo el sentido de la palabra.

Los últimos días de clase fueron terribles. El entusiasmo y la agitación de los alumnos me dañaban los nervios. Todo el mundo me parecía sospechoso. El señor Fritz, mi profesor de Biología, casi conservaba la calma y se permitía incluso bromear. De toda la sesión, era la primera vez que sonreía en pleno. El mismo fenómeno se produjo con mi profesor de Química, el señor Crevier, que repentinamente se preocupaba por saber si habíamos comprendido sus explicaciones. Habitualmente, equilibraba sus fórmulas de brujo sin preocuparse de las reacciones que provocaban en el laboratorio o en nuestras pequeñas cabezas. Nos acercábamos a la mitad de junio. Me consolaba pensando que mi calvario estaba a punto de terminar.

El verano se instaló gloriosamente, desalojando profesores y exámenes. Mi primer día de vacaciones fue consagrado a Morfeo. Marie trabajaba, por lo tanto, el departamento me pertenecía sólo a mí. Me levanté muy tarde y me di un baño de espuma. Me eché por lo menos una hora fumando un buen carrujo. ¡Qué rico! No tenía nada qué planear o qué prever. Las caras inquietantes con las que diario me había enfrentado en el colegio parecían muy lejanas.

Como consecuencia, todo se trastornó. Los últimos días de junio sirvieron para clasificar, empacar y trasladar nuestras pertenencias a casa de Pierre. Marie y él dedicaron una semana de sus vacaciones. Como dos niños que habían obtenido permiso para dormir en casa de un amigo, estallaban febrilmente y se reían a propósito de todo y de nada. Pierre no se atrevía a tocar mis pertenencias. Me concedió carta blanca para decorar mi cuarto. A fin de mes, vivíamos bajo nuestro nuevo techo.

Capítulo 14

El infierno

El 6 de julio, hacia las trece horas, recibí una llamada telefónica que me aniquiló. Yan me telefoneó de la prisión de Bordeaux. Creí entender que había sido encarcelado por robo y encubrimiento. Me hundí en una pesadilla. Apenas reconocí a Yan, que hablaba con precipitación y violencia:

—¡Es horrible, Rub! Me interrogaron durante veinte horas seguidas, los perros. Es el infierno, en ese hoyo de ratas. Necesito salir de aquí, si no, voy a estallar.

La rabia se reflejaba en cada palabra de esta llamada cargada de angustia, centuplicando mi confusión y mi miedo. De pie junto al aparato, cogía el auricular con la punta de los dedos. Temía que una bestia inmunda se escapara y me devorara. Yan prosiguió:

—¡Ese cabrón hijo de puta desapareció! Todos los cargos pesan sobre mí. Es necesario que encuentres a Frank... ¡No puede hacerme eso!

Respondí tímidamente:

—¿Pero cómo? ¿Quién puede ayudarme?

—Ve a su casa con Tim. Tarde o temprano llegará allí. ¿Lo harás? ¡Prométemelo!

—Sí, iré.

Tragué penosamente, mi saliva había abandonado mi boca.

—¿Puedes salir?

—No por el momento. Encuentra a Frank y dile que no tengo la intención de pagar las consecuencias por él. Es necesario que vayas, mi tiempo corre. ¿Irás?

Sus frases transmitían desesperación. Era patético.

—Prometido, mi amor... tuve el tiempo de decir antes que la comunicación se cortara.

Me hundí en el sofá, incapaz de reaccionar. ¿Cómo era posible? Yan encarcelado con criminales, eso parecía totalmente increíble. De seguro me iba a llamar para decirme que se trataba de una broma estúpida, una broma pesada de estudiantes.

Hacia las quince horas, un rayo de sol cosquilleó mi cara y me sacó de mi entorpecimiento. Llamé a Patsy para pedirle ayuda. Me llevó a su departamento. Le expliqué lo mejor que pude la situación. A lo largo de mi narración, permaneció inmóvil, sus manos sostenían las mías, su mirada estaba clavada en la mía. Una extraña comunión se produjo entre nosotras. Sus ojos captaban las palabras que cruzaban mis labios y se diluían en el gris profundo de sus pupilas. Al final de mi relato, se levantó, me rodeó con sus brazos y me arrulló suavemente. Al igual que lo hacía Paul para calmar mi dolor, desde tiempo atrás.

Cuando Tim entró y fue puesto al corriente, salió enseguida, de nuevo. Yo me encontraba literalmente al borde de la locura. No llegaba a controlar el temblor de mis manos. Patsy me tendió dos tabletas azules y un vaso de agua, luego me animó a tragarlas. Lo hice sin preguntar. Tim reapareció algunas horas más tarde con noticias frescas:

—Lo detuvieron en su casa. Hace dos días. Registraron y vaciaron el departamento. Su abogado, Vincent, creo, prometió sacarlo de ahí en quince días por dos mil bolas. Con esos dos mil dólares puede lograr aportar pruebas y obtener una prórroga. Si no, Yan se hundirá durante dieciséis meses.

Con esas palabras, se dejó caer en el sofá. Yo no comprendía absolutamente nada. Las píldoras azules habían calmado una parte de mi angustia, neutralizando al mismo tiempo mi intelecto y volviéndome tranquila y estúpida. Las palabras pronunciadas por Tim representaban una serie de letras separadas de su carga emocional. No habría reaccionado de manera muy distinta, al anuncio del fin del mundo.

Muy en el fondo de mi conciencia, un nombre deambulaba de un lado a otro: Frank. Terminé por lanzar:

—¡Es necesario ir a la casa de Frank!

—Para nada, respondió Tim los "pinches polis" pasaron antes que nosotros. No me sorprendería que siguieran vigilando. Es demasiado arriesgado.

Prosiguió, pero yo me encontraba ya fuera del circuito:

—Mañana iré a ver a un amigo. Sabrá dónde encontrar ayuda.

Durante las dos semanas que duró la ausencia de Yan, yo estaba viviendo paralelamente a su mundo. Dentro de mi cuerpo, la vida parecía suspendida: esperaba a Yan. ¡Mi paranoia no se extendía más que a mi ambiente inmediato, los *hombres de negro* acababan de llegar! Yo sospechaba que eran responsables del encarcelamiento de mi novio. Me imaginaba una extensa conspiración provocada con el fin de alejarlo de mí. Sin duda me habían descubierto: quizá yo estaba marcada desde mi nacimiento, sin saberlo. ¡Esos hombres debían ser muy poderosos! Desconfiaba incluso de Pierre y de Tim.

Al segundo telefonazo de Yan, convenimos establecer nuestro cuartel general en casa de Patsy. Así pues, evitaríamos que

Marie o Pierre interceptaran accidentalmente una llamada procedente de Bordeaux. Tim tomó la dirección de las operaciones. Me hablaba de cosas y de gente que yo no conocía. Parecía un general enviando sus tropas al combate. Sus ojos burlones desentonaban en medio de tanta seguridad. Sin embargo, debía reconocer su eficacia. Tomaba todas las decisiones sin consultarnos; ni siquiera teníamos voz ni voto. De cualquier forma, yo no llegaba a reflexionar acertadamente. Me dejaba llevar, esperando que mi guía conociera el camino.

La efervescencia causada por nuestra mudanza a casa de Pierre cubrió mi huída. Mi extraño comportamiento, mi mutismo, mi deterioro físico fueron atribuidos al cambio. Hice las menos olas posibles para no despertar la desconfianza de mi madre.

La noche no llegaba a auyentar mis fantasmas. Los demonios de mi alma rascaban a la puerta de mi conciencia. Me hundía en la desesperación. La *Gran Bocona*, siempre de guardia, me increpaba: "¡Mírame puta! ¿El querido Franki está en el 'tambo'?" Su miserable acusación no suscitaba ninguna réplica de mi parte, yo resistía...

El día 21, a las diecinueve horas con treinta, Yan salió de prisión. En el coche, prevalecía un silencio sombrío. Tuve el corazón destrozado. En casa de Tim, ambos se retiraron para hablar en privado. La discusión se volvió rápidamente tempestuosa y el tono subió. Patsy intentó mal que bien alegrarme, pero la sentía también tan afectada como yo por el rumbo de los acontecimientos.

Esa noche, Yan me hizo el amor con rabia y pasión. Sus manos agarraban mi carne sin piedad. En el momento en que yo alcanzaba el orgasmo, eyaculó su odio y se clavó profundamente en mí, arrancándome un grito de dolor. Se recobró inmediatamente y se disculpó cubriéndme de tiernos besos. A pesar de sus palabras, sentía su violencia palpitar, lista a saltar disimuladamente.

La actitud de Yan me preocupaba; tenso, irritable, parecía como una bestia acorralada. A veces hablaba como si sus días estuvieran contados. Recibía llamadas a cualquier hora del día y de la noche. Desapareció su seguridad; su sufrimiento era contagioso. Una tarde, un desconocido llamó a la puerta. Cuando mi novio abrió, su cara se puso lívida al ver al tipo, treintañero, fuerte y muy intimidante. Yan salió para hablarle y volvió a cerrar la puerta. A los pocos minutos, reapareció, aterrado, gotas de sudor perlaban su frente. Se acercó a mí y me estrechó muy fuerte contra él. Sentí su pecho levantarse por sacudidas, como un hombre que estuviera ahogándose.

Luego, repentinamente mi vida cambió. A finales del mes de agosto, me encontré buscando a mi primer cliente, abandonada al final de la acera a la altura de Saint Laurent, no llegaba aún a comprender cómo mi situación había podido degenerar hasta ese punto. ¿Cómo había podido caer tan bajo? Paul allá en su paraíso, debía maldecirme. ¡Y, sin embargo, nada, ni siquiera la pérdida de mi dignidad, lograba contener el amor que le tenía a Yan! Habría estado en el infierno por él. La *Gran Bocona* tenía razón: era una pendeja, alguien menos que nadie, una perra de primera.

¿Cómo era posible? Me había acostado con ese fortachón amenazador, luego del miedo de perder definitivamente a Yan. Esta mala forma de pagar, aumentaba visiblemente. Su desesperación y la sugerencia, apenas velada, de venderme para él. Sus ojos me suplicaban que lo salvara. Patsy me tranquilizó; luego me inició en los misterios de la prostitución. Sabía que era atrevida, pero estaba lejos de imaginar que era "mujer de la calle". Intentó convencerme de que esta elección le pertenecía, sin embargo, recordé los gestos bruscos y las palabras ofensivas de Tim hacia ella. Dudé de su libertad; su novio poseía una excesiva influencia sobre ella. Decepcionada, me sentía traicionada y había puesto demasiadas esperanzas en Patsy. Finalmente, a pesar de la arrogancia de la que hacía alarde, también ella se revelaba vulnerable. ¿Estábamos encadenadas en una misma galera o sólo nuestra resistencia determinaría la duración del viaje y su destino?

Según sus recomendaciones, debía evitar consumir heroína o cocaína, consideradas demasiado peligrosas. Sin embargo, tomaba tantas cápsulas y comprimidos que perdía la cuenta. Su advertencia me parecía pues, vana. ¿Ignoraba lo que era más arriesgado: la coca, los tranquilizantes o mis amigos? No obstante, aterrorizada e impotente, permanecía dispuesta a todo con tal de salvar mi amor.

Esta horrible noche de humillación me rompió por completo. Revivo el desfile de esas caras sin nombre, diciendo locuras o atrayéndome sin tapujos. Esos hombres ávidos de agarrarme y de satisfacer sus más bajos instintos. Vagando sin rumbo en las primeras horas de la mañana, los policías me llamaron desde su auto. Me sentí incapaz de responderles. Estaba en otra parte. Había reunido a la *Gran Bocona* y a los *hombres de negro*: el mundo turbio de la psicosis.

En el departamento de policía, descubrieron la dirección y el teléfono de Pierre garabateados en un pedazo de papel, en mi bolso de mano. Marie y Pierre llegaron media hora después. Un agente los interrogó:

—¿Son los padres de esta jovencita?

Sentado detrás de su mostrador, él me señalaba con el dedo.

—Soy su madre y Pierre es un amigo muy cercano.

Marie se acercó a mí angustiada.

—¿Rubby, qué pasa? ¡Respóndeme, te lo ruego!

Se puso en cuclillas a mi lado y echó atrás las mechas rebeldes de mi pelambrera, con el fin de liberar mis ojos. Inmersa en mi propio mundo, mi mirada percibía otra realidad: un universo borroso que interfería con el real. Desalentada, ella preguntó al policía:

—¿Qué le pasó? ¿Dónde la encontró? ¿Está herida?

La invitó a seguirlo a una oficina.

—Estaremos más tranquilos para conversar.

Pierre les siguió inmediatamente el paso.

La angustia de Marie era justificada: no me había visto desde hacía diez días, creyéndome en un campamento con mis amigos. De regreso a casa, me bombardeó con preguntas. Pierre se interpuso amablemente:

—Déjala respirar un poco, veremos las cosas más claras dentro de algunas horas.

Habría querido tranquilizar a mi madre, pero este pensamiento se enterró en el fondo de mi conciencia: demasiado débil para salir a la superficie. Su sombra me rozó, sin llegar a transformarse en palabras o en gestos.

Capítulo 15

Albert-Prévost

Poco después de mi incursión en el mundo de "libre comercio", me encontré en la oficina de Jack Wolf.

—¿Bueno, Rubby, cómo estás? ¡Tu madre se preocupa mucho por causa tuya!

La G.B. eligió ese momento para entrometerse: "¿Viste? El buen doctor utiliza el 'tu'. Dejó el 'se'. ¡Debe estar muy enferma la pequeña hada, para que él quiera disociarse de sus desgracias!" En mi cabeza, esas palabras dominaban la mezcla general, todo se confundía. Sentía que no debía mirar a Wolf: quizá era un *hombre de negro*. Corría seguramente un gran peligro; si nuestros ojos se cruzaban, robaría mis pensamientos, como el señor Sirois lo había hecho. La G.B. se impacientó, estallando de miedo: "¡Respóndele, pequeña perra, si no él nos va a descubrir! ¡Levanta la cabeza y reacciona, pobre fugitiva!". Escuché el aullido de un perro a lo lejos. Su grito creció y se transformó en una queja lúgubre. Ésa debía ser una señal del destino. Susurré a la G.B.:

—¡No es necesario mirarlo! ¿No oíste aullar al perro, idiota?

—¿A quién le hablas, Rubby? Sólo estamos tú y yo en la oficina.

Estaba por encima de mis fuerzas; mi secreto se volvía demasiado pesado para llevarlo. Estallé y vomité un montón de palabras. Una verdadera diarrea verbal en donde hablaba de la G.B., de ovnis, de orugas... Meses de bilis acumulada y de pensamientos infectados irrumpieron sobre Wolf. Él permaneció impasible y prescribió un antídoto que resonó como una sentencia: la internación.

Los primeros días de mi hospitalización permanecieron borrosos en mi memoria. En primer lugar, se me hizo un chequeo de salud —o de daños— según el punto de vista de observación. El médico estableció un protocolo de destete destinado a reducir los efectos secundarios provocados por la interrupción brusca de la toma de medicamentos. Ese *car wash* fisiológico me dejó debilitada. Dormía poco, estaba agitada y sufría calambres en el estómago. Debido a mi intoxicación por distintos tranquilizantes, Wolf no pudo establecer un diagnóstico preciso. Se me consideraba loca, catalogada, pero aún no clasificada.

Luego dejé la sala de urgencias por el pabellón de los adolescentes. Siguiendo las recomendaciones de las enfermeras de mi departamento, Marie me preparó un "kit de supervivencia": algunas prendas de vestir y productos de higiene. El ala, pequeña a pesar de sus tres pisos, se situaba ligeramente hacia atrás del edificio principal. Diríamos un cubo de piedra dejado negligentemente de lado por un gigante, mientras que edificaba las otras partes de su construcción. La entrada de lado Este era baja. Tres caños de plomería escapados del sótano corrían a lo largo del techo, reduciendo por lo tanto su altura. Conservaba la moral muy baja, mientras la pared agrietada de la escalera que conduce al segundo piso, reforzaba mi sentimiento de ruptura. La gruesa puerta metálica de mi habitación, horadada con una pequeña ventana de observación, aumentaba mi pánico. Despertaba un antiguo miedo de ser secuestrada y olvidada. La enfermera que me acompañaba observó mi vacilación y se apresuró a tranquilizarme:

—No tengas ningún temor, no se cierran nunca. Salvo en caso de una medida excepcional…

Fui la última que había llegado y debía compartir un cuarto doble. La minúscula habitación tenía dos camas, dos burós, dos sillas y dos juegos de blancos. Una ventana provista de un mosquitero alambrado, se abría algunos centímetros solamente, como medida de seguridad. Ese detalle me indignó y me sacó las lágrimas: se controlaba incluso el aire en este espacio cerrado. Todas las habitaciones se encontraban en este piso: ocho en total. Había también dos cuartos de baño, el puesto de las enfermeras, una cocineta y una sala común donde se escuchaba un televisor. En el primero estaban acondicionadas una sala de billar, salas de cursos y una sala de lavado. Las oficinas de los profesionales abarcaban por completo el segundo nivel.

Por fin surgí de mi letargo y volví a tomar lentamente contacto con mi medio ambiente. La adaptación resultó difícil. La G.B. no me abandonaba y siempre temía a los *hombres de negro*. Wolf debió reconocer que, incluso sin droga, esos parásitos continuaban molestándome y haciéndome la vida dura. Me recetó Haldol, un antipsicótico prescrito a menudo contra la psicosis esquizofrénica. Me sometí a ese tratamiento sin hacer preguntas. Mi embrutecimiento me impedía comprender la implicación de esta disposición.

Diane, mi compañera de cuarto, se mostró muy simpática. De dieciséis años de edad, lucía un magnífico cabello negro, sus ojos color carbón parecían conocer cualquier secreto. Se mostró totalmente solícita hacia mí. Me explicó los reglamentos de la unidad y me ayudó a familiarizarme con los lugares. Un viernes por la noche, mientras que la mayoría de los pacientes gozaban de un permiso de fin de semana, me contó su historia:

"Desde la separación de mis padres, hace cuatro meses, vivo con mi madre, Clara. Hace casi año y medio, mi hermanita Sophie se ahogó en el lago Coulombe, frente a nuestro chalé. Cuando sucedió el accidente, yo había ido de compras con mi padre a la ferretería del pueblo. A nuestro regreso, el vecino completamente enloquecido nos anunció que Sophie había desaparecido en medio del lago. Mi madre se sentó al final del muelle. A través de sus lágrimas, pronunciaba el nombre de mi hermana en silencio. Esta ausencia de sonido volvía su desamparo aún más dramático. Habría preferido que gritara su dolor o que maldijera el cielo.

"Desde ese día fatal, la relación entre mis padres se deterioró. Creo que mi padre estaba resentido con mi madre por no haber conseguido salvar a Sophie. Él nunca la acusó de que fuera eso, pero su negativa para hablar del drama impidió a mi madre exorcizar sus demonios. Ella siguió estando sola, atormentada por la culpa. La muerte en el alma se convirtió en la sombra de sí misma. Mi madre ha sido siempre dependiente de mi padre. El divorcio no hizo más que aumentar su vulnerabilidad.

"Pensé que si me unía a Sophie, mis padres tendrían quizá una oportunidad de rehacer su vida. Serían libres al borrarlo todo y ambos podían partir de cero, cada uno por su parte. Así no tendría ya que enfrentar sus miradas que parecían reprocharme por estar viva."

Dado que se juzgó muy seria su tentativa de suicidio, se encontró aquí. Por el momento Diane permanecía en la misma unidad los fines de semana, puesto que sus padres no estaban en condiciones de ofrecerle el apoyo necesario.

Adoraba escribir y se preocupaba mucho de la suerte reservada a las mujeres en ciertos países. La falta de autonomía de su propia madre explicaba en parte su compromiso en pro de esta causa. Diane quería convertirse en terapeuta y leía todos los libros de Psicología que le caían en las manos. Sus confidencias me conmovieron profundamente. Su experiencia de vida me permitió ver menos dramática mi situación. Por mi parte, no me sentía todavía lista para revelar mis obsesiones. Mi amiga respetó mi silencio, sin sentirse ofuscada por eso.

A veces, yo entreveía la trama de mi delirio. La inminencia de una invasión por los extraterrestres parecía menos presente y amenazadora. Durante mis consultas con Wolf, llegaba a echarle miradas furtivas y ya no temía a que robara mis pensamientos. La *Gran Bocona* se hacía más pequeña. Mi convalescencia se anunciaba larga pero, con Diane a mi lado, los obstáculos me parecían superables.

Marie y Pierre me visitaban regularmente los martes y los jueves por la noche. Eran muy puntuales. Me llevaban noticias del exterior, encontraba eso refrescante. Mi madre nunca me hablaba de Yan o de Patsy. Quizá los hacía responsables de mi estado. Me molestaba mucho con mis amigos, sin embargo, mis sentimientos hacia ellos se había mitigado. Surgía de la niebla y no sabía hasta qué punto mi madre descubría mis otras vidas: ¡huésped de la G.B. y anfitriona de la planta baja! ¿Qué le había revelado yo a Wolf? ¿Qué le había transmitido él a Marie? ¿Sabía él por la calle y esos hombres que me habían obligado a tragar mi asco y su perversión? ¿Se podía coger el SIDA, por la boca? Cientos de preguntas se revolvían en mi cabeza y mordisqueaban la poca energía que me quedaba.

Algunos días deseaba parecerme a Louisette. Esta paciente de dieciséis años, con cabellos pelirrojos y ojos marrones, mostraba una gran seguridad y no expresaba ninguna inquietud ante el sexo. Por otra parte, era muy activa en ese aspecto y no lo ocultaba. Ocupaba una habitación situada al lado del puesto de guardia para que el personal pudiera controlar mejor sus idas y venidas. Intercambiaba sus favores por cigarros y productos de higiene. Un día que lavaba mi ropa abajo, me abordó sin rodeos:

—Hola Rubby, ¿tendrás un "cigarrito"?

Ella se subió sobre la secadora y balanceó las piernas siguiendo el ritmo de la radio.

—No fumo, lo siento, me disculpé ruborizada.

—Es lo que pensaba, querida, pero se puede probar suerte ¿verdad? ¿No tendrías, como la más grande de las casualidades, otra clase de "cig"?

—¡No!

Louisette me intimidaba. Tenía prisa de refugiarme en mi habitación, al abrigo de su curiosidad.

—Me haces pensar en Suzie, la pequeña rubia que "mal viaja" sobre la CIA. ¡Un verdadero fenómeno! Está convencida de que la CIA es dueña de su cerebro. Pretende conocer todas las combinaciones de todas las cajas fuertes de todos los gobiernos. Controla todo el dinero en circulación. No es cualquier cosa, ¿eh? ¡Vuela alto nuestra Suzie!

—Por cierto que es extravagante... ¿Pero en qué me le parezco?

—¿No oirás voces tú también? La otra noche, te observaba en el salón y te comportabas como Suzie cuando llega la kermés. Dice oír a un montón de gente reír y hablar en su cabeza, como en una feria. A menudo, inclina la cabeza de lado y para la oreja, como si escuchara algo. Sabemos entonces que la kermés está en la ciudad. ¡Es gracioso! ¿Y tú? ¿Cómo es tu circo?

En este lugar, mi locura parecía totalmente aceptable. Intenté pues y le hablé de la G.B. Al final de mi relato, exclamó:

—¡Excelente! Tenía razón. ¡Bienvenida a bordo, querida mía!

En eso, saltó debajo de la secadora diciendo:

—Es necesario que me levante, si no el sargento Marc va a sonar la alarma. ¡Hasta pronto!

Se fue corriendo y la oí subir los escalones a toda velocidad para remitirse al encargado.

Tan pronto como Diane se reunió conmigo en la habitación, le conté mi encuentro con el huracán Louisette. Ella me tranquilizó:

—No te preocupes, no es una mala chica. Quizá un poco curiosa y centrada en su pequeña persona, pero a pesar de todo agradable. Louisette es maniaco-depresiva, oscila regularmente entre la depresión y la manía. Me confió que aleteaba durante sus *highs* y que adoraba esta sensación de omnipotencia. Incluso bajo control médico, desplaza mucho aire, ¿no lo ves?

—¡Oh sí! ¡Un verdadero tornado!

Y yo me moría de risa. Aproveché ese momento privilegiado para confiarme. Solté toda mi historia: de la oruga a la calle. Esta confesión representaba un primer paso hacia la curación: estaba convencida y mi amiga también.

Hacía justo dos semanas que me encontraba internada en el Albert-Prévost. Con el fin de sentirme más en confianza, me informé de cada paciente. Contrariamente a la G.B., yo mostraba señales de despertar y sentía la necesidad de estar tranquila. Además, ciertos comportamientos me intrigaban e ignoraba cómo reaccionar. Un magnífico sábado por la tarde, Diane respondió a mi espera. Instaladas sobre una manta, frente al río, comencé a cuestionarla. Un paciente en particular me interesaba más que los otros. Diana comenzó así su relato:

"Luc es un muchacho muy sensible. ¿Has notado que se pone continuamente a la defensa de Armand, su compañero de cuarto? Lo considera un poco como su hermanito. Luc sufrió una dura prueba hace poco. Estaba muy enamorado de una chica llamada Stacy, construía con ella los proyectos del futuro. Se conocían desde los catorce años; tiene diecisiete ahora. Todo iba bien entre ellos y con sus respectivas familias. Hacia el fin del año escolar, el padre de Stacy la encontró inconsciente en su auto, en el garage. El motor estaba encendido y una manguera se conectaba al tubo de escape. El gas mortal se había infiltrado en la cabina que se volvió la tumba de su hija. Ella no había dejado ninguna carta, ningún mensaje. Esa actitud siguió siendo inexplicable. Stacy desapareció llevándose su secreto y el corazón de su enamorado.

"Luc no tiene ya ningún proyecto de vida, está en espera, ¡como un futuro transplantado! Al menos que, en su caso, un ser vivo le inyecte vida de nuevo. Él se encuentra entre nosotros desde hace dos meses. Sus magníficos ojos azules son muy pálidos. La alegría de vivir no está más ahí. El otro día, sorprendí a un profesor que le decía a Aline, la enfermera: 'Sus ojos permanecen bloqueados en el pasado, se borran un poco todos los días.' —Creo que hablaba de Luc. ¡Saldrá de aquí cuando sus ojos se vuelvan más azules!".

Diane pronunció estas palabras con los ojos clavados en el río. La compasión transformaba su bello rostro. Hice un esfuerzo por expulsar la imagen de Stacy y Luc paseando tomados de la mano con el fin de no llorar.

—¿Quieres que prosiga con Armand o Harry? Preguntó Diane.

—¡Armand me es más simpático! Respondí.

—Armand Gusdorf tiene catorce años y es hijo de un médico. Este punto es importante puesto que su padre resulta responsable, en parte, de su mal. Llegó hace algunas semanas tras una mononucleosis virulenta. Esta afección disimulaba un desorden más serio: una grave depresión. Cuando llegó aquí, durmió tres días seguidos. Tendía al extremo. Hablaba con velocidad acelerada o muy, muy lentamente. Era más bien divertido. Es un súper *crack*, muy serio además. Acaba de terminar su primer año en Ciencias de la Salud en el bachillerato. Quiere seguir las huellas de sus ancestros. Su futuro está planificado con los más mínimos detalles. Como pudiste constatarlo, su físico no evolucionó al mismo tiempo que su mente; se diría un viejito en un cuerpo de adolescente. Pequeño para su edad, parece muy perturbado. Sin embargo, su caso no es desesperado, está en pleno crecimiento...

Diane se dio cuenta repentinamente que esas palabras podían chocarme, vista mi pequeña estatura. Puso sobre mí una mirada inquieta.

—¿No siguió la evolución de su mente, eh? Dije, con el semblante falsamente indignado. ¡Esta afrenta te costará una barra de chocolate!

Mi amiga estuvo de acuerdo de buen grado y prosiguió:

—El padre deArmand, le inculcó el síndrome del resultado. A nivel de las relaciones humanas, Armand carece totalmente de seguridad. Por suerte, se acopló con Luc, que le ha tomado bajo su protección. Armand lo admira mucho. Los dos se ayudan mutuamente, forman una bonita relación.

El sol declinaba y la hora de la comida se acercaba. Las historias de Armand, de Luc y de Diane daban qué pensar. El mal podía provenir de una fuente exterior y echársenos encima sin advertencia. Esta verdad revestía ahora un sentido para mí. No se trataba ya de una idea abstracta. En mi caso y en el de Suzie, llevábamos en nosotras el germen de nuestros sinsabores. ¿El drama de los otros llegaría a calmar mis angustias? Todas las hipótesis que elaboraba me complicaban la existencia. Pedí pues, a mi amiga, suspender su relato hasta el día siguiente, el tiempo necesario para recuperar el aliento.

La tarde se nos pasó, jugando al billar con Luc y Armand. Sólo éramos cuatro —Aline, la enfermera de día, nos llamaba los cuatro mosqueteros— consignados al pabellón para el fin de semana. Gracias a Aline, la reclusión era menos pesada. Ella reunía todas las cualidades del mundo y adoraba su profesión.

Nos ayudaba y nos tranquilizaba. Proponía, sin nunca imponer cualquier cosa. La forma en que dirigía sus peticiones evitaba toda confrontación. Incluso Harry, nombrado *Rambo*, terminaba por obedecer a pesar de su mal carácter. Fortachón para sus quince años, lucía un cráneo rapado y cejas espesas y juntas que le daban un aire malo. Toda su persona transpiraba hostilidad y agresividad. Diane no conocía la razón de su internamiento, pero ella sospechaba que llegaría a ser un psicótico. Se jactaba de haber sido expulsado de los cadetes que, según sus declaraciones, constituían una reagrupación de larvas y de gallinas. Soñaba con reunir las filas de una organización paramilitar americana. No faltaba nunca la ocasión de ridiculizar a Armand, su chivo expiatorio. En algunas ocasiones, Luc y Harry se habían enfrentado a causa de esto. En esos momentos, los ojos de Luc volvían a tener vida. ¿El odio podía remplazar al amor y engendrar vida? ¡Eso me preocupaba por él!

Durante los fines de semana, la unidad se volvía casi acogedora, íntima. Ningún grito perturbaba la calma de los lugares. La atmósfera se impregnaba de misterio, sobre todo la noche. Los fantasmas de los antiguos pacientes frecuentaban aún el lugar. A veces, sin razón, me sentía atormentada o extrañamente serena. Diane creía que la energía poseía una duración de vida propia y podía impregnar ciertos lugares. Eso que, a su parecer, explicaba mis estados de ánimo. En efecto, vista la intensidad de las experiencias que vivíamos, eso me llevaba también a creer que debían dejar rastros de su paso por ese sitio.

Cuando abordamos tales temas, Armand se perdía. Eso superaba su entendimiento; él no podía concebir el mundo sino bajo un ángulo científico. A Luc, más abierto, le gustaba participar en nuestras elucubraciones. Eso nos hacía bien y nos cambiaba lo cotidiano. El encargado nos autorizaba encender las velas del salón. Bajo su luz, nos sentíamos más cerca unos de otros. Este ambiente favorecía los intercambios y el acercamiento.

Esta tarde mística había calmado mis temores y desencadenado mi sed. Deseaba ávidamente conocer más sobre Gertrude, Eve y Philippe. Después de la comida, Diane se encargó de satisfacer mi curiosidad.

"Esta mañana pensé que te ayudaría más si te situaba en el tiempo. Como sabes, Louisette, la tornado, es la mayor del clan. Llegó hace cinco meses, a mediados de abril; está en fase de reintegración y deberá dejarnos en algunas semanas. *Rambo* la sigue en un mes. Viene a continuación Suzie —y su CIA—. Está aquí desde fines del mes de mayo y su estado casi no mejora. Creo que ella responde mal a la medicación. En cuanto a Eve y Gertrude, llegaron a principios de junio, con pocas horas de intervalo. Al final del mismo mes, Luc se internó, después de haber intentado reunirse con Stacy...

"Tuve el honor de ser hospedada en Prévost a principios de julio. Yo era pues la número 6, dado que Gertrude y Eve ocupan simultáneamente la cuarta posición. Armand se unió al equipo a finales de julio. Philippe era el más reciente, hasta que le arrebataste su título. Llegó a mediados de agosto."

El cuadro, tan preciso, me aclaró un poco más. Me preguntaba por qué Philippe ocupaba una habitación él solo, mientras que Luc, más antiguo que él, compartía una. Diane me explicó que le habían ofrecido una habitación privada, pero que la había rehusado. El equipo de cuidado abundaba en el mismo sentido, pues el hermanarse resultaba benéfico para los dos adolescentes.

Diane reanudó su relato:

—Ahora, tendrás una mejor visión de nuestra pequeña familia. No tengo mucho que decirte acerca de Philippe. Tiene diecisiete años y ha sido hospitalizado tras una tentativa de suicidio. Había tragado somníferos y alcohol. Se mezcla muy poco con los otros, parece desconfiado. Según lo que dejó filtrar en las sesiones de terapia de grupo, pelea con su padre.

"Eve, la pequeña en edad, tiene trece años y sufre anorexia. Mirarla da lástima. Cuenta que su problema la llevó a hospitalizarse en varias ocasiones desde su infancia. Sin embargo, es la primera vez que va a parar al psiquiatría. Todo su físico, desde sus ojos grises, hasta sus cabellos pardos sin brillo, respira muerte. Da la impresión de que se considera en el crepúsculo de la vida, que no habrá un mañana para ella. En mi opinión, su situación es dramática. La única persona que puede acercársele es Gertrude. Tienen más o menos la misma edad. Gertrude es francesa. Llegó aquí hace dos años y sufre del mal del país. En las reuniones, habla como si se encontrara de visita en Quebec y que regresara próximamente a Francia. La realidad es otra. Ella parece siempre triste y a flor de piel. Ahí está, creo que no me falta ninguno."

¡Ahora, mi amiga parecía agotada y lejana —alguna parte entre su hermanita y el río quizá!—. No me atreví a interrumpir su recogimiento. En esos lugares, había muy pocos momentos donde se podía quedar uno solo con sus secretos. Aproveché para analizar la situación.

Ninguna noticia de Yan o de Patsy me llegaba, como si nunca hubieran existido. Yan podía compararse a una especie de espíritu maligno que me hubiera poseído al momento o ¿yo era vulnerable? Cuando intenté llamarle por teléfono, el número se declaró fuera de servicio. ¿Nunca me había amado verdaderamente? ¿Era consciente del mal que me había hecho? Y los límites que me había obligado a franquear por amor...

Me quedaban al menos Marie y Pierre, ellos me apoyaban. Mi habitación permanecía idéntica, lista para recibirme. Eso me reconfortaba, al saber que en otra parte, un pequeño rincón me esperaba. En el aspecto psicológico, aún me sentía torpe, la G.B. también. Mi delirio perdía consistencia. ¡Hablaba con cierta indiferencia, como si esos problemas pertenecieran a algún otro! Dana permanecía silenciosa. Se trataba seguramente de una buena señal, de otro modo, ella me habría tranquilizado.

Mi integración al programa del hospital comenzó el lunes. Mi nombre figuraba en el cuadro de actividades instalado frente al puesto de guardia. Dicho cuadro se colocaba todos los domingos por la noche. Así, cada paciente, sabía cómo emplear su tiempo. Este cuadro me recordó a la señora Legendre y mi abeja Picadura. Salvo que aquí, no se trabajaba a cambio de regalos, sino para nuestra ¡supervivencia mental!

Para mí, el audiovisual resultó la actividad más interesante, aparte de nuestro tiempo libre, por supuesto. El curso se desarrollaba el viernes de nueve treinta a once treinta horas. Aline, la enfermera apreciada por todos, y François, un psicólogo, animaban ese curso y el grupo se formaba por Luc, Armand, Diane, Gertrude, Eve, Philippe y yo. Al principio de semana, nos entrevistaron y luego nos expusieron las grandes líneas del programa. Debíamos encontrar un tema y someterlo a la aprobación de los animadores para el viernes.

Armand encontró la idea base. Se trataba de un juego de actuación bautizado "S.O.S. se hunde". Nosotros representábamos a seis náufragos en una embarcación que iba a la deriva en el mar. La primera semana, cada adolescente desempeñaría su propio papel. Luego, asumiríamos la personalidad de un miembro del grupo. Para sobrevivir, debíamos lanzar a un hombre por la borda regularmente. Cada uno debería pues defender su piel y tratar de convencer a los otros náufragos de su utilidad abordo. El séptimo paciente asumiría el papel de juez, mismo a quien correspondería la tarea de designar a un proscrito; aquel que la mayoría rechazaba. El ahogado-proscrito, sacado al azar, pasaría a hacer entonces, el angel guardián de uno de los náufragos restantes. No tendría derecho de palabra, pero podría discutir con su protegido y ayudarlo a defenderse. La sesión duraría sesenta minutos y supondría dos ahogados proscritos. La segunda hora del curso se consagraría a la visión de la actividad y a una discusión. Luego, antes de partir, tendríamos conocimiento de nuestra futura personalidad, eligiéndola al azar una vez más. Cada paciente tendría siete días para integrar su nueva vida. Un reto de importancia, ya que eso nos forzaría a observar y a discutir con nuestro doble y delimitar perfectamente su dinámica.

Yo encontraba buena la idea, pero temía que hiriera a Diane. Decidí decirle dos palabras sobre ello:

—Una embarcación de ahogados, como que está muy jalado de los pelos, ¿no crees?

—Quizá, pero el concepto es interesante.Voy a convertirme en ti, ¡te imaginas!

—¡Dios te guarde!

Mi amiga me miró sonriendo. Ella percibía mi malestar.

—¿Es la idea de los ahogados la que te molesta?

—Hay un poco de eso, admití, aliviada.

—No te preocupes, no hago ninguna comparación con mi hermanita. Por el contrario, el taller debe enseñarnos a defendernos. Será muy necesario para enfrentar lo que suceda en el exterior.

—Tienes toda la razón. Si eso te acomoda, ya me estoy yendo.

El sábado anterior a nuestra primera sesión, obtuvimos la autorización de preparar la sala de cursos. El padre de Armand nos proporcionó incluso un verdadero zodiac (lancha). Lo inflamos y lo instalamos en medio de la habitación. Un banco realzado con ayuda de cubos de madera sobrepasaba al inflable. Dicho banco haría la función de estrado para el juez. Se ajustaron algunos detalles de la puesta en escena. Para facilitar la integración de los personajes, todos los náufragos llevarían una capa negra. Se inscribiría el nombre de cada uno sobre un cartón. Durante el juego, era necesario llevarlo muy evidente en el pecho. Antes de cada ahogamiento, Aline se encargaría de poner el tema de la banda sonora de la película *Tiburón*. Finalmente, Luc verificó el equipo audiovisual y François aceptó la responsabilidad de filmar el ejercicio. Todo estaba listo.

La primera sesión estuvo a punto de volverse una catástrofe. Philippe tenía el papel de juez. No llegaba a suscitar el interés de los jugadores, ni a incitarlos a comprometerse. Gertrude se expuso, presumiendo sus cualidades de astrónoma aficionada, pero nadie desdeñó o atacó su argumentación. Un silencio pesado se instaló en el ambiente. Luego, repentinamente, mientras que sólo habían pasado diez minutos desde el comienzo del ejercicio, Eve se echó por sí misma al agua, sorprendiendo a todo el mundo. El juez no tuvo otra elección más que aceptar su decisión. Su gesto decía mucho sobre la autoestima que ella tenía. Ella se volvió mi ángel de la guarda. Eve se instaló fuera de la lancha, justo detrás de mí. ¡Su presencia me desestabilizó y me dio la impresión de traer arrastrando un cadáver! Yo tenía ganas de seguir el desarrollo del juego.

Un poco más tarde, se produjo un segundo incidente. Armand quiso saber si la actividad no afectaba demasiado a Diane. Preocupado, le preguntó:

—¿No te pasa nada si se habla de ahogados?

—De ninguna manera. Es sólo un juego, a pesar de todo no haría falta exagerar. De todos modos, no voy a querer a mi madre, mejor dicho, *al* mar para eso.

Un silencio pesado cayó sobre el bote.

—¿Qué dijiste? Señaló cándidamente Armand.

—Dije que sin embargo no voy a querer al mar, lanzó Diane. demasiado precipitadamente.

—No, no, insistió el otro náufrago, siempre tan quisquilloso. Dijiste *mi* madre; no *el* mar. He aquí un *lapsus* muy revelador.

—¿Eres sordo o qué? Dije *el* mar. Puedes clavarte en el culo tu *lapsus*. ¡Me importa un carajo!

La voz de Diane se quebró.

Armand se sonrojó tanto, que amenazaba con cambiar a color morado. Quise defender a mi amiga, por eso añadí:

—¡Ella dijo el mar! ¿Entendiste o es necesario explicarte?

Diane me interrumpió tocándome el brazo. Movió lentamente la cabeza, de un lado a otro. Sus bellos ojos se nublaron de lágrimas. Prorrumpí en sollozos al mismo tiempo que ella. Nos estrechamos una contra la otra. Al cabo de algunos minutos, Aline intervino:

—¡Si siguen así, van a sumergir la embarcación y no quedará ya ningún náufrago para filmar!

Respiré de un solo golpe y me carcajeé. Una brecha se abrió en la tormenta y la alegría volvió de nuevo. La atmósfera se relajó y la sesión terminó en total armonía.

Septiembre huía ante la lluvia y el frío. El último fin de semana del mes, Louisette fue confinada a la unidad tras una reprimenda. La habían sorprendido en los baños, acompañada de un paciente adulto del pabellón central. Habiendo perdido toda su energía, erraba como un alma en pena. Temía que su conducta retrasara su salida. La animamos, lo mejor que pudimos. Con gran asombro nuestro, la tarde mística le interesó. Participó con una seriedad que no le conocíamos. A la luz de las velas, Louisette nos confió sus creencias en el más allá: la vida después de la muerte...

Poco a poco, me inclinaba más a este lugar que navegaba fuera del tiempo. Un martes por la noche, Marie vino a visitarme sola, pues Pierre trabajaba. En el salón, Philippe y su madre discutían. La madre venía siempre sola; el padre de Philippe nunca se aparecía. En nuestro rincón, Marie me habló del restaurante y de los clientes. Me describió sus hábitos con mucha mímica y gestos. Apreciaba lo que Marie hacía por mí. Sobretodo, teniendo en cuenta que mi atención vagabundeaba a menudo. A veces, hacía esfuerzos considerables de concentración para parecer interesada. Marie no se desanimaba. Yo la admiraba y le agradecía por esta prueba de amor.

Al otro lado de la sala, el tono subió un punto. Philippe le habló rabiosamente a su madre:

—¡Él tiene vergüenza de su hijo! Preferiría verme muerto.

—No digas tonterías, lo retuvieron en la oficina.

—¡Sí cómo no! No pondrá nunca los pies en una casa de locos, sería demasiado degradante. En un cementerio quizá, pero no en un manicomio.

En este momento, un extraño fenómeno se produjo. Marie y yo no podíamos apartar nuestra mirada de la escena. Sentados uno frente a la otra, Philippe y su madre se miraban con tal intensidad, con tal deseo, que eso absorbió su relación madre-hijo. Sus manos estrechamente vinculadas prolongaban su intimidad. Philippe jugaba con el anillo de matrimonio de su madre. Un malestar indescriptible me invadió. Marie sacudió su entorpecimiento y se levantó diciendo:

—¿Y si me muestras tu habitación?

Me tomó por el codo y me arrastró siguiendo sus pasos sin esperar mi respuesta.

En cuanto tuve la ocasión, a pesar de mi molestia y mi confusión, relaté el incidente a Diane. Mi historia carecía de coherencia. A mi cerebro le repugnaba analizar las imágenes que mis ojos habían captado. Mi amiga comprendía la esencia de la situación. No había nada qué añadir...

Esta semana se reveló rica en situaciones trascedentes. Al día siguiente, a la hora de la cena, Harry fue llevado al búnker, es decir, a los cuidados intensivos, donde se encontraban las habitaciones de aislamiento. Estaba sentado junto a Louisette en la cafetería, cuando un paciente de unos treinta años se acercó y luego murmuró algunas palabras en el oído de la adolescente. Ella bajó la cabeza, su melena roja enmarcaba las palabras hirientes del desconocido. Harry se levantó para alejar al intruso. Éste lo ignoró y continuó murmurando cada vez más para lastimar a Louisette. Ella temblaba y, con desesperación, se cubrió las orejas con las manos. Harry sucumbió a una rabia loca. Saltó sobre el hombre y lo molió a palos. Luc se precipitó para intentar controlar a su compañero, pero ni siquiera se le acercó. Harry se ensañaba con su víctima y gozaba con ello. El pobre tipo yacía por tierra, medio muerto, bañado en sangre. Dos guardias de seguridad intervinieron. El hombre aprovechó esta distracción para encontrar refugio en el seno de una enfermera. La escena parecía surgida de una pesadilla. Unos pacientes lloraban; otros reían; otros más animaban a *Rambo* mientras que aquellos continuaban atacándose sin reaccionar. El clan de los adolescentes se agrupó instintivamente. Harry se liberó de los guardias y les lanzaba todo lo que tenía a la mano. Su cara era irreconocible, desfigurada por la furia y el odio. Llamaron refuerzos. Mientras tanto, las enfermeras y los encargados se afanaron en vaciar la cafetería. Al salir, vi a los agentes agarrar a Harry y ponerlo de espaldas en el suelo. Algunos segundos más tarde, se escuchó un aullido de bestia salvaje. Ese grito me heló el corazón. Harry no reapareció sino hasta el lunes siguiente, embrutecido por los medicamentos.

Restablecida de sus emociones, Louisette nos explicó que el tipo de la cafetería era el mismo por el que le había valido ser reprendida y confinada a la unidad durante el fin de semana. Él le reprochó que por su culpa, habían retrasado su permiso del hospital a una fecha posterior. El tipo prometía vengarse y "¡destrozarle el culo con una estaca!".

Tras esta batalla, nos asignaron algunos lugares específicos en la cafetería. Los administradores pensaban evitar así más desórdenes. Con diplomacia, los responsables de nuestro pabellón nos convencieron de que estaríamos más seguros y que esta restricción nos evitaría ser continuamente acosados.

El viernes por la mañana, nuestro papel tomó un cariz dramático. Eva, que personificaba a Luc me preguntó a quemarropa si había apreciado la visita de mi madre. Yo desempeñaba el papel de Philippe. La pregunta, a mi parecer, ocultaba una amenaza. ¿Sabía ella lo de Philippe y su madre? ¿Dudaba de algo o sus palabras equivalían a una simple introducción? Vacilé antes de responder:

—¡Claro, desde luego!

El verdadero Philippe intervino mirándome directamente a los ojos:

—¿Estás seguro, parecías enojado?

Su respuesta me llegó de golpe. Sentí la tormenta a punto de desatarse. ¿Qué le sucedía? ¿Se había vuelto loco? ¿Estaba a punto de descubrirse? No veía qué quería exactamente. No sabía qué responder. Prosiguió con un tono burlón:

—¿Te consoló tu madre?

Era demasiado. Busqué desesperadamente un apoyo. Me volví hacia Armand, el juez, pero él no captaba la urgencia de la situación. El mismo fenómeno de parte de la enfermera y del psicólogo. Como último recurso, imploré a Diane con la mirada. Como ella representaba a la frágil Eve, no estaba al corriente. Alzó los hombros en señal de impotencia.

Mis mejillas se encendieron. Me sentía al borde de un precipicio, el suelo se desmoronó peligrosamente bajo mis pies. Arrastrado por su propia destrucción, febril, Philippe prosiguió soltando un breve discurso:

—¿Cómo te reconforta tu madre? ¿Eh? ¿Por qué no respondes? ¿Compra también tu silencio, tu puta?

Cada vez más desconcertada, pensé seriamente en servir de alimento a los tiburones. El terapeuta quiso interrumpir la crisis, pero Philippe no le dio la ocasión. Saltó sobre sus pies y lanzó a grito pelado:

—¿Te gusta tocarla? ¿Te gusta su piel? ¡No eres más que un hijo bastardo!

Luego se hundió en los brazos de François, golpeandole el pecho con sus puños.

Todo el mundo abandonó la nave. El silencio murmuraba el desamparo de Philippe. Aline nos reunió y nos acompañó hasta la sala adjunta. Dejamos a François y a Philippe entrevistándose a solas. A partir de ese día, permaneció en el pabellón los fines de semana.

Esa noche el sueño se ocultó. Después de cerrar las puertas del armario, aparecieron siluetas y caras fantasmagóricas. La madera me fascinaba desde mi más tierna edad. Evocaba el calor, el consuelo y ocultaba en sus fibras los misterios de su bosque natal. Aún impresionada por los acontecimientos recientes, cuyo asalto había sufrido indirectamente, llamé a Paul en mi auxilio:

"Abuelo, ¿por qué tu alma huyó lejos de mí? ¿Dónde estás? ¿Podré algún día oír de nuevo tu voz, sentir tus grandes manos reconfortantes sobre mis hombros? ¿Mis ojos están condenados a escudriñar la oscuridad en tu búsqueda? ¿Sabes? todos esos jóvenes sufren terriblemente. Sobreviven en un abismo de tormentos. El amor los traiciona y los daña. Busco comprender lo que me sucede y por qué. ¿Quién es responsable de todo ese lío: yo, la G.B., Dios?".

Mientras me lamentaba y buscaba un chivo expiatorio, viví una experiencia fantástica, sobrenatural. Tendida sobre la espalda en un segundo estado, los ojos cerrados y el cuerpo paralizado, repentinamente, oí la voz familiar de mi abuelo que llegaba detrás de mí, a mi derecha. Emocionada y excitada mi corazón se me salía del pecho. Cada partícula de mi cuerpo se encontraba en estado de alerta, de sobreexcitación. Concentrando mi voluntad e impulsada por el deseo de volver a ver a Paul, logré girar la cabeza a la derecha. Vi entonces un ser luminoso ligeramente inclinado sobre mí. Como una calca de mi abuelo, la silueta de tamaño natural resplandecía de luz. La luminosidad era tan intensa que escapaba de su molde. El ser relumbraba de energía. Una ternura infinita se liberaba. Yo alcanzaba el séptimo cielo, la cima de la felicidad. Olvidé mis recriminaciones y mi compasión. Mi abuelo desapareció y fue remplazado por una esfera de luz formada por piezas de vidrio, como un vitral. Mi espíritu bautizó esta visión "sol de catedral" puesto que el astro diurno parecía cautivo en este objeto. Brillaba y reflejaba mil fuegos. Podía admirarla sin herirme los ojos. Después, se desvaneció.

Abrí mis ojos físicos y oí la respiración de Diane al otro extremo de la habitación. Una sonrisa se abría en mis labios. Un sentimiento de paz y de amor me invadía, una sensación que me había brindado vida por primera vez en mi joven existencia. Agradecí a Dios y a Paul. Me dormí tranquilamente. Tuve la certeza de que mi abuelo velaba por mí, me alentaría y me consolaría si era necesario. Me bastaría con abrir mi corazón. Este ángel me sostendría si tropezaba. Estaría allí por siempre.

··*·*·*

Mis encuentros con Wolf tomaron un cariz diferente. Ahora que mi delirio, falto de inspiración, se calmaba gracias a los medicamentos, me volvía más disponible y receptiva. Por el momento, creía a la G.B. amordazada y a los *hombres de negro*, fundidos en la nada. Un nuevo término se introdujo en el discurso del psiquiatra: esquizofrenia. Esta sola palabra evocaba todas las maldiciones y todas las taras del mundo. Justo tratando de pronunciarla, se estremecía. Se clasificaba por fin mi mal, me etiquetaban. Pertenecía en adelante, a una hermandad reconocida. Dudaba en cuanto a qué reacción adoptar: alegrarme o temblar de miedo. ¡Cuando observaba a Suzie y su CIA, mi futuro me parecía demasiado sombrío! No obstante, Wolf calmaba mi emoción.

—Date tiempo, Rubby. Todos los casos son diferentes. Reaccionaste bien a los medicamentos, ya es una ganancia.

—¡Si se quiere! Murmuré tímidamente.

—Sería importante que te informes sobre tu enfermedad. Si lo intentas, yo puedo darte la documentación. ¿Qué dices?

—Sí quiero, pero tengo aún dificultades para leer y para memorizar.

—Es normal, tu sistema se adapta lentamente.

Él anotó algo en mi expediente.

—¿Mi madre está al corriente? Le pregunté, incómoda.

Sentía vergüenza a pesar mío. Me sentía manchada.

—No, esperaba hablarte al respecto. ¿Prefieres informarle tú misma? Te dejo que juzgues.

Tras reflexionar, respondí:

—No, no de verdad. Me gustaría discutirlo entre los tres. ¿Es posible?

—Desde luego. Hago una cita con tu madre cuanto antes.

La entrevista continuó más allá del tiempo habitualmente asignado. Wolf hacía esta diferencia por primera vez. Nunca rompía la regla de los sesenta minutos: 3600 segundos para desahogarte, no más.

En la tarde, busqué consuelo cerca de Diane. El diagnóstico no la sorprendió de ninguna manera. A pesar de que me había puesto como un chip en el oído: la G.B. y Dana. Las alucinaciones auditivas eran muy frecuentes entre los esquizos. Este término abreviado parecía menos amenazante, casi *cool*. Lo que más me asombró, es que la vida continuaba a pesar de todo. Mi vida seguía. Es cierto que, fundamentalmente, nada había cambiado. Todavía era Rubby, hija de Marie y nieta de Lucie y Paul. Desde el principio y hasta el fin de mi entrevista con Wolf, ¿era todavía la misma persona o me había vuelto otra? ¿Una palabra podía ser tan poderosa?

Comprendía la reacción de Marie. Temía decepcionarla, herirla. Ella comenzaba apenas a gozar de la vida y a alegrarse cerca de Pierre. ¿Consideraría este golpe de suerte como una maldición? ¿Me convertía en una cruz que arrastraría una parte de su existencia? ¿Tomaría conciencia? La enfermedad mental no formaba parte de su escenario de vida. Cuanto más me cuestionaba, más crecía mi culpabilidad.

La reunión tuvo lugar un martes por la tarde. Excepcionalmente, se me eximió de mi curso de matemáticas. Cuando entré en la oficina, mi madre esperaba. Vino a mi encuentro y me tomó en sus brazos. Parecía preocupada. Su profunda inquietud se leía en las finas arrugas que le marcaban la frente. Marie se sentó en la orilla del asiento, estando recta como una "I". Daba la impresión de que estaba a punto de huir. En algunas ocasiones, volvió la cabeza hacia mí y me sonrió mecánicamente. Wolf monologaba intentando tranquilizarla. Si me fiaba de la cara tensa de mi madre, sus esfuerzos no obtenían el efecto deseado.

Esta habitación sobrecalentada me parecía incómoda. Las declaraciones del psiquiatra permanecían como suspendidas en el aire. Ciertas palabras llegaban a mi cerebro sin desencadenar no obstante, mi comprensión. Él trataba una cosa impalpable, pero a la vez tan viva: la esquizofrenia, el cáncer del alma. Los especialistas se perdían en conjeturas en cuanto a sus causas. Aquello me enloquecía al pensar que esta "infección" se propagaba en mi sistema. ¿Cómo podía Wolf quedarse tan tranquilo? Me molestaba finalmente. Por su parte, Marie parecía bajo la influencia de éste, no intervenía. Semejaba una alumna obediente y atenta a las palabras del maestro. Me preguntaba qué podía darle vueltas en la cabeza. Habría querido que me tranquilizaran, que alguien me meciera en sus brazos. Por el contrario, una parte de mí rechazaba esta debilidad. En este lugar, era importante dominarse con el fin de no preocupar al personal asistente. Dicho de otro modo, empequeñecerse lo más posible. Lo que no representaba un gran reto para mí...

Mi primer fin de semana de libertad fue de prueba. Marie y Pierre estaban cargados de buenas intenciones, pero tenía la impresión de que me exhibían como un fenómeno de feria. Afortunadamente, mi habitación, acondicionada en el sótano, me ofreció la intimidad que tanto necesitaba. Marie la había pintado en tonos lilas. Todos mis objetos personales se amontonaban en cajas. Apreciaba esta atención. Había vuelto a crear un refugio para mí. Mi madre y yo lo habíamos convenido así.

El viernes, tuve dificultad para dormirme. La ausencia de Diane me pesaba. Contrariamente a mi temperamento de una naturaleza más bien salvaje, rápidamente me había ligado a ella. Es preciso decir que las circunstancias se prestaban puesto que me explicaba el cruel abandono y la traición de mis amigos. Además, el camino recorrido por Diane aumentaba la admiración. Su gran sabiduría me hechizaba y me permitía volver a habituarme a la superficie. Ella personificaba a mi ángel Gabriel, mi protectora contra los demonios que me acosaban.

Estando levantada desde las primeras horas de la mañana, sorprendí, a pesar de todo, a Marie y a Pierre en gran discusión por mi causa. Incómoda, permanecí oculta. Sus palabras lograban filtrar el profundo consuelo de saberme segura y a cargo de profesionales. Mi madre se preocupaba por el futuro y, en esa línea, guardando rencor a Yan, le echaba la culpa del desencadenamiento de mi psicosis. "¡Yan es el culpable! ¿A qué la arrastró? Las sospechas del policía eran seguramente fundadas. ¡Antes de ese famoso día, nunca la había visto vestida de ese modo! ¡Tengo miedo, mi amor! Quisiera tanto protegerla y alejarla de ese tipo."

Retrocedí a mi habitación. Descubierto mi secreto, una extraña paz se produjo. El alivio que experimenté al saber que Marie estaba al corriente, atenuó mi vergüenza. Su reacción me reconfortaba y probaba que me amaba incondicionalmente, ¡al contrario de Yan! Desde ahora, no podía elegir; debía pasar a otra cosa. De otra manera, ese amor me sería fatal...

El sábado por la noche, con motivo de la cena, la situación se deterioró. Pensando en agradarme, Pierre había invitado a sus hijos. Incómoda, me rompí la cabeza para tratar de sostener una conversación interesante. No regresaba de un campamento vacacional... Imposible trivializar mi experiencia. Los demás carecían de naturalidad cuando se dirigían a mí. Debía comunicarles mi malestar, sin ser consciente. Sólo tenía un deseo: esconderme en mi habitación, lejos de esos ojos inquisidores. ¿Cómo compartir con ellos las historias de Diane y de su hermanita; de Philippe y de su amor prohibido? Con sus vidas bien ordenadas, lejos de tempestades, esas historias salían de la ficción. Y, después de todo, no tenía ningún derecho a revelar esta otra realidad. Sentía profundamente el abismo que separaba nuestros dos mundos.

Al final de la tarde, me declaraba extenuada, incapaz de soportar más tiempo. Curiosamente, echaba de menos el capullo protector del hospital. Una parte mía deseaba regresar al abrigo de sus muros.

El domingo, hacia las diecinueve horas, Marie y Pierre me acompañaron a Prévost. Una gran agitación reinaba en el salón. Me enteré que Harry se había fugado a los Estados Unidos y que le había telefoneado a Louisette para comunicarle su proyecto. Lo más terrible, es que él había robado las joyas de su madre antes de huir. Sus padres, habiendo constatado su ausencia al despertar el domingo, inmediatamente habían contactado a algunos amigos de su hijo, incluso a Louisette. Afectada por su desamparo, ella les había informado en parte las intenciones de Harry. Por supuesto, había omitido las injurias y las cochinadas pronunciadas con respecto a ellos. Ella misma encontraba ese robo odioso. De vuelta a su puesto el lunes por la mañana, la enfermera en jefe la discutió mucho tiempo, a propósito de este acontecimiento. Louisette se defendió vigorosamente de no implicarse de ninguna manera. A pesar de su desenvoltura, seguía siendo creíble. Ella nunca había participado en eso, considerándose por otro lado incapaz de herir voluntariamente a alguien.

En cuanto tuvo la oportunidad, Louisette nos reunió en nuestra habitación. Muy excitada de ser la estrella de esta telenovela, nos contó su historia en estos términos:

—Harry me llamó por teléfono el sábado hacia las veintidós treinta. Planeaba dejar la casa hacia la una de la mañana con treinta. Su madre toma siempre un somnífero y sus padres duermen en habitaciones separadas. Podía pues penetrar fácilmente en su habitación para robar las joyas. El domingo, sus padres no estaban autorizados a molestarlo antes de las diez treinta —regla que ellos habían fijado—. A esa hora, él calculaba haber cruzado ya las líneas americanas. Un tipo encontrado en el pórtico lo había puesto en contacto con un traficante de personas de la frontera. Parte del botín robado a su madre pagaría el costo del viaje. Cuando Harry me dio a conocer su plan, parecía eufórico. No desconfié, porque él parece siempre tramar los proyectos más retorcidos. Nunca habría creído que pasaría a la acción. Compadezco sobre todo a su madre. No tiene ninguna consideración para ella, es lamentable. No obstante, me entrevisté con la mujer y me pareció totalmente *cool*. ¡Esta preocupación la va a acabar, es cierto!

La fuga de Harry y la salida inminente de Louisette mantenían la unidad en ebullición. Louisette debía volver a su mundo el jueves. Ella representaba nuestra esperanza de salir algún día. Era la prueba viva de que una adolescente "particular" conservaba el derecho de vivir entre la gente "normal". Aline organizó en su honor una pequeña fiesta en el salón —un baile y una merienda— el miércoles por la noche. Invitó a todos los pacientes y a su familia. El evento resultó alegre, triste y muy cálido. Eve recitó un texto que Diane, nuestra poetisa en potencia, había escrito con esa intención. Su voz tembló y las palabras parecían prisioneras en su garganta. La audiencia contuvo la respiración durante la lectura de ese poema conmovedor. La declamación de Eve fue acogida por una ola de aplausos. La velada se acabó a las veintitrés horas.

Al día siguiente, Louisette se liberó después de habernos estrechado mucho tiempo en sus brazos. Se trataba de una fuga legal, una victoria adquirida tras un duro combate. Aún veo de nuevo su rostro radiante, rodeado por su cabellera de fuego, a la vez joven y muy vieja, levantando el puño en un gesto victorioso.

Su habitación fue otorgada a Diane y yo heredé la de Harry. Según los criterios del lugar, una habitación privada representaba una promoción. Sólo quedaba ahuyentar las malas ondas de su antiguo inquilino. Diane, Luc y yo hicimos el exorcismo del lugar y, después de esta sesión, dormí como un lirón.

Nuestra actividad audiovisual se hacía más terapéutica. Varios pacientes efectuaban revelaciones estruendosas, incluso chocantes. Ese viernes de octubre permanecerá impreso siempre en la trama de mis recuerdos. Encaramada en mi taburete, oficiaba como juez. Nadie se esperaba experimentar tal mar de fondo. François ajustaba la cámara cuando Eve se levantó muy digna. Antes de representar a Diane, retiró su insignia, que abandonó en la lancha. Declaró con voz monótona:

—Soy el fantasma de Eve Lanoue. Mi existencia tomó cuerpo cuando Eve tenía ocho años. Era una niña risueña, llena de vida y curiosa por todo. Un individuo, su padrino, que era también el hermano de su madre, decidió cortarle su inocencia. Sus padres tenían una vida social muy activa, permitían a la serpiente venenosa introducirse en casa de ella, y en ella. Sus primeros tactos la cubrieron de confusión y de vergüenza. No aquella que se sufre cuando se hace pipí en su calzoncito delante de una visita. No, la verdadera vergüenza, la que atormenta sus entrañas y le impide gritar su desesperación. Esa herida que se propaga y le gangrena el alma. Esa bomba que la empujó demasiado pronto al mundo de los adultos. Con el deterioro, Eve se convirtió en una niña-mujer, privada de sus muñecas. Se negó a alimentar más tiempo ese cuerpo. ¿Para castigarlo a él o castigarse ella? No sabría decirlo. Al cabo de un año, un médico descubrió su secreto y activó la alarma. Sus padres se horrorizaron, su verdugo fue detenido y su vida quedó oficialmente hipotecada... Soy el fantasma de Eve Lanoue y tengo trece años. No creo que ella desee ocupar más esta envoltura. Está demasiado cansada.

Eve se quitó su capa negra y dejó la habitación. Aline y François se lanzaron detrás de ella.

Me sentí petrificada. Su relato sólo había durado algunos minutos, pero había dejado filtrar tanta miseria que fui incapaz de llorar. Aquello parecía en forma inequívoca, una declaración de muerte. Yo habría querido destrozarle el hocico a ese tío de mierda. Luc reaccionó primero:

—¡Es asqueroso! No creo que Eve pueda superar esta tragedia.

—¿Y tú qué sabes? Intervino agresivamente Gertrude. Ella ha sobrevivido cinco años. ¿Es buena señal, no?

—Sí, pero ¿a qué precio? Respondió Luc. Su estado es lamentable y su vida debe ser un verdadero calvario.

Nadie replicó, nuestras palabras habían sido vanas.

Como era su costumbre, los padres de Eve vinieron a buscarla el fin de semana. El personal no había logrado comunicarse con ellos para prevenirles que su hija se encontraba confinada en cuidados intensivos, el choque fue violento. El psiquiatra de su hija les dio la noticia. La entrevista duró una eternidad. Al salir de la oficina, la señora Lanoue parecía abatida. Su marido la sostenía, con aire estupefacto. Abandonaron el instituto con el viento frío de octubre. Ignoro si era el viento o la pena que encorvaba sus hombros...

Nunca se vio más a Eve. Varios rumores corrieron al respecto. En primer lugar, el personal nos informó que la transferían a cuidados intensivos, bajo extrema vigilancia. Imaginaba su débil cuerpo, ceñido y fastidiado tres veces por día: seguía siendo una violación. Se dijo después que ella estaba hospitalizada en Nueva York, donde se llevaba a cabo un congreso sobre anorexia juvenil. Por último, se afirmó —y esta suposición resultó la más cruel— que Eve había caído en coma una decena de días después de aquella dinámica. La dirección negó vigorosamente este macabro rumor. Sin embargo, esta hipótesis perduró y circulaba incluso, a mi salida.

La actividad audiovisual fue cancelada y remplazada por una zona libre de acondicionamiento físico. Aline tomó dos semanas de vacaciones. La extrañamos mucho durante aquellos tiempos difíciles.

Los árboles desnudos dieron paso a noviembre y a Marie-Claude. De quince años de edad, era grande, con aspecto de deportista. Parecía simpática y agradable con todo el mundo. De buenas a primeras, nada parecía fallar con esta paciente. Pero pronto, Diane descubrió la falla y me habló.

—Esta chica sufre de Doc... Es una chiflada, dicho de otro modo.

—No comprendo, intenta ser más clara con esta pobre esquizo que soy.

—¿Observaste que deja a menudo una actividad, una comida o un curso para dirigirse al baño?

—Me di cuenta. ¿Una vejiga hiperactiva es una señal de locura?

—Por supuesto que no, Marie-Claude no es incontinente, ella se lava las manos. ¿Has visto cómo están rojas e hinchadas? Se diría una verdadera obsesión. Ella sufre de un desorden obsesivo compulsivo. ¡D-O-C, doc, por lo tanto, está chiflada!

Diane arqueó el torso, muy orgullosa de su demostración.

—¿Se puede saber lo que este virus come en otoño?

—Precisamente, parece obsesionada con los microbios. Se baña varias veces al día. Ayer, su ceremonial duró más de una hora. Tengo que usar el otro cuarto de baño.

—Ahora que lo pienso, me di cuenta que intentaba en varias ocasiones sentarse. Creí que ajustaba su vestido o que la silla era incómoda. Pero ella repitió la misma maniobra en la cafetería.

—¡Estás muy bien! Es un gesto compulsivo. Pienso que a su llegada, hacía esfuerzos sobrehumanos para disimular sus manías. Pero bajo una fuerte presión, no logra dominarse.

Así concluyó nuestra disección psicológica de Marie-Claude. Desgraciadamente, Suzie y su CIA le habían tomado tirria; Suzie seguía convencida de que la nueva ocultaba en realidad un agente doble en misión de infiltración. Es preciso decir que las numerosas incursiones de Marie-Claude en los baños no ayudaban a su causa.

El otoño se volvió intenso y el frío atravesó las paredes. El ambiente del pabellón había cambiado desde la salida de Harry, Louisette, Eve y Armand. Este último evolucionaba de nuevo entre los suyos a pesar de las recomendaciones desfavorables del equipo asistente. Su padre había usado sus influencias para sacarlo. Luc reaccionó bien a la salida de su "coinquilino". Suzie, ahora la mayor, tomaba a veces su papel muy seriamente. Nos regañaba si llegábamos tarde a las comidas o si dejábamos la secadora funcionar más allá del tiempo requerido. Dado su estado psicológico, tolerábamos su injerencia sin chistar.

Desde ahora me autorizaban pasar todos los fines de semana en mi casa. Diane también gozaba de un nuevo programa. El sábado, se despedía del instituto. Su padre y su madre asumían su custodia por turno. El domingo en la noche, a mi regreso, teníamos millones de cosas que confiarnos.

La madre de mi amiga se había inscrito a un programa de reinserción en la bolsa de trabajo. Diane, muy afectada, la alentaba mucho. Clara se mostraba entusiasmada, esa alegría se reflejaba en su hija. Mi amiga parecía aún más bella y serena. Eso me volvía feliz y triste a la vez, pues significaba que me abandonaría pronto.

La víspera de su partida, permanecimos sentadas mucho tiempo una al lado de la otra, sin decir nada. Un nudo de tristeza montaba guardia en el fondo de mi garganta. Intentaba no llorar, y como resultado, estuve a punto de ahogarme a fuerza de aguantar. Nunca —estaba convencida— podría encontrar un ser tan puro y tan solidario. Lloraba por mí. Antes de separarnos por la noche, nos hicimos un montón de promesas: escribirnos, llamarnos por teléfono, vernos. Por la mañana, Diane me estrechó muy fuerte contra ella y me entregó un poema. Me aislé en mi habitación para gozar su lectura:

Te ofrezco estas líneas con amistad. Guarda en tu memoria que cada mujer lleva un velo en su corazón. Sólo necesitas levantar el tuyo.

Aquí un velo para la novia
Allá un velo para ocultar tu rostro
Un velo que llama a la noche.
Detrás de esa capa tu cuerpo cae en la trampa
Tu alma está herida
El miedo se acurrucó en tus entrañas
Ahogando tu grito.
Mujer de otra parte, ¿por qué tú?
Tu aislamiento perturba
Pero tu país está tan lejos de mí
Y sus costumbres tan extrañas.
Tú y tus hijas están en mis pensamientos
Imagino su paso solitario, sus mañanas inciertas,
sus tormentos

Les exigieron gran voluntad y paciencia
Su fuerza brotará del odio de sus tiranos, de la traición
De sus amantes.
Un velo que llama la noche
Un velo para trastornarte
Interpretaron las enseñanzas sin Él
Y tu Dios se ha equivocado.
Él curó tus heridas que señalaron tu edad
Levantará tu sudario
Sin provocar las guerras
Revelando al mundo tu magnífica cara.

Aprendí este poema de memoria y sobreviví. Hablaba más abiertamente en presencia de Wolf. Mis palabras no correspondían a las confidencias, sin embargo progresaba. Mi naturaleza permanecía desconfiada y distante. La enfermedad acentuaba simplemente ese rasgo de carácter. Pensaba a menudo en Paul y Dana, mis ángeles guardianes. Estaban disponibles y se alojaban en una cavidad de mi corazón. A la menor amenaza, reclamaba su ayuda. Esta pequeña desviación —esa inclinación mística de mi personalidad— seguía siendo mi secreto: acceso prohibido. Temía que un *psi* bien intencionado rompiera mi sueño o espantara a mis protectores: lo sobrenatural se lleva mal con su ciencia...

Una mañana, pesadas nubes grises dejaron escapar una multitud de diamantes blancos. Este adorno cubrió el suelo y vistió la triste desnudez del paisaje. La soledad me arrastró hacia una vía contemplativa. Notaba detalles que antes se me escapaban. La observación de mi medio ambiente se volvió un componente importante de mi vida. Hasta ahora, más bien lo había descuidado. Adoraba instalarme en el salón, frente a una ventana, para mirar el sol declinar. En la penumbra, las estrellas más luminosas provocaban la reverberación de las luces artificiales. En esos momentos, presentía la existencia de algo grandioso y de una presencia Todopoderosa.

Instalada en el salón, leía un artículo sobre la esquizofrenia cuando Aline se acercó a mí.

—¿Buenos días, cómo estás? ¡Pareces preocupada!

—¡Sería lo de menos! Escucha esto: "La influencia genética, la disfunción en los niveles de los neurotransmisores, los déficits cognoscitivos y la fragilidad del Yo, son algunos de los factores que predisponen, que constituyen la vulnerabilidad biopsicológica de la persona esquizofrénica." ¡Es un cuadro no muy brillante! ¡Y, además, habría factores desencadenantes! ¡No es asombroso que con tal bagaje, se arruine!

—¡No te preocupes! Déjame explicarte. Se considera tu enfermedad como un problema de orden biopsicosocial. Por "bio", se entiende predisposición genética o configuración cerebral particular. Por "psico", no implica una falta de inteligencia, sino de déficits intelectuales que perturban tu funcionamiento, tu memoria, tu manera de tratar la información y de raccionar a tu medio ambiente. Por último, el aspecto social, significa que eres más frágil a los acontecimientos estresantes de la vida, y que éstos pueden desencadenar una ruptura de contacto con el medio ambiente, con la realidad. ¡La buena noticia, es que eso se cura! ¡Gracias a la medicación, estás entre nosotros!

—Quizá, pero no es una garantía total, le respondí.

Continué en voz alta:

—"Cuando un paciente se enfrenta a un nivel elevado de stress, puede recaer a pesar de un tratamiento antipsicótico. Los mismos síntomas observados al principio de la psicosis reaparecen de una recaída a otra." ¡No terminé con los *hombres de negro*! Suspiré con fastidio.

Mi décima séptima, y última Navidad de adolescente, tiritó de impaciencia. Tenía prisa de encontrar mi antigua vida: la de antes de Yan y antes de que la G.B. se volviera demasiado invasora. Desde la partida de Diane, la hospitalización no me aportaba ya ningún efecto curativo. Por añadidura, sin noticias de ella, me encontraba afligida. ¿Estaba condenada a no conocer más que amores y amistades embrionarios? Mi cabeza comprendía ese silencio, pero mi corazón no lo podía tolerar. No obstante, percibía que, una vez salida de este lugar, sería preferible soltar las amarras de verdad.

Wolf me dio a entender que firmaría mi boleto de ida sin vuelta, para el 21 de diciembre. Las noches precedentes a esta fecha fueron muy agitadas. Tuve horribles pesadillas. En una de ellas, Diane se ahogaba ante mis ojos. Su hermanita demente se agarraba a ella, arrastrándola al fondo de un agua negra. Intenté alcanzarla, pero una inmensa ola se me echó encima, impidiéndome salvarla. Me desperté presa de un violento terror. Harry, nuestro *Rambo* nacional, tuvo por su parte el papel protagónico de otro sueño horrible: llegaba al pabellón armado hasta los dientes y disparaba a todo lo que se movía. Sus botas tachonadas martillaban el suelo. Gritaba: "Rubby querida, ¿dónde te escondes? ¡Tu mariposita está de regreso!". Forzaba la puerta de mi habitación y la despedazaba con una ráfaga de metralleta. Acurrucada en el fondo de mi guardarropa, oía a Harry que se acercaba y susurraba: "¡Rubby, mi pequeña hada, necesitaba aplastar a tu desgraciada oruga! ¡Mira cómo se convirtió en una bonita mariposa!" Él abría la puerta y, al contacto con sus ojos desorbitados, fui expulsada de mi sueño.

Luc era el único paciente en quien tenía bastante confianza para contarle mis sueños. Una noche en que no llegaba a recobrar mi ánimo, me deslicé en su habitación. Me acogió como mi abuelo lo habría hecho. Acomodada entre sus brazos reconfortantes, encontré la paz de mi espíritu. Por la mañana, mientras volvía a mi recámara, me encontré cara a cara con Suzie y su CIA. Evité la catástrofe reteniendo mi grito *in extremis*. Suzie murmuró:

—¡Rubby! Los viste tú también, ¿verdad?

Sacudí la cabeza y levanté los hombros, eso podía también decir, sí-no-tal vez... Ella prosiguió:

—¡Ellos intentaron arrancarme la última combinación de la caja fuerte! Pero me resistí.

Se contoneó de un pie al otro, con la mirada inquieta.

—Excelente, Suzie, la felicité, te comportaste bien. Ahora debes regresar a tu habitación. No tengas miedo, yo cuido de ti.

—Gracias Rubby, sabía que podía contar contigo.

Antes de que ella se fuera, añadí:

—Y mantén en secreto nuestro encuentro. ¡Uno nunca sabe!

—¿Qué crees? ¡Más bien me lo llevaré a mi tumba! Respondió, indignada.

Estas últimas palabras me recordaron las atrocidades de mi pesadilla. Me estremecí al entrar a mi habitación.

Fui indultada y dejé Albert Prévost en la fecha determinada por mi psiquiatra. El 20 de diciembre, tuve derecho a una pequeña fiesta organizada en el salón. Con el corazón oprimido, observaba a Suzie y su futuro me inspiraba los peores temores. Ella evolucionaba paralelamente a su realidad, en un mundo de mentiras, de trampas y de enemigos. Luc me preocupaba enormemente; debía salir dentro de poco, pero sus ojos mostraban esa mirada apagada, lamentablemente sin brillo. ¿Llegaría a comprometerse de nuevo en una relación amorosa? ¿Aún se sentía responsable del suicidio de Stacy? Su mirada no me daba ninguna respuesta. Aline, mi enfermera preferida, me haría mucha falta. Desde mis primeros pasos en este micromundo, ella me había sostenido y tranquilizado. Me entregó una tarjeta postal en la cual se veía saliendo el sol y un magnífico río fluía en primer plano. En el interior, había garabateado: "Tienes una enorme potencia que duerme en ti. No pierdas nunca la esperanza, sigue al río."

En adelante, aunque libre, me sentía acobardada. Tenía diecisiete años y temía que el mundo me rechazara como un órgano incompatible...

Capítulo 16

El regreso

A la distancia, compruebo que esos ciento veinte días de exclusión cambiaron completamente la situación del juego. Me habían internado con el fin de protegerme contra mí misma y la G.B. A pesar de todo, resultaba con desventaja, socialmente perturbada.

A veces, deseaba encontrarme con gente y comunicarme con ella. Analizaba la situación, luego evaluaba mis oportunidades y finalmente, renunciaba, con el miedo en el vientre. ¡Demasiado análisis paraliza, como bien lo decía Marie! A mí, mi pequeño mundo me brindaba felicidad. Sola, podía controlar mi pena, provocarla o evitarla; saborear mi tristeza o repudiarla, según el estado de mi alma. Al ser muy hábil en ese pequeño juego, me deleitaba a morir de fantasmas tristes. Mi propensión natural me incitaba a complacerme y a nutrirme de ondas negativas. Quizá el hospital había despertado esta molesta manía. O tal vez, el fin de la adolescencia ofrecía simplemente una tierra propicia a este rumiar macabro.

El tiempo se hilaba en una suave apatía. El invierno se revelaba duro y sin piedad. ¡No me atrevía a imaginar lo que debían aguantar las chicas de la calle!

* * * * *

En la casa, el sótano se volvió mi tierra predilecta. Excepto para las comidas, yo era autosuficiente. Por respeto a Marie realizaba apariciones de corta duración en la sala. Una noche, sola con mi madre, ella abordó el tema de mi futuro:

—Entonces, Rub, ¿te gusta tu nueva casa?

Marie tomó el control de la tele y bajó el volumen.

—¡Seguro, hay mucho espacio!

Comparativamente al departamento, el patio formaba una zona privada suplementaria. Continué:

—¡Está terriblemente grande!

Mi madre sonrió a este último comentario.

—¡Estoy feliz de que te agrade! ¡A veces, creo vivir en un sueño! Es casi demasiado bello.

Me miró sin verme. Resurgiendo de su reflexión, me preguntó:

—¿Qué planes tienes ahora?

¡Pregunta con trampa! La reconocía bien. Ninguna transición, ir derecho al objetivo sin pasar por la casilla de salida. Respondí sin gran convicción:

—En la primavera, espero hacer algunas solicitudes de empleo.

En ese mismo momento, un anuncio, que elogiaba las propiedades de un champú de moda, me inspiró. Añadí:

—¿Podrías quizá pedir a Jenny que me recomiende en el salón de belleza *Cléopatre*?

Pasado el efecto de sorpresa, respondió:

—Es una idea. Y el trabajo es más interesante que el restaurante. ¡Puedes tener buenas propinas, sin "pellizco" de nalga como ganancia!

Ella imitó el efecto electrizante de una pulgada y de un índice indiscretos en busca de la carne firme. El efecto, muy acertado, dejaba suponer una larga experiencia de ese suplicio.

Estaba con los ángeles. Sin haberlo premeditado, me dirigía en adelante hacia un objetivo. Recluida en mi antro en el sótano, establecía las grandes líneas de mi plan: argumentos que deben mencionarse para obtener la aprobación de Wolf; discutir el horario de trabajo; cuidado de la ropa para la entrevista... Para destacar la importancia del acontecimiento, utilicé mi Mont-Blanc, la pluma que Marie me había regalado dos Navidades atrás. Tenía la impresión de no haber escrito desde hace meses. El precioso objeto se deslizaba y giraba entre mis dedos, obligándome a aplicar tal presión que un calambre frenó gallardamente mi bello arrebato. Disminuí el ritmo y terminó mi trabajo. La terminación de esta primera etapa me entusiasmó.

Afortunadamente, Jenny, una mujer alta de color, y exuberante, se me había cruzado algunas veces en el restaurante y no me consideraba como una extraña. Su cabello pasaba con regularidad por todos los colores del arcoiris. Forzosa y obligadamente, seguía la moda de tan cerca que a veces ella la precedía. Sin conocerla, ya la encontraba simpática y Marie lo creía. Finalmente, yo entreveía un futuro posible, una vía transitable para una *esquizo* principiante.

Mi madre no abordaba nunca el tema de la prostitución. Inevitablemente, yo la había herido y decepcionado, pero ella no dejaba traslucir nada. ¡El choque de saberme *esquizo*frénica difuminaba probablemente el recuerdo de mi breve locura en la calle! En ese sentido, mi regreso al redil parecía de buen augurio. Considerando la situación desde este punto de vista, me ofrecía una apariencia de absolución...

La primavera surgía borrando la Navidad y seguía de cerca mis dieciocho años. Me sentía como una jovencita: frágil y curiosa. Debía presentarme en el salón *Cléo* a fines de marzo, para entrevistarme con la patrona, la señora Claudel. Yo temblaba de miedo, por más que mi madre me tranquilizaba, recalcando que esa entrevista no constituía más que una formalidad. Instalada en mi tocador, me ejercitaba en responder a un cuestionario imaginario. Quería parecer en pleno uso de mis facultades. Al observar mi espejo, deseaba secretamente que Maggy, la Maggy de mi infancia, se me apareciera y me reconfortara. Sin embargo, tendría muy poco contacto con la clientela puesto que, para comenzar, mi empleo se limitaría a barrer el cabello y a limpiar las mesas de trabajo. A pesar de todo, cuanto más desfilaban los días, mi angustia me producía más granos.

La entrevista salió bien y comencé a trabajar de inmediato. El salón incluía diez mesas de trabajo, cuatro lavabos y una esquina reservada a los permanentes y a los tintes. En la trastienda, un cuarto había sido acondicionado para el personal, otra, para el arreglo. Varios carteles y fotos de modelos cubrían los muros. A la entrada, seis cabezas representando personajes de la época de Cleopatra recibían a los clientes. Esos bustos miraban a la gente a su llegada y en el momento que pagaban la cuenta. Nadie comprendía por qué la señora Claudel, conservaba esas reliquias. Por el contrario, seguía siendo el tema de conversación favorito de los clientes y del personal.

Ese primer día de trabajo vuelve a mis recuerdos como un viento fresco. A pesar de mi pánico, capté rápidamente lo que se esperaba de mí. Trabajé lentamente, pero con eficacia. Dadas las frecuentes fallas de mi memoria debido a mi enfermedad y a los medicamentos, garabateé en un pedazo de papel las tareas a cumplir. Todo el personal se mostró agradable conmigo. La destreza de las peluqueras me impresionaba. Las tijeras modelaban un flequillo, despejaban las orejas, igualaban una nuca sin fallar. Los dedos retenían y liberaban esas melenas para transformarlas. ¡Eso me fascinaba!

En la noche, cuando le conté mi día a mi madre, un arranque de orgullo hinchó mi pecho.

Con la aprobación de Wolf, trabajaba tres días por semana, los martes, jueves y sábados, de diez a diecisiete horas. Este horario correspondía en parte al de Jenny. Así, ella podía ayudarme en caso de descontrol pues conocía mi situación. Solamente Jenny y la señora Claudel estaban al tanto. Aunque exigía poco, mi trabajo absorbía toda mi energía. En mis tiempos libres, asistía a Jenny que me enseñaba los rudimentos de su arte. Seria, me hablaba con el rigor de una enfermera, apoyando a un cirujano en el quirófano. En su opinión, yo poseía ciertas aptitudes y me explicaba pacientemente el por qué de cada uno de sus movimientos.

Otro aspecto de su profesión me maravillaba. Jenny bautizaba ese fenómeno como "el despiojadero cerebral". La clienta aprovechaba esos momentos transcurridos ante su imagen en transformación para desalojar los parásitos de su vida: en el lavabo, "cepillaba" una visión global de sus relaciones familiares y conyugales; en el corte, dejaba su pudor y revelaba la existencia de un amante o de una querida; por último, en el ondulado, ella asumía valerosamente su suerte y su nueva cabeza. La falta de discreción de ciertas mujeres me desconcertaba. Jenny sonreía ante mi aire confuso. Me tranquilizaba diciendo:

—¡Lo harás, pequeña! ¡Y, sobre todo, no olvides que tu propina es directamente proporcional a tu compasión! ¡O mejor dicho: jugar el juego y disfrutarlo!

Un jueves por la tarde, mientras hacía la limpieza en la sala de arreglo, me sorprendió una conversación muy agitada entre Jenny y Bárbara, una joven peluquera.

—¿Cuándo vas a abrir los ojos? Ese muchacho no es para ti, va a aniquilarte. ¡Trabajas como una loca y ese bicho te roba tu dinero!

—¡Él me reembolsará en cuanto su negocio empiece!

—Te embarcó, Barbi. ¡Él da vueltas a un asunto como un condenado a muerte! Sus negocios no son *limpios*, no te embarques.

La llegada repentina de la señora Claudel interrumpió la conversación. Aproveché esa distracción para salir de mi rincón.

Por la noche, en mi habitación, repetí los acontecimientos del día. La vergüenza me invadía aunque hubiera sido testigo de esa escena. Me sentía apenada por Bárbara, pues los alegatos de Jenny parecían más que plausibles. Barbi se contaba entre las mejores peluqueras del salón. Trabajaba muchas horas y percibía generosas propinas. Sin embargo, no tenía nunca un centavo en la bolsa y pedía prestado frecuentemente a diestra y siniestra, para un sandwich o unos cigarros. Me había cruzado con su chico en algunas ocasiones y el calificativo de "bicho", le quedaba de maravilla. Dos sentimientos libraban batalla e iluminaban los rasgos de Bárbara cuando se encontraba en presencia de su novio: el amor y la duda. Ese duelo la corroía y le desgastaba la piel. A veces, cuando yo limpiaba su mesa, me habría gustado que detrás de mi sonrisa se escaparan palabras de amistad, pero su tristeza me cortaba la inspiración. Vivía en pleno dilema: me gustaba la gente... pero a cierta distancia solamente.

Veía a Wolf dos veces al mes e iba todas las semanas a un centro de día. Éste acogía a jóvenes con problemas de carácter psiquiátrico y ofrecía talleres tales como el Arte Terapia. Esta actividad, por medio del dibujo, me permitía explorar mis estados del alma. El grupo de participantes era limitado, me sentía con seguridad. Había también talleres de teatro y de danza. Mi psicoterapia de apoyo implicaba dos aspectos: información y conservación de las capacidades de vida. Mi psiquiatra consideraba que mi trabajo en el salón *Cléopatre* respondía a ese segundo objetivo. El centro daba también sesiones de información, particulares o de grupo, en relación con todos los aspectos de mi enfermedad y sus impactos. Wolf me animaba a desarrollar mi red social.

—¿Frecuentas jóvenes de tu edad, Rubby?

—En el salón, hablo a menudo con Lise y Sophie. Se hacen una manicura y cenamos juntas, cuando es posible.

—¿Salidas con chicas, idas al cine, o de compras?

Pronunció estas palabras con una semi sonrisa, rebajando esta actividad a nivel de una tara genética femenina.

Ofuscada, respondí en un tono áspero:

—¡Andar de "lame-aparadores" es muy poco para mí!

Enrojecí de mi descarrío, de mi reacción excesiva. Él quería mostrarse interesado y yo hacía fracasar sus esfuerzos. Mi susceptibilidad corría el riesgo quizá de contrariarlo y de indisponerlo conmigo. ¡Intentaba disimular mi inquietud, sin saber hasta dónde se extendían los poderes de un psiquiatra! Su sonrisa desapareció y una risa franca resonó en la habitación. Esta demostración de alegría me sorprendió enormemente: la discreción de Wolf era legendaria. Me sentí aliviada, mi paranoia encontró proporciones razonables y la entrevista continuó sin obstáculos.

Cuando salí de la oficina, estuve a punto de caer de espaldas. Diane, *mi* Diane, se encontraba en la sala de espera. Su madre —deduje que se trataba efectivamente de ella según la descripción que me había hecho— estaba sentada a su lado. Mi corazón se aceleró, luego se crispó en seguida de dolor. El cuadro me llegó por *flashes*. Diane mantenía la cabeza obstinadamente baja. Su madre no alcanzaba a ocultar su mirada acosada y culpable. Mi amiga llevaba un jersey de mangas largas que disimulaban mal una venda blanca en la muñeca. Cuando pasé delante de su asiento, ella levantó la cabeza con dolor. Sus bellos ojos negros reflejaban muerte, al igual que los de mi pesadilla. Huí de la oficina caminando con paso de autómata.

La locura perturbó mi cerebro; pasé en modo de piloto automático. Mil veces quise dar marcha atrás y mil veces fallé. La imagen de su vendaje me oprimía el corazón. La angustia de su madre me recordaba la de la señora Lanoue, cuando había ido por Eve. Buscaba una explicación para atenuar mi miedo, una idea a la cual aferrarme. La sombra de Prévost cubría mi camino. Extrañamente, la caída de Diane se hizo mía. En ese preciso momento, supe que, tarde o temprano, el hospital reclamaría sus derechos sobre mi vida. El único recurso que me vino al alma para tranquilizarme fue contar mis pasos, evitando los surcos de la acera. No debía, sobre todo, poner el pie en una de esas líneas, si no... Ese ejercicio me calmó.

El episodio de Diane me lastimaba, por eso comía con la punta de la lengua. Llegada la noche, tomé conciencia de un fenómeno particular: me faltaba el aire, tanto en el sentido literal como figurado. Desde siempre tímida y reservada, me parecía que respiraba poco, muy poco. Por otra parte, mi amiga ya me había hecho la observación. Una mañana, en Prévost, me había lanzado en broma: "Buena vida Rubby, bombea un poco más de aire para señalarnos que existes." En efecto, durante la noche, ella se había levantado para verificar que todavía formaba parte de este mundo pues mi respiración parecía imperceptible. Ahora, tendida sobre mi cama, reconocí la exactitud de su réplica: me hipoventilaba. Podía, a veces, tener las ideas enredadas: estaba francamente asfixiándome. ¡Qué paradoja! Mi espacio vital quería ser enorme y, sin embargo, yo no hacía nada para apropiármelo e impedir a los otros avanzar sobre mi territorio. Antes de dormirme, juré corregir la situación: "¡Prometido, Diane, voy a bombear en grande y atragantarme de aire!"

Las semanas pasaban y mi vida se estructuraba lentamente. En la casa, pagaba una pensión simbólica además de consagrar mis lunes al mantenimiento doméstico. Así, dispensaba a Marie y a Pierre de una tarea agotadora y yo me sentía menos endeudada. Me volvía casi una inquilina en buena y debida forma. Este arreglo nos convenía a todos —un intercambio de favores, como decía Pierre—. Para mí, la limpieza no equivalía a una carga. Esta actividad me gustaba, me daba un sentimiento de realización. Según mi pequeño ritual, me levantaba a las nueve horas con treinta y engullía un copioso desayuno. Enseguida, armada de mi *walk-man*, de trapos, de un plumero y de limpiador, atacaba el polvo y las manchas rebeldes. Mientras desempolvaba, aprovechaba para charlar con ciertos objetos. Mi pieza preferida permanecía en el salón y terminaba siempre por ahí.

En la mesa, practicaba igualmente este hábito de reservar las "buenas cosas" para el final. El salón parecía una verdadera cueva de Alí Babá donde se acumulaban un montón de objetos extraños que Pierre había traído de sus viajes. Les hablaba como lo habría hecho con amigos de hace mucho tiempo. Me aseguraba que se sentían bien en ese lugar, si no les encontraba un rincón más confortable. Entre otros, una bola de cristal apoyada sobre tres elefantes en cobre no se reconocía nunca satisfecha. Del lado sur, parecía en la sombra y sin brillo. Del lado norte, brillaba con mil fuegos, pero se encontraba depositada muy bajo sobre el estante, lo que reducía la belleza del pedestal. Por su parte, otra baratija en bronce que representaba tres indígenas en una barca, me dejaba sin voz. Sobre la cara de los personajes burdamente modelados se veía un profundo sufrimiento: era patético. Los manipulaba con una gran delicadeza y un inmenso respeto. Su desamparo petrificado me recordaba mis propios esfuerzos para sobrevivir. El artista debía ser *esquizo*frénico...

Un martes a mediodía, Sophie intentó por todos los medios de convencerme de que la acompañara a una casa encantada. Me revelaba demasiado miedosa para seguirla y Wolf no habría apreciado ciertamente esa clase de salida. Provista de mis propias obsesiones, mi combate con la G.B. me bastaba ampliamente; ¡no sabía nunca cuándo surgiría! Sophie insistió:

—Vamos, Rub, no seas mala, seremos muy prudentes. ¡Será una hiper aventura *live*!

Ella me molestó una parte de la tarde y volvió a la carga el jueves, sin mucho éxito. El martes siguiente, me hizo prometer venir a cenar a su casa, indicándome que sentía la necesidad de confiarse a toda costa. Eso me intrigó extremadamente. ¡El día pareció eternizarse y nunca terminar!

Hacia las dieciocho horas, instaladas ante una pizza, Sophie me contó su desgracia:

—No me creerás, es demasiado torcido. ¡Nunca debí meter los pies!

Su agitación se comunicaba a sus manos que daban vueltas y dibujaban peligrosos arabescos con su cuchillo y su tenedor.

—Yo estaba con Paul, Louis y Rita, los compañeros de secundaria. Llegamos a las dieciséis horas y salimos al campo a las veintiún horas con quince, en punto. Sin manera de equivocarse, Paul quebró su reloj y marcaba veintiún horas con quince. Louis entró a la casa abandonada por una ventana del segundo piso. ¡Como un verdadero mono! Vino a abrirnos por la cocina. Para comenzar, se había decidido hacer un reconocimiento de los lugares. ¡Era impresionante! Rita, la responsable de esta vuelta, nos había prevenido que la familia que vivía en esta casa la había abandonado súbitamente. Aún había comida en el refrigerador, ¿te imaginas un poco? ¡Levantaron los sombreros muy rápido! En el segundo piso, el maquillaje y los cepillos del pelo seguían rodando encima de un buró. Un poco por todas partes, se habían abandonado algunos juguetes. *Cool* ¿no te parece?

—Sí, dije, no muy convencida. ¿No has tomado nada, espero?

—¿Tienes una cabaña al menos o qué? ¡Nunca habría osado! Justo el espectáculo suficiente para darme mieditis. Por fortuna, era de día y no me dejó ni a sol ni a sombra. Antes de partir, se habían establecido algunas normas: todavía ser dos, incluso en los retretes, cada uno con su linterna a la mano, prohibido informar de cualquier cosa. ¡Era en serio! ¿Sabes?

—¡No lo dudo ni un momento!

Esperé impacientemente para conocer la continuación, aunque una campana de alarma en mi cabeza me invitaba a huir a toda prisa.

—Tras la inspección, Paul sugirió que nos instaláramos en la cocina. La habitación era grande y daba sobre el patio de atrás. Sería nuestra puerta de salida en caso de urgencia. Con ayuda de una cuerda, Louis fijó la manija de la puerta a un gancho insertado en la pared. Así, permanecería abierta de par en par. Era mi idea. ¿Genial, no? ¡Respiraba mucho mejor con esta puerta abierta! ¿Puedes creerme? Quemamos el incienso y encendimos las velas. El tiempo pasaba lentamente y el menor ruido me hacía sobresaltar. Comimos en el mismo lugar: ¡sandwiches y coca, prohibido el alcohol! ¿Era necesario hacerlo, verdad?

—¡Su disciplina me hace caer de espaldas! Respondí sonriendo.

—¡Puedes burlarte! Estoy hasta la coronilla, no hay problema, hasta que el tiempo comenzaba a hacerse largo. Louis y Paul se habían echado mientras que Rita y yo platicábamos en voz baja. Y luego, se oyó un terrible crujido; ¡habríamos jurado que la barraca iba a derrumbarse! El ruido venía del sótano y nos electrizó el cerebro: al parecer, te lo juro, como dos focos fundidos. Pasado el conflicto, Rita y yo salimos pitando sin pedir nuestro resto. Cuando los muchachos se nos unieron afuera, no las tenían todas consigo. Nunca me creerías, pero ¡pretendieron no haber oído nada! ¡Es imposible, Rub, es muy loco! ¡Sin embargo, no imaginamos todo eso! ¡Jurado, escupido, no invento nada!

No tenía ninguna dificultad de creerle. Su convicción era total y contagiosa. Mi apoyo la calmó, ella prosiguió:

—La negrura ganaba terreno y el ambiente se volvía tenso. Todos regresamos a la cocina. Una maltratada muñeca de trapo colgada de la lámpara del lugar, nos daba escalofrío en la espalda verdaderamente. Se diría que se burlaba de nosotros. Rita compartía el mismo sentimiento, pero nadie se atrevió a expresarlo. Todo el mundo estaba sobre aviso. Los muchachos no tenían ya ningunas ganas de adormecerse y, por mi parte, habría sido necesario pegarme para relajarme. Una hora transcurrió sin otra manifestación. Comenzaba a relajarme cuando la explosión se produjo. Incluso si no lloviera, creí que el rayo se nos echaba encima. Rita gritó y no era necesario más, para largarse una segunda vez, de prisa. Todo el mundo hablaba al mismo tiempo: ¡la histeria total! Por suerte, la casa se encontraba alejada de la autopista y aislada. Terminamos por calmarnos y Louis nos convenció de regresar adentro. Los cuatro, examinamos el lugar de arriba abajo. ¡*Niet*! Ni el más mínimo rastro de cualquier explosión. Eso era incomprensible. En esta fase, reconozco que la aventura tomaba un cariz inquietante. Contrariamente a nosotras, los muchachos se sobresaltaban de excitación. Hasta pretendían pasar la noche lejos. Rita y yo los devolvimos a la realidad. ¡Aceptamos permanecer aún algún tiempo, pero ni pensar en pernoctar ahí!

Hizo una pausa en su relato para asegurarse que la seguía bien, luego continuó:

—Esperaba, la espalda pegada a la pared, mi lámpara a la mano. Afuera, había una noche oscura. Es muy loco cómo la oscuridad puede encender la imaginación. Evitaba observar afuera, por temor y por ver un monstruo o un espíritu demente. ¡Y luego, fue el golpe de gracia! Un automóvil se estacionó en la entrada. Inmediatamente, Louis y Paul se precipitaron al salón para ver quién llegaba. En el mismo momento, todas las luces se apagaron. ¡Pensé que había llegado mi hora! Quisimos salir por la cocina, pero algo nos impedía avanzar. Escuchamos un deslizamiento furtivo cerca de la puerta. Al retroceder, tropezamos con Louis y Paul que salían como huracán del salón. Los encontramos arrinconados en el pasillo central. Solamente Louis había tenido la presencia de ánimo de pulsar su lámpara. Grité para retroceder y salir por el frente. Tras mucho desorden, Rita consiguió desatrancar la puerta de la entrada. Cuando llegaba la catástrofe a la escalinata, nos percatamos de que todas las luces estaban ahora encendidas, sin excepción. La residencia parecía un árbol de Navidad exageradamente decorado. ¡Salimos pitando a toda velocidad!

Jadeante, terminó su relato de manera precipitada. Pasaron algunos segundos, luego ella reanudó:

—¿Rubby, te das cuenta? Esta entidad habría podido volvernos locos. Es delicado, no había ningún auto. Sin embargo, todos lo oímos y vimos sus faros apagarse. Hizo eso para separarnos. Además, nos impidió utilizar nuestra salida de seguridad; ¡quería atraparnos! Duermo muy mal desde entonces. ¡Tengo miedo de que ese espíritu me visite aquí! ¿Crees eso posible, Rub?

Literalmente al pendiente de sus labios, me sentí muy sorprendida y molesta por su pregunta. ¡No conocía la respuesta y, honestamente, en las circunstancias actuales, solamente un sacerdote habría podido socorrer a mi amiga! Sus ojos me suplicaban que la tranquilizara. Terminé por responder:

—Ningún riesgo, Sophie, un espíritu no abandona nunca el lugar que atormenta. Se incrusta hasta que un sacerdote o el fuego lo expulsan.

Mi seguridad me asombró. Ignoraba de dónde había sacado tales necedades. No obstante, Sophie apreció su efecto, ya que suspiró con tranquilidad. La tarde prosiguió en cuestionamiento místico.

No pude evitar sentirme al acecho mientras regresaba a casa. Marie y Pierre habían ido al cine, me encontré sola con mi miedo que aprovechó para palpitar al menor ruido. Me había mostrado muy serena y un poquito por encima de mis problemas, ante lo de Sophie. Ahora, era todo muy distinto: ¡mi seguridad se había encogido como una prenda de vestir barata! Por la insistencia de mi amiga, yo había tomado algunas cervezas para acompañarla. Más que relajarme, la bebida había aguzado mis sentidos. Se trataba del primer descarrío de este tipo desde mi permiso del Prévost. Quizá había elegido mal el momento. Terminé por dormirme con mi *walk-man* a todo volumen y las mantas sobre la cabeza.

El comportamiento de Sophie cambió, mostraba señales de nerviosismo y de impaciencia. En dos ocasiones, llegó tarde, y la señora Claudel debió calmar a una clienta que no quería esperar, y rehusaba peinarse por alguna otra. La patrona interrogó a mi amiga, quien inventó una historia de ruptura amorosa. La explicación pareció satisfacer a la señora Claudel. Confiada, creí que sólo sería una cuestión de tiempo antes de que ella se saliera con la suya. Después de todo, una historia de fantasmas no podía conmover a ese grado. ¡Podía más que eso!

Una tarde, mientras buscaba productos en la trastienda, sorprendí a Sophie aspirando cocaína por la nariz. El choque fue terrible. Oscilé entre el desaliento y la cólera. No podía admitir que una persona de su temple pudiera entregarse a esta mierda. ¿Existía aún un solo lugar libre de este mal? Mi amiga quiso explicarse, pero me mostré inaccesible, fuera de su alcance. Me negué a aceptar esta desoladora verdad.

Al regresar a la casa, completamente absorbida por este incidente molesto, estuve a punto de no reparar en Marie. Estaba sentada en la sala, con un vaso en la mano que miraba como si hubiera sido una entidad viva. Una desagradable sensación de algo ya visto, me apretó la garganta y me remitió a la edad de diez años. Levantó su bello rostro hacia mí y un miedo insoportable me invadió. ¡Hubiera preferido enfrentar el fantasma de Sophie y su polvo blanco!

—¿Qué pasa? ¿Estás enferma?

Mis preguntas quedaron en suspenso algunos segundos de eternidad.

Murmuró como para sí misma:

—Es Pierre, se fue.

—¿Pierre partió? ¿Quieres decir que se largó, que nos abandonó como papá?

Confusamente, yo me sentí aliviada. Mi miedo tenía desde ahora un nombre: resentimiento.

—¡No, querida, murió!

—¿Muerto? Pero eso no es posible. ¡No puede hacernos eso!

Yo estaba desconcertada. Mi odio se volvía vano. Su muerte me desarmaba.

Marie murmuró:

—Era demasiado hermoso. Yo no lo merecía...

—¡No digas tonterías, estaban hechos el uno para el otro! ¡Él te amaba!

Más no se intercambió una palabra. Si mi dolor permanecía bajo control, era muy diferente para mi madre. ¿Cómo se las arreglaría con este vacío? Ya, un sentimiento de fatalidad entorpecía su espíritu. Tuve vergüenza de pensarlo, pero habiendo siempre guardado mis distancias con Pierre, soportaría mejor su salida. Mi mayor inquietud se refería a la pérdida de la seguridad que nos aportaba. ¿Qué pasaría? ¿Qué sería de nosotras?

Pierre que era un ser sensible y un gran optimista, no había previsto este final de argumento. Ningún testamento ni papel se había firmado ante notario. Sus hijos heredaron pues, todos sus bienes. No obstante, mostraron buenos principios y nos dejaron vivir en la casa hasta que encontráramos un departamento. Además, nos permitieron llevar todo el mobiliario y los aparatos eléctricos que necesitaramos con el fin de amueblar nuestra vivienda. Yo elegí los tres indígenas en recuerdo de este hombre que había sabido traer la sonrisa a los labios de mi madre.

Durante este periodo de transición, Marie se ahogó a fuego lento. Insidiosamente, el alcohol se abrió camino hasta su alma y la anestesió. Su corazón muchas veces remendado se rompió de verdad. El dolor parecía retroactivo: Pierre, Paul y Lucie. ¿Cómo la vida podía mostrarse tan cruel y reivindicadora?

Tomé una semana de vacaciones y, ayudada de Jenny, encontramos un departamento conveniente a nuestro presupuesto. Estaba situado en nuestro antiguo barrio y cercano al trabajo. El inconveniente era que ciertos lugares guardaban aún la huella de Yan y nuestra banda. Esta pista manchada me perturbaba y sacudía recuerdos que mostraban el rostro en todo momento. El pasado me alcanzaba, trastornando mi presente.

La primavera mostraba signos de fatiga y el verano la eclipsó alegremente. Lentamente, Marie caía de bruces: su universo se limitaba al trabajo y al alcohol. Su desliz bien enganchado, me parecía irreversible. Por otra parte, yo tuve una franca discusión con Sophie y me quedé anonadada al enterarme de que se abastecía de coca con Bárbara o, más bien, del "bicho" de su novio. ¡Definitivamente, la vida resultaba más complicada de lo que parecía! Cuando mi amiga me describía los efectos de su polvo mágico, sus ojos destellaban. El simple hecho de hablar parecía proporcionarle un semi *zumbido*. Su cuerpo reaccionaba al recuerdo y traicionaba su pretensión de no engacharse. Decía consumir desde hacía casi un año; su primera experiencia tuvo lugar en una discoteca del centro. Comprendí mejor por qué mi amiga se parecía a una veleta: a veces animada, a veces inmóvil, casi apagada. Nuestra relación se enriqueció al puntualizar esto. Sophie me creía muy *clean* y no iniciada. Por el momento, no deseaba de ninguna manera revelarle mis pasadas extravagancias.

En adelante, yo trabajaba cuatro días por semana en el salón *Cléo*. Eso me permitió contribuir más ampliamente a los gastos de la casa. Mantenía el rumbo y experimentaba un enorme orgullo. Este muy corto periodo fue feliz e iluminó a veces mi noche...

Aun cuando había dejado el Albert Prévost hacía cerca de siete meses, me sentía siempre atraída por su órbita. Mi medicación y mis consultas con Wolf justificaban este sentimiento. Tomaba el Moditen en dosis bajas, tres veces al día. El doc habría preferido, para garantizar un seguimiento constante, administrarme un neuroléptico en forma inyectable, de larga acción. Sin embargo, temía de tal manera a las agujas que accedió a mis argumentos. Las agujas me dan miedo aún hoy, algo más bien paradójico y molesto para una *junkie*... Así había sustituido el Haldol por el Moditen, con el fin de reducir el efecto sedativo, luego añadió el Kémadrin, contra los efectos secundarios.

Molesta de tener el cerebro de gelatina y la boca seca, saltaba, desde hacía algunas semanas, la dosis de la mañana. Por más que bebía, no llegaba nunca a aplacar esta sed insaciable. Mi memoria se parecía a un gruyere; ¡defectuosa y también poco fiable como el mercado bursátil! Me concentraba con dificultad. Si esta tendencia se mantenía, me forzaría un día u otro a decir adiós a mis ambiciones profesionales. Wolf me explicó que mi apatía correspondía a un periodo de convalescencia necesaria para mi restablecimiento. Por más que él decía, me convencí de que un poco menos de química en mi organismo no me haría daño. Todas las mañanas, sin embargo, realizaba mi ritual con prudencia. Más bien ridículo, puesto que Marie iba a trabajar antes de que me levantara.

Una mañana, mientras que accionaba el tanque después de haber lanzado mis píldoras a la taza, creí oír una risa burlona. La risa parecia huir por las alcantarillas. A pesar mío, un soplo de calor trepó hasta mi rostro...

Capítulo 17

La caída

Ese día, mi trabajo salió a flote de la completa tortura. El nerviosismo me invadía y todo lo que tomaba en mis manos se encontraba invariablemente por tierra. Jenny me pedía traerle un colorante, y yo le llevaba un revitalizante. Después de algunas sandeces de este tipo, me preguntó:

—¿Estás bien, Rubby? ¡Pareces achacosa!

—No, no hay problema. Dormí un poco mal, es todo.

—¿Estás segura de no querer tomar un descanso? ¡No está prohibido! ¿sabes?

—Sin falsa modestia, sí puedo, te lo aseguro.

—*¡Cool!* ¿Puedes aplicarle su champú a la señora Betit? ¡Comenzó a pelar los ojos y Dios sabe que son ya enormes!

Esta observación me arrancó una sonrisa. Efectivamente, los ojos globulosos de la señora Betit le conferían un aire de sapo asombrado o inquisidor. Como si eso no fuera suficiente, los maquillaba en exceso. Con la mente en las nubes, no comprobé la temperatura del agua y estuve a punto de congelar el cerebro de la clienta. Al contacto con el agua helada, se sobresaltó y volvió la cabeza. Resultado: recibió el chorro de agua en el ojo izquierdo. La señora Betit gritó y chilló como un cerdo al que se sacrifica; examinándome con un ojo borroso de máscara para pestañas. Paralizada en su lugar, veía el agua derramarse sobre el embaldosado, amenazando mis nuevos zapatos Jenny se precipitó a ayudar a la clienta mientras que Sophie me arrastraba a la sala de descanso.

De regreso al departamento, apenas crucé el umbral de mi habitación el horror con una gran "H" se abatió sobre mí. La G.B. me colmó de insultos:

"¡Veamos a esta arrabalera, peinadora-desmaquilladora! ¡Hola, pequeña hada, hace un siglo! ¿eh? No te preocupes, te dejaré por ahora. ¡Es una promesa, mi matadora de orugas favorita!"

—¡Nunca la toqué, no la aplasté!

Pronuncié estas palabras sin convicción, sin voz. Sin lágrimas para llorar, sin bilis qué vomitar, sin energía para desmayarme. Permanecía ahí, mirando las tablas del piso. Estaba ahí... sola con Ella.

Al día siguiente, la patrona me convocó en su oficina. Al llegar al salón, Jenny me dio golpecitos afectuosamente en el hombro y me animó:

—¡No te preocupes, ella te aprecia!

Antes de penetrar en la oficina, toda clase de ideas locas me pasaron por la cabeza. ¿Debía huir? ¿La presión iba a fundirme como un caramelo al sol? ¿Y si, al abrir la puerta, la patrona se lanzaba sobre mí armada de una manguera contra incendios?

Después de los saludos de costumbre, la señora Claudel entró en el meollo del asunto:

—La señora Betit me ha llamado por teléfono esta mañana, prorrumpía en amenazas. ¡Los ojos debían salírsele de las órbitas!

Arriesgué una sonrisa mirándola. Esta alusión a los ojos de la clienta me permitía esperar que no me guardaría rencor por el incidente de la víspera. Prosiguió:

—La señora Betit exige nada menos que tu despido, sin más ni menos. ¡Bueno, dime tu versión, Rubby!

¡Mi versión! Pero cómo decirle: "He aquí, la G.B. está de vuelta. ¡*The show must go on*!" ¿Confesarle más bien que, sucumbiendo a un espasmo fatal, quise ahogar a una clienta con ojos de pescado?

—¡Vamos, Rubby, espero tu explicación!

—Yo... olvidé abrir el grifo de agua caliente.

Triste y pobre comprobación. Hubo una pausa interminable.

—¡Prométeme, en el futuro, verificar este pequeño detalle sobre tu persona antes de pasar a la acción!

—¿No me despide? ¿Se queda conmigo?

—¡Por supuesto! Siempre me has dado satisfacciones. Sin embargo, me gustaría que volvieras de nuevo a un horario de trabajo de tres días por semana. Los últimos tiempos fueron seguramente muy penosos con la muerte de Pierre y tu mudanza. Creo que te has enfrentado a demasiada presión en este momento. ¿Qué piensas tú?

—Tiene razón, quizá sobrestimé mis fuerzas.

Al dejar la oficina, conseguí pronunciar un débil gracias.

—Tómate unos días y vuelve en plena forma el martes, concluyó la señora Claudel.

La G.B. me había acompañado sin pronunciar una palabra. Seguramente prefería saberme libre...

Cuatro días de descanso se presentaban ante mí. Unas "pequeñas vacaciones" en resumen... Para celebrar mi no despido, decidí dar un paseo en la montaña, bifurcando hacia el cementerio de Cote-des-Neiges con el fin de saludar a mis abuelos. Para subir el monte Royal, utilicé la senda compartida. Jugadores, paseantes y ciclistas de todas las edades y toda índole circulaban. Esta muchedumbre abigarrada me agradaba, ya que podía guardar mis distancias. Llegada a la altura del lago des Castors, proseguí mi ruta y crucé el camino Camilien-Houde. Desemboqué en la puerta sur del cementerio. Adoraba este lugar, se sentía una gran paz. Las criptas familiares parecían iglesias miniatura. No me atrevía nunca a mirar por una ventana, por temor a entrever un cadáver olvidado sobre una repisa. En la sección más antigua se elaboraban esculturas y monumentos majestuosos. Los angelotes rozaban las cruces y las estatuas de la Virgen. A veces, un camafeo grabado en la piedra contenía la foto del difunto. Este detalle me inspiraba un mayor respeto para ese desconocido que me parecía así, más real...

Al acercarme al sitio de las tumbas de Paul y Lucie, mi garganta se hizo nudo y mi corazón se aceleró. Un sentimiento de urgencia me envolvía, precipitando mis pasos. ¡Como un riachuelo... pero un riachuelo que no alcanzará nunca el río! La desolación me llegaba: el mármol gris permaneció cruelmente frío bajo mis dedos y desencadenó mis lágrimas. Pasada la emoción, dije en desorden lo que me había sucedido desde mi último peregrinaje a estos lugares. Esta narración me reconfortó y recargó mis baterías. Dejé el cementerio revitalizada y casi feliz.

En el camino de regreso, mientras esperaba el autobús, observé a una *auto-stopista*. Ella reparó en mí también y vino a mi encuentro. ¡Patsy! Sentí pena al reconocerla y ver qué tanto había envejecido. Le habrían calculado fácilmente veinticinco años. Yo no sabía cómo reaccionar; vacilaba entre la alegría de los reencuentros y el rencor de su traición. Finalmente, nuestra discusión continuó frente a una copa. Mi resentimiento hacia ella se diluyó en el curso de las rondas. Sus explicaciones parecieron plausibles y mi voluntad de permanecer lejos de este pasado conmovedor.

—¡Juro que intenté contactarte, Rub! Tu madre me inventó muchos cuentos: que descansabas en el Sur en casa de unos parientes; o estabas estudiando en el Norte. Ninguna posibilidad de hablarte. ¡Para serte sincera, tu madre era muy hermética, sellada como una ridícula ostra! ¿Me crees al menos?

Alcé los hombros e hice una señal afirmativa con la cabeza.

—Chócala, dijo ella tendiéndome la mano. Ven, te invito a mi cuarto. Es todo lo que hay de bueno y se encuentra a dos pasos.

Pagó la cuenta de las dos. Su departamento todo-lo-que-hay-de-bueno, resultó más bien feo. El edificio, acorralado entre dos inmuebles, caía en la decrepitud. Las ventanas daban a paredes o a la callejuela; una vista antigua y desmoralizante. Patsy no me habló de Yan y mi orgullo me detuvo para que me informara de él. Al compás de las horas, los obstáculos del pasado se esfumaron. Regresé tarde en la noche.

Mi trabajo en *Cléo* me cautivaba mucho menos. En adelante, esperaba con impaciencia reunirme con Patsy. Con diplomacia, me anunció que Yan frecuentaba a otra chica.

—¡Una rubia, una verdadera tonta, Rubby! Y vieja además, casi veinticinco años. No tiene nada entre las dos orejas, sólo buena para reír estúpidamente limándose las uñas. ¡Una verdadera rubia, vaya!

Esta noticia no fue tan devastadora y destructiva como preví. Había logrado separme de la influencia física de Yan; ya no me quedaba más que extirparlo de mi cabeza —operación más delicada—. Otra separación completada con éxito: Moditen-

Kémadrin. ¡Adiós al aspecto de zombie, a la pesadez cervical! La vida corría de nuevo en mis venas, la G.B. en primer lugar. Bebía y fumaba exageradamente, eso compensaba un poco los inconvenientes. Mi amiga vivía sola, Tim había desaparecido del panorama. Ella se decía trabajadora autónoma, a través de darle regalías a un tal Stan, su *padrote*. Este último, le dejaba sin embargo, un margen de maniobra bastante grande. Cuando conocí a Stan, su reserva me sorprendió; me esperaba una mayor exuberancia, dado su oficio. Como quien no quiere la cosa, Patsy me lo presentó. Me reveló sus proyectos futuros y lo que pensaba hacer con el dinero de la calle. Esta manera de vivir parecía a veces válida y excitante. En ese universo marginal, pasaba inadvertida; parecía casi normal. A veces, me reunía con mi amiga en su *esquina* y le ayudaba a enganchar. Sentía placer, después de todo, sólo se trataba de un juego. Seguramente, esta desenvoltura resultaba del cruce de la G.B. con las drogas.

Mi aprendizaje resultó progresivo aunque rápido. Stan anticipaba de manera eficaz mis miedos y mis reticencias. Sutilmente, me inoculó el virus de la calle. Conocía todos los trucos y los obstáculos del oficio. Patsy me confió que su cuota era muy buena, tanto a nivel de seguridad como financiero o humano. Él nunca maltrataba a una chica que respetaba su ley; bastaba con someterse y todo el mundo salía ganando. ¡En compañía de mi amiga y de su *padrote*, todo me parecía simple y evidente! En ayunas, y sola, iba de otro modo. Me preocupaba y la G.B. me dominaba: "¡Puta, perra! Eres una buena para nada, ni siquiera sirves para la calle. ¡Además, hay que enseñarte a coger!" Me refugiaba en mi habitación con mi *walk-man* y lloraba.

Me reportaba a menudo enferma en el salón y me reunía con Patsy en su casa. Jenny, Sophie y la señora Claudel me observaban con un aire divertido y susurraban a mi espalda. Consideraba seriamente entregar mi renuncia. Por otra parte, ganaría aún más en la calle. Mi madre ni siquiera se daría cuenta de la situación; me hundía sin hacer olas. En caso contrario, Marie no dejaría traslucir nada: ¿elección o abdicación? Nuestra interacción se reducía ahora a un "buenos días, buenas noches" intercambiados a toda prisa. Llegábamos a veces a cruzarnos en el departamento. Hasta este punto, nuestros mundos paralelos no se juntaban ya.

En agosto, en una noche de luna llena, conocí a Arliette. Hacía su recorrido sobre la calle Saint-Denis a la altura de la terminal *Voyageur*. En ese viernes por la noche, la concurrencia facilitaba mi trabajo. Estaba casi helada, por lo que acepté que mi cliente estacionara su vehículo en una callejuela fuera de mi territorio. Stan se habría puesto ciertamente furioso, pero no lo suficiente como para darme un escarmiento.

El hombre sentado a mi lado, niño bonito, rondaba por los treinta años. Llevaba una camisa de buena calidad y unos *jeans*. Ninguna joya adornaba su persona, ni siquiera un reloj. La radio emitía cantos gregorianos. Eso fue desconcertante y un poco inquietante: tuve la impresión de coger en una iglesia. Los preliminares se desarrollaban bien, pero en el momento en que iba a abrir su bragueta para liberar su falo, unos faros nos deslumbraron. El hombre me empujó en el asiento y quiso arrancar. Mi puerta se abrió violentamente mientras que un puño de hierro me agarraba por el brazo. El policía que me sujetaba, llevaba anteojos polarizados. Eso me convenció de que se trataba de un *hombre de negro*. La G.B. me gritó que me largara: "¡Lárgate, puta, si no quieres que nos metan tras las rejas! ¡Es un puto poli!" A pesar de sus imprecaciones y mis músculos tensos listos para huir, tendí la mano hacia la cara del policía, para retirarle sus lentes y ver sus ojos. Reaccionó rápido, aventándome contra la pared. El resultado de la aventura se perdió en la noche de los tiempos. Oí gritos, disparos, seguidos de empujones. Otras sirenas aullaron en la oscuridad. Después, nada.

Cuando recuperé el sentido, la doble de Barbara Streisand aplicaba un trapo húmedo sobre mi frente. Se presentó:

—Arliette, Arlie para los íntimos. ¿Cómo te sientes, mi nena? ¡Tienes una bonita ciruela! ¿Has golpeado una pared?

Ella no sabía hablar bien.

—¡Resbalé, creo!

Su escepticismo se tradujo en una mímica de bufón verdaderamente divertida. La G.B. surgió a su vez: "¿Has visto alguna vez a una chava con manos y pies de este tamaño? ¡Y su manzana de Adán! ¿Crees quizá que Eva tenía una pinche manzana? ¡Ponte lista, pequeña hada, tu Bárbara, es un chavo!".

Esta revelación me causó un *shock*. Nunca había visto a un transexual tan cerca. Busqué una manera de alejarme, pero la celda, muy pequeña, no ofrecía ninguna salida.

El fin de semana fue de pesadilla. El lugar exudaba humedad, el aire parecía saturado de humo y un tufo de orina abarcaba todo aquello. No llegué a calmarme, ni a dormir. Todas las personas que desfilaban delante de la celda pertenecían ciertamente a la banda de los *hombres de negro*. Allí había siempre uno para echarme un vistazo escrutador. ¡Quizá creían que no observaba su tejemaneje! Solamente Arliette me aportó un poco de consuelo. Su solicitud me llegó directo al corazón, y señaló el principio de una larga y sólida amistad. Miré la pintura descascarillada de la pared, y esos pedazos de pieles muertas me recordaron los esfuerzos muy inútiles que mostraba con el fin de camuflar mi locura.

El sábado por la tarde, un investigador vino a tomar mi declaración. Yo no entendía nada a sus enredos. Amenazaba con clavarme una acusación de robo a mano armada si yo no colaboraba. Hablaba constantemente de un denominado *Messier*, insistiendo en conocer nuestros informes. Me dije internamente que si *Messier* correspondía a la marca del auto, no había tenido tiempo de informarme, pero creo que el investigador no habría apreciado este rasgo de humor. De verdad tenía agallas. Los acontecimientos me sobrepasaban realmente y me impedían cooperar. Todo iba demasiado rápido. Yo logré entender que él aumentaba los cargos del hecho, obstáculo y posesión simple. ¡Grotesco! ¡Había querido simplemente desenmascarar a un verdugo, un acto de legítima defensa, vaya! La G.B. parecía opinar lo contrario: "¡Un verdugo! ¡Un *hombre de negro*! ¿Y después, qué más? ¿E.T. la oruga cósmica? ¡No pero, de verdad, no eres más que una jodida ramera! ¡Le rompiste sus lentes, al poli!"

El investigador registró mi versión de los hechos, sin decir ni pío. Libré un verdadero duelo, pues la *Gran Bocona* se enojaba, y yo debía continuamente traerla al orden...

El lunes, me encontré delante del señor juez, deshecha y desorientada; el miedo cedía su lugar a la destrucción. Al mismo tiempo actriz y espectadora, como si asistiera a mi propia muerte. Cuando me llamaron por mi nombre, el agente a mi lado me notificó que debía levantarme. Un tipo se dirigió hacia el juez para hablarle en voz baja. En dos ocasiones, señaló con el dedo en mi dirección. Aunque impasible aparentemente, mi corazón me golpeaba por todas partes, como un martillo neumático, y me sofocaba de calor. Se diría que la audiencia me observaba, lista para huir o para sacrificarme a la menor señal de locura de mi parte. ¡Respirar se volvía un sufrimiento! De vuelta a su asiento, el hombre —me enteré más tarde que se trataba del fiscal— pidió una demora para un examen. El juez preguntó entonces al maestro Ronel sobre la pertinencia de este aplazamiento. El maestro Ronel se acercó a mí y se presentó como mi abogado, designado de oficio por el tribunal. Se mostró reconfortante y me garantizó que un examen psiquiátrico podía probar mi inocencia; si existiera una negativa de mi parte, se vería obligado a declararme culpable de los tres cargos de acusación. Culpable: esta palabra corrosiva destiló mis últimas defensas. Se levantaba una conspiración y nadie vendría en mi ayuda. Yo emití un débil gemido que mi abogado se apresuró a traducir en un consentimiento. La causa se restableció a mediados de septiembre, lo que representó tres semanas de incertidumbre y de terror.

Capítulo 18

Tanguay

En el vehículo carcelario, me encontré esposada a Arliette. Esta molestia metálica me mantenía en la realidad y me impedía que me evaporara. Los presos ocupaban una buena sección del vehículo. Afortunadamente, una reja nos separaba de los hombres. Juraban, escupían y lanzaban obscenidades. ¡Un verdadero escándalo! Alentada por dos granujas, una de las muchachas descubrió sus pechos en sucesivas ocasiones. Absurdamente, este gesto me humillaba en extremo. Sentada en mi banco, en esta ensaladera, me sentía como un desecho humano. Un tipo de enormes bíceps, cubierto de tatuajes, tenía a Arliette en la mira. La atacaba sobre su cambio de sexo y la dañaba con injurias. Arlie permaneció estoica; sólo la blancura de sus nudillos traicionaba los esfuerzos que debía desplegar para no estallar. Por solidaridad, puse mi mano sobre la suya.

Llegada a mi destino, los guardias me fotografiaron, me registraron y, como debía sufrir exámenes, me condujeron hasta el ala psiquiátrica. Extrañamente, reinaba el mismo olor que en las celdas de la comisaría, aderezado además, de una pizca de agua sucia. Vestida con una chaqueta y calzando sandalias, fui arrastrando ligeramente los pies con el fin de mantener el contacto con el mundo. En la sala común, donde estaba instalada delante de una comida caliente, el reloj indicaba casi las diecinueve horas. El hambre me torturaba, pero mi corazón se levantaba en vilo con mi tenedor, y me impedía alimentarme. Tenía la cabeza baja y la mirada clavada al suelo con el fin de reducir al máximo mi visión periférica. Así pues, me sentí mejor protegida, aislada con la G.B.: "¡Cesa tu tejemaneje si no van a tomarte por una verdadera loca! Mira a esa energúmena en la otra mesa. ¿Has visto su tamaño? Arlie parece minúscula a su lado. ¡En serio, no te acerques, debe comer niños crudos en el desayuno!".

A las veintiún horas, las puertas de las celdas crujieron y las luces del pasillo se apagaron. ¡Esa noche de cautiverio daba el banderazo de salida a una larga carrera de interna! El personal efectuaba regularmente rondas de buenas a primeras; yo estaba a punto de morir de pavor. Debido al reflejo del cristal, no percibí más que la parte baja deformada del rostro del guardia. Durante una fracción de segundo, yo creí que la G.B. se había evadido de mi cabeza... No podía dormir debido a los ronquidos constantes procedentes de la celda vecina. A oír el escándalo que salía de ahí, debía tratarse de la chica de la que me había hablado la G.B. Por precaución, me levanté para comprobar que mi puerta estaba bien cerrada. La luz del tribunal exterior inundaba mi habitación y me impedía refugiarme en una negrura reconfortante. El miedo me rodeaba; sin embargo, no tenía ningún motivo razonable para evitarlo. El personal, para mi gran asombro, se había mostrado amable y compasivo conmigo: ¡nada que ver con los brutos pesados de las películas sensacionalistas! Finalmente, el lugar mejoraba más en el centro psiquiátrico o en el internado que en el presidio.

A pesar de todo, el miedo, anidado en mi alma, estaba latente. Una pedazo de conciencia sabía que estaba en el umbral de la demencia. Mediante ese satélite, aún funcional, Dana se comunicó conmigo para tranquilizarme: "Calmate, Rubby, mi ángel. ¡Estoy a tu lado y te protejo! Cruzaremos esta prueba juntas. No temas nada, no dejaré a nadie hacerte daño." Estas palabras me acunaron de esperanza durante algunos segundos, luego la G.B. se presentó.

Al día siguiente, hubiera preferido permanecer encerrada en mi celda, pero una vigilante me invitó a reunirme con el grupo para el almuerzo, en el cuarto de estar. Estaba completamente amedrentada y anticipaba las peores situaciones: ataque sorpresa de los *hombres de negro*; envenenamiento colectivo de las pacientes; desintegración del departamento y proyección en la cuarta dimensión... me sujeté al primer sitio encontrado y me abandoné en silencio. Dos prisioneras, entre ellas el mastodonte, me observaban con circunspección y terminaron por esbozar una sonrisa. En la sala, otras tres muchachas esperaban, plato en mano, elegir su comida. Una denominada Fernande gruñía y regañaba a cualquiera que se acercaba a ella. El personal parecía habituado y la incitaba amablemente a demostrar una mayor tolerancia. El ruido repercutía en el espacio y la gente hablaba fuerte. ¡Sentía que el corazón se me salía del pecho y que tenía la cabeza al aire libre, como si mis pensamientos fueran aspirados a otra parte! Ni hablar de moverse, por miedo a caerme. La giganta, entrada en los treinta, se acercó y me pidió permiso de sentarse a mi mesa. ¡Seguía escuchando las advertencias de la G.B. en mi cabeza! ¿Cómo habría podido rebatirle algo? Me enteré que se llamaba Betty y que adoraba la sémola espolvoreada de azúcar morena. Para colmo de su desesperación, sólo la daban una vez por semana; por esta razón se había servido dos tazones.

Repentinamente, Fernande lanzó su naranja a través de la habitación. Una vigilante le dio la orden de regresar inmediatamente a la celda. De pie, el aire belicoso, obedeció de mala gana. Dio un portazo con tal violencia que el eco resonó en mis oídos un buen rato. Esta clase de incidente parecía formar parte de la rutina, ya que nadie, excepto yo, prestó atención. Vuelta de nuevo la calma, Betty aprovechó para soltarme su *pedigrí* carcelario.

—Estoy aquí desde hace ya dos meses. Provoqué un incendio.

Al ver mi reacción de pánico, se apresuró a añadir:

—No aquí, pequeña, con mi puto suegro. ¡Pérdida total! Quedó completamente destruida la caja de los malos recuerdos. Preparé bien mi golpe: ninguna víctima y yo misma alerté a los "cabrones". ¿Es necesario hacerlo, no? Todavía no soy grande, ¿sabes? ¡Quiero creer que los traumas producen la mala hierba! Y ese corrupto se aprovechó mucho, antes de mis diez años. Mi abogado le mencionó esto al juez, pero me explicaron que no tenía el derecho a hacerme justicia yo misma. ¿Bonita pendejada, verdad? *Anyway*, ya está hecho y me siento mejor. ¡No soy una pirómana, nada que ver con esos locos que se mueven y gozan delante de las llamas! Soy incendiaria, punto y aparte. Ésta es la razón por la que me está prohibido fumar en mi cuarto. ¿Y tú? ¡Cuenta pues, tu historia!

Paralizada, ni un sonido logró atravesar mis labios.

—¿Te sientes mal? ¡Voy a informar a los guardias!

A la sola evocación de esa palabra, mi motricidad se echó a andar en modo acelerado. Solté un montón de palabras cortadas, sin vínculo entre ellas. Betty me observó con asombro y lanzó una gran risa. Casi me ahogo en mi palabrería y la G.B. añadió: "¡Ahogada por sus propias palabras: auto estrangulación mortal en una prisión!"

Mi vecina me administró una buena palmada en la espalda que me hizo volver en sí. Me torturaba saber si debería contarle la versión oficial o suavizada del delito. Lo más asombroso era que aún llegaba a hacer esta clase de distinción. Terminé por responder:

—Estaba con un cliente y resistí a mi detención.

—¡No es muy astuto de tu parte! ¡Los polis no aprecian que se les resistan!

—¡Lo sabré para la próxima vez!

Fin, el contacto se rompió. Betty se hundió en su primer tazón de sémola y lo devoró.

Al volver a mi habitación, oí a Fernande jurar y golpear contra su pared. Me quedaban veinte días para librarme de esta jungla; ¿sobreviviría? Aquí, las normas parecían indefinidas y la violencia, latente, se concretaba por arrebatos. Otra de mis preocupaciones se refería a mi madre. Era necesario que la contactara; debía estar loca de preocupación. Pensaba pedirle a Patsy que actuara como intermediaria con el fin de atenuar el *shock*. Aunque, al analizarlo, eso me parecía como una prueba de cobardía. Era mejor que actuara por mí misma.

Al anunciarle mi encarcelamiento, Marie no tuvo ninguna reacción. Su **no** reacción me mantuvo encogido el corazón. Además, no propuso venir a visitarme. De cierta manera, era quizá preferible. Comenzaba seriamente a perder el rumbo y, mientras menos testigos había, mejor me dirigía...

Un sentimiento de vulnerabilidad impregna mis recuerdos cuando rememoro este primer encarcelamiento. Sólo tenía dieciocho años, era la más joven del reclusorio. Alimentaba mi paranoia, envolviendo los acontecimientos exteriores en mi mundo fantasmagórico. La mínima mirada en mi dirección se transformaba en gesto amenazante. Estaba terriblemente sola... A veces, en un arranque de conciencia, me pregunto: "¿Cómo se hace para que esta terrible experiencia no me haya estigmatizado al punto de huir para siempre del mundo de la calle? ¡En esa época, tenía una oportunidad aún!". En la actualidad, todavía no llego a responder esta dolorosa cuestión.

En la tarde, después de la siesta —periodo de retirada a la celda obligatoria, de las doce con treinta, a las trece horas con treinta— Betty me hizo visitar la unidad. Había catorce celdas, de cuatro calabozos. Contrariamente a las habitaciones, las celdas de aislamiento no contenían ni buró, ni ventana. El sitio de una ventana existía, pero con los bloques de vidrio opaco que no dejaban filtrar nada, tapaban las celdas. Sólo una de las presas dormía en un calabozo: Fernande. Su agresividad justificaba esa situación. Éramos nueve pacientes en el ala psiquiátrica. Betty me presentó a la mayoría; parecía en buenos términos con cada una de ellas. No obstante, sospechaba que su tamaño era en parte responsable de esta cordialidad. Al cruzar con Fernande en el pasillo, esta última me increpó:

—¿Es a mí a quien examinas, microbio? ¿Quieres mi foto?

Betty me invitó a que me alejara sin más:

—¡No te metas, ella tiene una cabaña al menos, *Miss* Sonrisa!

Asombrosamente, un sistema de castas parecía prevalecer aún en este mundo dominado por la locura: aquí también, había parias. A este nivel, la prisión se parecía mucho al mundo exterior.

La unidad contaba con una pequeña sala bautizada como "El Club". Allí se podía leer, escuchar música o discutir entre nosotras. Antes, había también un acuario, que se retiró tras una historia bastante inusitada. Una paciente que consideró que la comida de los peces carecía de variedad, decidió darles maíz, garbanzos y distintas verduras. Una mañana, se constató que el agua del acuario se había vuelto marrón. Betty me contó el suceso, literalmente doblada por la risa:

—¡Era delirante! ¡No se veían más los peces! ¡Café, la inocente había hecho café en el agua! Todo el mundo corría en todos los sentidos para vaciar el estanque. ¡Uno de los peces estuvo a punto de caer por la borda! En consecuencia, se buscó a una familia de adopción para los sobrevivientes.

Por último, un cuarto de estar con televisor, refrigerador, mesas y cuarto de baño contiguo completaban el departamento. En el momento de las comidas, cuando todo el mundo se encontraba reunido, el aire se enrarecía. Habría preferido comer en mi celda, pero Betty me acaparaba y me impedía que me ocultara como quien no quiere la cosa. Por el contrario, su afecto hacía ventajosamente bajar mi miedo un punto. La mayor parte del tiempo, la puerta del sector quedaba abierta y nos permitía circular libremente en torno al puesto de control. Podíamos entonces compartir nuestras preocupaciones con los vigilantes. Se accedía al tribunal exterior tres veces al día. Los alambres de púas me impresionaban mucho. A la vista de estas cuchillas afiladas y oxidadas en algunos lugares, no podía impedirme imaginar mi cuerpo acuchillado, desgarrado, dejando escapar mi vida en un inmenso mar de sangre. La G.B. se inspiró: "¡Veamos estas bonitas serpentinas! ¿Para cuándo es la gran fuga?" Hizo una pausa y añadió, despreciando: "¡Es verdad, nuestra pequeña hada es más bien del estilo rastrero! ¡Sería necesario ver si pasaría más fácilmente bajo la cerca!". Nuevamente esta estúpida alusión a la oruga. Aunque era cosa del pasado, esta burla pérfida llegaba siempre a alcanzarme.

Tendida sobre mi cama, intentaba despejarme. La G.B. sufría de insomnio y parecía decidida a minarme la moral: "¿Vamos, pequeña hada, crees de verdad que tu pirómana hace todo eso por pura bondad de alma? ¡Despierta, está detrás de tu culito! ¡Parece que es común en el 'tambo'!". Pegué mis manos sobre mis orejas. "¡Si estuviera en tus zapatos, evitaría arriesgarme en el cuarto de baño! ¡Bah! ¡Te gustaría quizá la experiencia después de todo! ¡Eso te serviría para la calle, puta! ¡Podrías añadirlo a tu CV!".

—¡Basta! ¡Basta! ¡Cállate! ¡No eres más que una mierda asquerosa!

Había escupido mi cólera e, inmediatamente, unos golpes resonaron sobre la pared intermedia. Una de las presas gritó:

—¡Pendejos los de adentro, hay algunos que quieren dormir!

La G.B. había logrado su objetivo: desconcertada, yo temblaba de la cabeza a los pies. Unos pasos en el corredor me advirtieron de la llegada inminente del guardia. Una luz encendió mi rostro. Mis mantas subidas hasta debajo de mi nariz, mis dientes entrechocaban con tal violencia que tuve miedo de alarmar al guardia y que decidiera transferirme cerca de Fernande. Le hice una vaga señal con la mano para tranquilizarlo. La luz desapareció y fue a fastidiar el sueño de alguna otra. Estaba aterrorizada y me agarraba a las sábanas con fuerza. ¿Sería posible que la *Gran Bocona* tuviera razón? ¿Que Betty deseaba realmente engañarme? ¿Me pegaría si rechazara sus avances? Me dormí ahuyentando con dificultad estas visiones horrorosas.

Los siguientes días, evité el cuarto de baño como la peste. Aprovechando un periodo donde Betty se ejercitaba en el gimnasio, me deslicé para tomar una ducha. ¡Qué felicidad! El agua caía en cascada sobre mis hombros expulsando una fina película de desasosiego. Incluso muy furiosa, la G.B. no llegó a amortiguar el ruido y a enterrar esa deliciosa melodía. Surgí de mi entorpecimiento para deslizarme en la sensualidad. Cerrando los ojos, imaginé a Yan acariciándome lánguidamente y cubriéndome de besos. Mi cuerpo se estremeció, vibrando al ritmo de mi fantasma. Terminé mi baño, reduciendo el agua caliente al límite soportable. Este latigazo rechazó a la G.B., furiosa, en sus últimos reductos, hasta un rincón oscuro de mi cabeza.

Saqué provecho de la información sobre las otras detenidas por medio de Betty y de Henriette. Ésta poseía un itinerario muy impresionante. Habiendo trabajado a través del país, los cuerpos policiales de varias capitales canadienses la conocían. A sus cuarenta, lucía un tatuaje en el brazo izquierdo, representando a una serpiente enrollada alrededor de un corazón sangriento, bajo el cual las letras H y C se encontraban inscritas. Henriette gozaba de una cierta notoriedad ante las personas encarceladas de los sectores regulares. Yo había constatado este hecho yendo a misa. A la entrada de la capilla, algunas mujeres la habían saludado con respeto, pasándole los cigarros, un producto muy preciado en el interior. Voluble, se expresaba con ayuda de una lengua sumamente florida. Nuestro primer contacto se hizo sobre los columpios, por fuera. Ella me abordó diciendo:

—¿Eres tú, Rubby? ¿Betty dice que le diste una cachetada a un "cabrón politeco"?

Ignoraba qué responder. Lamentaba arriesgarme al exterior, en ese campo minado.

—¡Eh, tú! ¡Chica, es a ti a quien hablo, carajo!

—Quise... quise quitarle sus lentes, dije con una voz insegura.

Incrédula, repitió lentamente:

—¿Quisiste quitarle sus lentes?

Quise sonreír pero mi semblante expresó aún más la turbación. Parecía más bien la típica estreñida.

Mi malestar la incitó a reajustar su tiro:

—¡No te perturbes, pequeña. Tienes razón, no me incumbe, carajo! ¡No tenía por qué darte asco con sus "anteojos"!

Subrayó sus declaraciones, escupiendo en la hierba con desdén.

En aquel momento, Betty se unió a nosotras. Se dejó caer sobre el asiento, lo que causó toda una sacudida.

—Veo al *psi*, esta noche. ¡Voy a pedirle que cambie mis píldoras; duermo muy mal!

Henriette se volvió hacia mí y me preguntó:

—¿Tienes una solicitud de examen?

—¡Es lo que creí entender!

La tatuada con una mala jeta, se lanzó en un corto monólogo descriptivo con respecto al doctor:

—¡Marcel Foisy es francés, pederasta y psiquiatra, no es cualquier cosa! Astuto como un zorro con eso. ¡Te da confianza con sus modales agradables... y zas! Saca los dientes; y entonces descubre a la pequeña bestia, carajo! Tu ácaro cerebral, pues. Foisy el cazador de cabezas, como se le llama aquí. Trabaja también en *Pinel* con los locos peligrosos. Es necesario tener cojones, carajo, y en su caso, no es evidente.

Ella agarró la entrepierna de sus *jeans* sacudiéndola para mostrarnos que estaba vacía. Betty se rió a carcajadas y Henriette gratificó su hilaridad con un eructo sonoro.

—Foisy es un buen hombre demasiado guapo para un marica, un verdadero despilfarro. Atención, que un *psi* en tu cama, es como besarte con un sacerdote, eso no se hace. ¡Demasiadas puñetas en perspectiva!

Henriette apenas me inspiraba, se parecía demasiado a la G.B. Pero en mi posición precaria, no podía mostrarme difícil. Evidentemente, formaba parte de la conspiración. A sueldo de los *hombres de negro*, debía informarles de mis menores hechos y gestos. Así enterados, podían borrar todo rastro de invasión en este medio cerrado y minar mi credibilidad. Descubría demasiada incoherencia y elementos contradictorios en ella. No podía impedirle que jurara en todo momento; por el contrario, empleaba para la ocasión las palabras más buscadas. Además, a mis ojos, nada en su comportamiento justificaba su clasificación en psiquiatría. Había gato encerrado. Eso me desalentaba. Por todas partes donde mi mirada se posaba, detectaba un peligro o una amenaza. Insertada en estas arenas movedizas, llegaba a suplicar a la G.B. acabarme. Completamente desconectada, no tendría ya mal. Podría por fin descansar y dejar de tener miedo.

La enfermera me había advertido que me entrevistaría con el doctor en la tarde. Esta nueva prueba por pasar me preocupaba. Recorría mi celda de un lado a otro. Seis pasos de gallina de ida, seis pasos de gallina de vuelta. ¿El famoso Foisy era peligroso? ¿Iba a prescribirme medicamentos que me embrutecieran? ¿No podían dejarme tranquila y reconocer de una vez por todas que me revelaba loca e irrecuperable? ¡Desecho tóxico! La G.B. hacía ascos y se escondía, nunca le habían gustado los *psis*. Veinte minutos después de dormir, el vigilante me escoltó a la oficina del caza cabezas. El malestar que sentía emanaba del hecho de que yo no había tenido tiempo de peinarme. La entrevista se desarrolló bien y, para mi gran asombro, el *psi* me trató de usted. Me sentí un poco más grande. Henriette tenía razón, se trataba de un hombre guapo con maneras refinadas. Sin embargo, nada dejaba adivinar su homosexualidad. Foisy llegó rápidamente al delito que yo había cometido:

—Dime lo que pasó la tarde del 21 de agosto, Rubby.

De antemano, aseguró que yo estaba bien orientada en el tiempo. Me observaba sin insistir demasiado, lo que yo juzgaba tranquilizador.

—Quise arrancar los lentes del policía que me detenía.

—¿Por qué quería quitarle sus lentes?

La respuesta me parecía evidente.

—¡Era necesario que verificara sus ojos! Dije, un tanto agotada.

—Quería verificar sus ojos. ¿Por qué razón debía verificarlos, Rubby?

Se inclinó hacia el frente, invitándome a revelarle mi secreto.

—Porque...

No tuve tiempo de terminar mi frase; la G.B. acudió, con la espuma en la boca: "¡Cállate idiota, puta! Los *hombres de negro*, están en tu cabeza. ¡Ya estamos en la mierda, no añadas más, carajo!". Al observar los bonitos ojos azules de Foisy, constaté que sus iris eran redondos, no estrellados como los de los *hombres de negro*.

Repitió suavemente, como si se dirigiera a un niñito temeroso:

—¿Por qué razón usted debía verificarlos, Rubby?

—¡Para ver si tenían forma de estrella de siete picos!

Oí a la *Gran Bocona* rechinar los dientes.

Cuando el encuentro finalizó, Foisy había hecho el *tour* de mi vida: el *tour* de mi vida en noventa minutos... Prometió volverme a ver la semana siguiente, el tiempo que los medicamentos actúan. La enfermera me tendió las píldoras y, aunque la G.B. me impulsaba a ocultarlas, no pude eludirlo. Las tragué delante de ella, acompañadas de un gran vaso de agua.

Por la mañana, una agradable sorpresa me esperaba al despertar. Arlie me había escrito. Teniendo ante mí algunos minutos antes de la apertura de las puertas, saboree su carta.

> *Hola, nena. Me enteré de que anidabas en la enfermería. Podrás descansar, no está tan mal. Ayer por la mañana, al ir a la sala de visitas, te descubrí en el tribunal exterior. Estabas bien escoltada: una giganta y Henriette. A la grande, no la conozco, pero si algún día te molesta,*

avísame y me las arreglo con ella. Henriette, es cool. *Llega a veces a manipular la verdad sin precaución, pero eso no produce consecuencias. Ella puede serte útil, conoce el medio. Por mi parte, todo sería perfecto sin ese* tornillo *que se me clava en el culo. No sé porqué él está después que yo. ¡Juraría que mi cambio de sexo le afecta personalmente, como si fuera él, y no yo, quien hubiera dejado sus cojones! ¡Así tiene siempre para estropear el baile! Qué quieres, si fuera demasiado bueno, el índice de reincidencia subiría rápidamente. Comparezco mañana. Mi abogado propondrá al fiscal una sentencia de un mes; después de todo, se trata solamente de un mini fraude... debo dejarte, te envío muchos besitos. Escríbeme al A-2N #23.*

En posdata, había añadido que asistiría a la misa el domingo. Pensé en el paso a seguir. Me gustaba Arlie, era una persona entera. Concluí que el Creador, en su caso, había cometido probablemente una equivocación durante su concepción. Decidí pues dirigirme a la misa ese domingo.

Comenzaba a tener hambre; la hora del almuerzo debía aproximarse. Eché un vistazo por la ventana de mi puerta y vi de pronto a Madeleine, la paciente que ocupaba la celda enfrente de la mía. Su mirada impresa de un sordo terror me suplicó que le abriera la puerta: ¡escena insostenible! En el departamento, se encontraban casos verdaderamente patéticos y Madeleine formaba parte de ellos. De casi cincuenta años de edad, la albergaban en Tanguay desde hace cinco días. Se decía que estaba desnuda en un restaurante, creyendo que una serpiente se había deslizado en su blusa. Estaba confinada en su celda y salía solamente a almorzar para tomar un café y un vaso de leche. De otro modo, permanecía de pie en el resquicio de su puerta, a escudriñar el pasillo y la sala de estar. A menudo, encerraba su ventana con ayuda de papel higiénico mojado y, en la noche, bloqueaba la parte baja de su puerta con toallas. En dos ocasiones, los vigilantes habían retirado prendas de vestir y mantas de sus baños. Vivía en la obsesión de ver surgir serpientes en su habitación. Un inofensivo montón de polvo se transformaba para ella en rapaz rastrero y viscoso. Su sufrimiento debía ser terrible. Se mantenía de pie noche y día. La inflamación de sus piernas y de sus pies impedía distinguir sus tobillos. El cansancio y los medicamentos terminarían por vencer su obsesión. Debían trasladar a Madeleine al hospital después de su comparecencia. Pensaba que si la locura poseía una cara, sería la suya, sobre todo debido a sus ojos atormentados que lastimaban el alma. Miraba a Madeleine y un pensamiento delirante germinó en mi espíritu inquieto. ¿La G.B. tenía el poder de materializarse en el plano físico? Después de todo, una oruga no estaba muy alejada de una serpiente...

Durante mi encarcelamiento, mi madre sólo vino a visitarme una sola y única vez, un jueves por la noche. Otras dos detenidas se encontraban en la sala de visitas. Los cinco primeros minutos fueron muy sufridos: la emoción alcanzó su cima. Cuando dejé de llorar, a Marie le tocó su turno. El vigilante permaneció hacia atrás, pero disponible, por si acaso... La visita, tranquilizadora, se desarrolló detrás de un grueso cristal. Esta pared nos mantenía a kilómetros de distancia. Marie había envejecido mucho y, sin duda alguna, yo era la artesana de esta triste metamorfosis. Encerrada en este cubo de vidrio cerca de otro visitante con aspecto amenazador, parecía minúscula, comprimida sobre sí misma. Fiel al cargo, la G.B. estaba sobre aviso y lanzó: "¡Bonito trabajo, pequeña hada! Se creería que tu abuela Lucie volvió de nuevo. ¡Puedes estar orgullosa, ramera!". Esa bofetada me nubló de nuevo la vista. Desde siempre, llevaba el peso de los sinsabores de Marie, sintiéndome hasta cierto punto responsable de éstos. Wolf había intentado bien disuadirme pero, pérdida de tiempo, este sentimiento permanecía profundamente afianzado en mí. Lamentaba su visita, el ver a mi madre me hacía demasiado mal. Intercambiamos algunas trivialidades y cada una volvió a su aislamiento.

Esa noche, tuve un sueño atroz, el mismo que tuve a mis once años. Creía esta pesadilla desaparecida pero, evidentemente, dormitaba. En esta versión corregida, mi madre y no Louise, mi amiga muerta por un maldito chofer, saltaba del techo de la escuela arrastrándome en su caída. El efecto era mucho más perturbador y me desperté asfixiándome.

Me tenía sobre aviso, en constante alerta, pero los días no desfilaban menos lentamente. Debido a los medicamentos, la G.B. hablaba más bajo —ventaja no desdeñable—. Yo evolucionaba entre dos realidades: la de la *esquizo*frenia y la suya. Es el peor momento, aquel donde se da cuenta que hay otra verdad accesible. Hizo todo lo posible por juntarla pero ella se le va entre los dedos. Se trata de un combate inhumano; todo pasa en su cabeza, detrás de sus ojos. ¡Por mi parte, volverse loca resulta menos doloroso que mis tentativas para acceder a su mundo!

El domingo llegó mientras arrastraba los pies. Fernande, Henriette y yo eramos las únicas en desear asistir al oficio religioso. Antes de ir, las vigilantes insistieron ante Fernande para asegurarse que se comportaría convenientemente durante la misa. En la entrada de la capilla, el padre Charles nos estrechó la mano y nos saludó amablemente. Arlie, sentada en la primera fila, me esperaba y me indicó que me había reservado un asiento a su lado. Fui feliz de poder sustraerme temporalmente a la vigilancia de Henriette. Su familiaridad me agotaba y me irritaba. Arlie personificaba la antítesis misma de la discreción. Llevaba ropa con colores brillantes, de muy buena calidad, todo ello completado por accesorios de su fabricación. En el medio carcelario, su fama la precedía y su imaginación formaba parte integrante de su leyenda. Todo el mundo la quería mucho, tanto de un lado como del otro, excepto en la *banda* anti-transexual.

La celebración se desarrolló armoniosamente, hasta que Fernande soltó un gas ruidoso y apestoso. El padre Charles guardó el control a pesar de las risas y los comentarios que surgieron. Pasaron algunos minutos y la misma maniobra se produjo de nuevo. Fernande permanecía concentrada e impasible, aparentemente inconsciente del desorden que provocaba. La detenida sentada más cerca de ella le indicó la puerta con el dedo, diciendo:

—¡Ve a ver si yo estoy ahí, y regresa con los platillos voladores, cara de débil!

No era necesario más, para que Fernande lanzara su *Roguemos en la Iglesia* en la cara de su vecina y le saltara encima. La mayoría de las detenidas se apuntaron para controlarla. Durante este tiempo, el sacerdote había alertado a los vigilantes, que escoltaron a Fernande al calabozo. La otra detenida, aún agitada, pidió regresar a su celda, prometiendo hacer acusaciones contra su agresora. Arlie me confió:

—No hará nada, habla para no perder la cabeza. ¡Va a ocupar su calabozo, como siempre!

Regresando a nuestra ala, Henriette contó, a quien quería oírlo, su versión corregida y aumentada del acontecimiento.

Foisy mantuvo su promesa y me entrevistó una última vez para concluir su peritaje. Me consideraba en la vía adecuada y comprobó su hipótesis:

—¿Entonces, Rubby, cómo vas con los *hombres de negro*?

No llegaba todavía a sostener bien su mirada mucho tiempo.

—Hay un poco menos. ¡Es más inquietante por aquí!

—¿De qué se trata, Rubby? dijo, con la ceja levantada y el aire preocupado.

—¡Las serpientes de Madeleine! ¡Si ella es *esquizo*, abandono el *juego* a la G.B.!

Emití ese comentario en un tono desenvuelto. ¿Por qué proseguir este combate, pensé, si el resultado me empujaba directamente en el universo de esta paciente?

Foisy no engañaba, sentía mi miedo detrás de esta observación.

—Su problema es completamente diferente al suyo, Rubby. ¡No tenga miedo, una buena medicación la traerá de nuevo entre nosotros, sin reptiles ni *hombres de negro*!

Hecho curioso, ¿por qué no me cuestionaba con respecto a la G.B.? ¿Por qué no buscaba saber de qué hablaba? Le estreché la mano y salí. Para él, yo constituía un caso cerrado: apta para sufrir mi proceso, pero irresponsable. En otras palabras, se me consideraba normal a pesar de algunos espasmos de locura ocasionales. Como el maestro Ronel me lo había explicado, para un delito también menor, el tiempo transcurrido en prevención bastaría. Al proporcionar una dirección fija y al someterme a un seguimiento psiquiátrico al exterior, el juez me liberaría. Me quedaba pues una decena de días por purgar antes de mi liberación.

Una noche, cuando me había acostado temprano y había tenido cuidado de cerrar mi puerta, para evitar las intrusiones de Betty y Henriette, fui testigo de un drama conmovedor. Un largo quejido, que acabó en un grito de desesperación, me sacó de mi sueño. Ese grito me sacudió hasta el tuétano, alertó todos mis sentidos. Varias personas se aglutinaron delante de la habitación de Amanda, mi vecina de la izquierda. Amanda era la apestada de la enfermería. Algunas detenidas la llamaban *baby killer*, ya que había matado a su única hija, Julie. Oí a los vigilantes dispersar a las curiosas e indicar a la central, por radio, que todo estaba bajo control. Amanda lloraba y suplicaba a las guardianas no ir. Ella les soltó toda su historia. Habríamos jurado que un torturador invisible le dictaba su confesión. Su discurso estaba de tal manera cargado de sufrimiento y de pesar, que cada palabra parecía quemarle los labios.

Dijo: Phil, su cónyuge difunto, algunos meses antes. Su fotografía sobre la cómoda, apoyada en Winnie Pooh.

Dijo: Julie en su baño, adueñándose torpemente del jabón y riéndose, la nariz cubierta de espuma. Su pijama rosada con motivos de Mickey. Las sábanas recién lavadas, oliendo bien, a lavanda.

Dijo: la última sonrisa de Julie, sus grandes ojos alegres. El rezo susurrado cuando había colocado la almohada sobre la bonita cara dormida de su hija.

Dijo: el maravilloso dolor cuando la navaja había cortado sus muñecas, el calor de su propia sangre. La esperanza de encontrar a sus dos amores en lo alto. Por fin el descanso...

Dijo: el horror cuando había visto la cara del enfermero de la ambulancia, cuando ella había comprendido sus actos. El frío, el abismo...

Amanda terminó su relato sin aliento, murmurando:

—¡Julie, mi bebé, ven a ver a mamá, ven a ver a mamá!

Temblaba. Mi debilitado cuerpo, en suspenso, absorbía el sufrimiento de Amanda. Aún hoy, al evocar esta escena, la carne de gallina me cubre.

Los días siguientes, Amanda pareció volver a tomar gusto a la vida. Cuidaba su apariencia, empezaba de nuevo a alimentarse y sonreía algunas veces. Cinco días después de su confesión, la encontraron colgada en el cuarto de baño. Se lanzó un código urgente por radio y a nosotras se nos confinó a nuestras celdas.

El director, acompañado de la enfermera y de la psicóloga, nos anunció oficialmente la muerte de Amanda Réneau. Pensaba que ella nos la había hecho buena. Cuando sonreía, su decisión estaba tomada: su sonrisa se dirigía a la muerte y no a la vida.

Foisy me volvió a ver una última vez, queriendo asegurarse que superaría el choque causado por el suicidio de Amanda. Dejé Tanguay un miércoles por la noche, en compañía de mi madre. Prometí a Arlie mantener el contacto y se comprometió, a su vez, a llamarme por teléfono.

Capítulo 19

La esperanza

Me obligaron en adelante al descanso forzoso: prohibido trabajar temporalmente, bajo recomendación de mi nuevo psiquiatra. Al salir de prisión, me enviaron a consulta al Albert Prévost, pero como ya era mayor de edad, no podía seguir siendo tratada por Wolf, entonces se me confió a Berthe Bélaski. Llegada a ese punto, esta nueva contrariedad se sumaba a los riesgos de la enfermedad. La doctora Bélaski me puso las cartas sobre la mesa sin rodeos. Sus palabras desentonaban con respecto a la fragilidad de su fisonomía:

—Me gusta mi trabajo y me gusta ayudar a la gente. ¡No ahorro mis esfuerzos y si debo zarandearte para que reacciones, me esforzaré, es seguro! No puedo hacer las cosas por ti, esta zona de responsabilidad te pertenece. Eres *esquizo*frénica, no hay modo de escapar. Es tu segunda recaída, lo que nos indica que tu enfermedad tiene los riñones sólidos. Con la ayuda de los medicamentos, podrás salir bien. La ciencia hace constantemente progresos en la materia. Rubby, el doctor Wolf me habló de ti en términos elogiosos. Acepté ayudarte, pero tengo una condición: tu presencia. Respeta tus citas. Puedo trabajar con alguien rebelde, cerrado, pero no con una silla vacía...

El mensaje, nítido, no dejaba ninguna escapatoria posible. Su discurso resultaba un tanto más contundente que el que se había lanzado después de quince minutos de silencio. Había entrado a su oficina a las diez horas y, aparte de las presentaciones de costumbre, ninguna otra palabra se había intercambiado. El silencio, pesado, cargado de amenazas, se había instalado confortablemente entre nosotras. Reflexionaba, mis neuronas se estaban activando en todos los sentidos. Incluso la G.B. había permanecido boquiabierta; ninguna ayuda se recibía por ese lado. Ignoraba si ella empleaba siempre esta táctica del silencio, pero había comenzado a exasperarme seriamente. Me había sentido molesta, roja como esa pañoleta de mierda que llevaba alrededor del cuello. ¡Por otra parte, soñaba con apretarla hasta que pidiera perdón! Incómoda, me había dicho que esa *psi* debía ser sádica para ponerme el pie, para torturarme de ese modo. Ella había elegido entonces ese momento para pronunciar su discurso. ¡En el estado de vulnerabilidad en el que me encontraba, sus palabras se impregnaron profundamente en mí, grabándome el sello de la famosa doctora Bélaski!

Intentaba respetar siempre sus órdenes, excepto los periodos de encarcelamiento. Esa famosa zona de responsabilidad justo no me pertenecía, puesto que debía compartirla con la G.B. Obviamente, esta última comprometía mi razón; luego mi conducta. Bélaski no concedía ninguna validez a mi razonamiento. La *Gran Bocona* procedía de mi enfermedad y no ejercía ningún poder sobre mí. ¡Se veía que ella no era *esquizo* para emitir tales necedades! A pesar de todo, aprendí a conocer a esta mujer y a tenerle confianza. Trabajaba en mi socialización, en mi integración. Muy pocas visitas al pasado para legitimar mi hundimiento. No hay excusas, solamente las pruebas y las medidas tomadas anteriormente para salirme de la pasividad.

Este periodo de mi vida es muy poco interesante. Viviendo con mi madre, o más bien con su sombra, en el mismo barrio de mi infancia, comencé los trámites con el fin de recibir los beneficios de ayuda social.

Me presenté a la oficina a las nueve horas. La sala de espera ya contaba con varios pacientes. Un gran tipo, de aspecto indefinible, insultaba a la recepcionista a propósito de un cambio de dirección. Yo entendía porqué el empleado trabajaba detrás de un mostrador completamente protegido por un cristal. Rápidamente, un agente de seguridad se presentó y el energúmeno debió salir y abandonar la oficina. Nadie reaccionó, actuando como si esta escena se hubiera desarrollado sobre una pantalla y no en directo. Hacia las once horas, fue mi turno para presentarme ante un investigador. Aunque tenía todos los documentos requeridos, el procedimiento, incluyendo un mini interrogatorio, siguió su curso. El funcionario observó mi justificante médico, poniendo cara de asco, como si el papel contuviera genes transmisibles de mi enfermedad. Me sentí inferior. La G.B. aprovechó para desentumecerse la lengua: "¡Endereza los hombros, buscona! No es más que un chupatintas frustrado. ¡Si él se siente grande, es porque tú eres pequeña, eso es todo!". Estuve a punto de caerme de espaldas: ¡la G.B. me defendía! Lo nunca visto. Mi alegría fue de corta duración. Añadió: "¡Podrías hacerle una 'pipa', tendrías quizá una prima para joderla, perra!".

Los meses transcurrían así, sin ruido y sin vida. La G.B. me visitaba, a pesar de mi medicación, como una vieja tía gruñona y un poco senil que surge de improvisto, repitiendo las mismas viejas quejas. Por el contrario, ningún rastro de los *hombres de negro*. Mi madre trabajaba, y yo cobraba la pensión del Estado. Sin embargo, a pesar de sus convicciones, ella nunca rechazó abiertamente mi forma de vida. En esa época, se podría decir que yo era una verdadera prostituta. Frecuentaba a Patsy y a Arlie, fumaba y bebía si se daba el caso y veía a Bélaski. Tenía un pie en la calle, además de una *esquizo*frenia en tratamiento. Me consideraba en periodo de transición. Sin querer asumir compromisos, no hacía nada para satisfacerme, al no tener ningún proyecto de vida o de muerte.

A veces, pensaba de nuevo en Amanda y admiraba su valor, su determinación. Yo acariciaba a menudo la idea de suicidarme. Coqueteaba con ese pensamiento, dejándolo seducirme, lo que me producía escalofríos. Imaginaba la consecuencia: el dolor de mi madre, el hipo de mi *psi*. La vida después de la muerte se detenía a nivel físico; no me atrevía a trazar teorías sobre el más allá. Las represalias posibles me daban demasiado miedo, aunque esperaba que una *esquizo* tendría necesariamente derecho a una concesión por perjuicio sufrido en la adolescencia. Si seguía las huellas de mi madre, mi agonía corría el riesgo de durar años. El desamparo de Marie parecía profundo —más allá de la culpabilidad, el pesar o la vergüenza— en este lugar donde la ausencia de vida no daba pie a los sentimientos. Su duelo, aún demasiado presente, le impedía reaccionar.

En el verano de mis veinte años, recibí una llamada de Arlie ordenándome encontrarla urgentemente en la taberna del parque. Al llegar al lugar, me anunció una noticia que me desgarró las tripas:

—Rubby, mi nena, no podía anunciarte esta catástrofe por teléfono.

Su mirada habitualmente franca y directa pretendía evitar la mía. El miedo me consternó y me causó un repentino dolor de vientre. Usé un tono bromista para contener el malestar que me invadía.

—¡Habla, Arlie! ¿De qué se trata? ¿Hiciste una idiotez o te preparas para hacer una?

Arlie no sonrió, mostró una cara de muerto.

—Esto concierne a Patsy. La descubrieron inconsciente en una callejuela. Está mal, Rubby, está irreconocible. ¡Es necesario ser un sádico para hacer eso!

Apretó mis manos en las suyas y añadió:

—Puedo acompañarte si quieres, el hospital está junto. ¡No sé si va a salir bien, querida!

Apenas terminó su frase, me levanté, mirando al vacío. Me sentía mal por todas partes. No sabía más dónde estaba. Patsy, mi amiga, mi hermana, me necesitaba. ¡Era incuestionable que ella partiera sin mí! Arlie me sacudió suavemente y me llevó hacia la salida.

A pesar del calor asfixiante, estaba helada al entrar al hospital. En el vestíbulo de la entrada, dos inmensas columnas de mármol sostenían la estructura superior. Eso daba la furtiva impresión de entrar en un templo. No obstante, la comparación se interrumpía, pues cruzada esa puerta, una agitación controlada reinaba un poco por todas partes. Al llegar al tercer piso, tomamos un largo pasillo que desembocaba a la unidad de cuidados intensivos. Arlie me hablaba, pero capté solamente una parte de sus recomendaciones:

—Dirás que eres su hermana pequeña, así te dejarán verla.

Estas dos palabras me confundían: "cuidados intensivos". Esas letras insignificantes ocultaban una horrible realidad: la vida o la muerte.

La sala contaba con diez habitaciones, separadas unas de otras por vidrios oscuros. En el puesto de guardia, Arlie pidió ver a Patsy. La enfermera parecía conocerla y sonrió cuando me presenté como otra hermana de su paciente. Evidentemente, observándonos a Arlie y a mí, debía deducir que no éramos de la misma familia. Nos autorizó a acercarnos a su cabecera, una por una, por algunos minutos solamente.

La enfermera me advirtió que el estado de Patsy seguía siendo crítico aunque estable. Las próximas cuarenta y ocho horas resultarían determinantes. Me detuve ante el sitio número 6 y verifiqué el nombre inscrito sobre la tarjeta colgada en el barandal de la cama: Patsy Demers. Al acercarme, recibí un golpe directo al estómago que me dobló en dos. La silueta tendida bajo la sábana, no tenía ya nada de humano. Para no desmayarme, clavé mi mirada al monitor cardiaco, concentrándome en la señal sonora. Poco a poco, volví en mí y conseguí enfrentar la visión de pesadilla clavada en su sufrimiento.

La cara no constituía más que una superficie inflada y violácea. Los párpados y los labios, tumefactos, dibujaban tres líneas agrietadas asimétricas. Un tubo se insertaba en la tráquea para facilitar la respiración de esta pobre criatura. Su corta cabellera, pegada a su cráneo, dejaba entrever una larga cuchillada que iba de la oreja derecha y se atenuaba en la cumbre de la cabeza. Una cantidad increíble de tubos y de agujas mantenían a mi amiga prisionera.

La indignación me aniquilaba. Una oración me subió a los labios y me apresuré a abrigar a Patsy. Le prometí permanecer a su lado:

—Vas a salir adelante, mi gran amiga. ¡Debes salir adelante! ¡No me dejes, no lo soportaría!

Abandoné precipitadamente el lugar para ir a vomitar.

Sin la ayuda de Arlie, ignoro lo que habría sido. Hice el juramento de sostener a Patsy a lo largo de su calvario, cualquiera que fuera la salida. Si debía ahogarse, yo estaría allí para sostenerle la mano. La reacción de la G.B. reforzó mi resolución: "¡Déjala, puta! No es más que una ramera en vías de extinción. Tienes ya enmarañados los pinceles, entonces no busques el desorden. ¡Aléjate de este cadáver!". ¿Qué cromosoma defectuoso en casa había podido generar tal monstruo de crueldad? Sus palabras hirientes avivaron mi furia. ¡Al menos, me hacían reaccionar, poco importan los sentimientos que dichas palabras desencadenaban!

Antes de partir, Arlie obtuvo la aprobación del médico para que yo permaneciera a la cabecera de mi amiga. Se me autorizó velarla con la condición de que no entorpeciera el trabajo del personal. El doctor nos describió brevemente la situación. Patsy sufría de una conmoción cerebral, de una fractura de la nariz y de la mandíbula, de una perforación en el pulmón derecho; tenía además tres costillas rotas, numerosas laceraciones en el pecho y en los muslos y no menos de una decena de heridas abiertas causadas con cuchillo. Al escucharlo, tuve la impresión de oír el balance de una autopsia. Mi rabia se trastocó en desesperación. Ella nunca sobreviviría a tal agresión. Por otra parte, dudaba mucho que deseara reinstalar su mundo.

Las horas que siguieron se encuentran entre mis recuerdos más íntimos y los más queridos. Dejaron una marca indeleble en mi alma torturada.

Armada con un inmenso café negro, me instalé junto a mi amiga. Con una infinita delicadeza, toqué su frente. Este contacto abrió una brecha en la superficie de mi conciencia: el odio en el estado puro existía y mi hermana había recorrido su camino. Demasiado afectada para reflexionar, no me atrevía a imaginar el terror que había podido vivir. ¿Había tenido tiempo de darse cuenta de lo que le esperaba? ¿Se había defendido? ¿Conocía a su agresor? Toda esta violencia y este dolor, se tambaleaban. Si quería ayudarla, no era necesario dejar los "cómo" y los "por qué" volverme loca y arrastrarme en sus espirales estériles. Me aferré al momento presente con toda mi fuerza. Comencé a tararear una tonada de los Bee Gees —*Staying Alive*— a la que ella le tenía un afecto muy especial. Me convencí de que captaba mi presencia, incluso inconsciente. Este pensamiento me reconfortó y me impidió venirme abajo.

La enfermera de guardia vino a comprobar el suero y a ajustar los diferentes aparatos. Me pregunté si a Patsy le dolía. En respuesta a mi pregunta muda, como si hubiera leído mis pensamientos, me tocó el hombro y dijo:

—Le dimos morfina a las cuatro de la mañana. ¡Lamento lo de tu hermana!

Estas pocas palabras me volvieron a dar esperanza en la humanidad; en este lugar, mi amiga descansaba con seguridad.

Hice un espacio para ver a Patsy mientras apoyaba mi cabeza en las barras laterales de la cama. Así, pude relajarme y mantener mi vigilancia. La observé intensamente ya que había notado que, a veces, su respiración cesaba. En esos momentos de tensión, suspendía también la mía, en sincronía. La enfermera, consciente del fenómeno, me garantizó que no había motivos para preocuparse. Cuando hacía su ronda, yo la tenía al corriente de la situación. Así, me sentía útil y creía colaborar en el bienestar de Patsy.

Debía hacer grandes esfuerzos para permanecer en el presente; mi espíritu vagabundeaba. Me acordaba de Patsy en los tiempos del Sophie-Barat, alumna orgullosa y provocadora. Su aire de desafío al comienzo de sus dieciocho años, cuando oscilaba en el mundo de los adultos y después abandonó a los suyos. Algunos meses antes, me había confiado sus proyectos futuros, los sueños que acariciaba: "Dejaré la calle con la cabeza en alto,

Rubby. Voy a abandonar todo y a instalarme en el Sur. He ahorrado bastante, tú sabes; es una cuestión de tiempo y me retiro. Rock vendrá a reunirse conmigo y compraremos un restaurante. ¡Tú serás bienvenida, hermanita!". Sonreí internamente a esta evocación y, precipitadamente, el horror me volvió a atormentar: Patsy quizá no vería nunca el mar, y su hermano se quedaría solo.

Pedí a Arlie que buscara a Rock. Ignoraba qué era de él, nuestro último encuentro hacía ya un año. Conocía los vínculos que unían a Patsy con su hermano y esperaba que su presencia le ayudara a salir del problema. ¡Si alguien podía salvarla, era indudablemente él!

Por la noche, en el instante en el que me había adormecido un nanosegundo, Patsy fue presa de violentas convulsiones. Aunque la alarma sonó, corrí a avisar a las enfermeras. A mi regreso, su cuerpo parecía dislocado: un brazo colgaba a través de los barrotes, su pie derecho, negro e hinchado, se había liberado de las sábanas, su lengua buscaba apretar los labios, provocando un hilo de sangre en la orilla de su boca. El monitor cardíaco emitía un sonido estridente. La primera enfermera en intervenir me pidió dejar la habitación. Otras tres enfermeras y un médico se precipitaron a continuación, cerrando las cortinas detrás de ellos.

Yo estaba asustaba. Sólo deseaba huir, huir muy lejos de esta pesadilla. Un carro de ropa detuvo mi carrera loca. Estuve a punto de dar una voltereta por debajo de la cabeza. Encontré mi equilibrio por un pelito y me apoyé en la pared para llorar un buen rato. Estaba inconsolable, la imagen de Patsy me atormentaba. Habría querido expulsar esta visión de mi alma. La G.B. reiteró su advertencia: "¡Te había avisado, perra! No era necesario embarcarte. ¡Nunca estarás a la altura!". Demasiado trastornada, su reprimenda no me hirió. Di marcha atrás lentamente, teniendo cuidado de no colocar los pies en las líneas de demarcación del piso. Esta técnica, desarrollada al paso de los años, exigía una atención constante y me permitía encontrar mi calma y relajar la presión. Habitualmente, eso resultaba eficaz, pero teniendo en cuenta las circunstancias, debí realizar más esfuerzos.

Me instalé en la sala de espera de cuidados intensivos y llamé por teléfono a Arlie con el fin de saber cómo avanzaba su investigación. Me informó que Rock, había salido recientemente de Bordeaux, se encontraba en libertad condicional. No vivía ya en su última dirección conocida. Esperaba noticias de un antiguo amor con quien mantenía el contacto y que estaba en excelentes términos con un Comisario. ¡Qué alivio, Rock quizá estaba a tiempo!

Con los nervios a flor de piel, regresé ante Patsy. El equipo de urgencias había estabilizado sus signos vitales y le había administrado un anticonvulsivo. La espera se prolongó, interminable y desesperante. Los minutos pasaron con calma, pellizcando a mi amiga una partícula de vida cada vez mayor. El médico me dio muy poca esperanza. Habría querido retener el tiempo, impedir el desenlace fatal. Me aferré a Dios, a la suerte, a todo eso que podría interceder en su favor.

Canté y hablé a Patsy. Todo sucedió: nuestro pasado, nuestros proyectos, mis agarrones con la G.B., el último vidéoclip de Madonna... A veces, en medio de una frase, me derrumbaba y sollozaba. Lo absurdo del momento me reventaba la cara, quebrantando mi frágil determinación. Maldecía a la vida, a los asesinos hijos de puta, al sexo... Y luego, el miedo y la vergüenza se abatían sobre mí; imploraba entonces a Patsy y a Dios perdonarme, ignorar lo que acababa de decir.

¡Llegué a pensar que parecía mucho más fácil suicidarse que dejar a la vida elegir su muerte! Mi amiga siempre había tomado su destino en sus manos, nadie le imponía nada. En fin, era esta la imagen de ella que deseaba conservar. Eso la volvía fuerte y más susceptible de vencer la adversidad. De no ser así, seguiría siendo una eterna víctima, zarandeada por cada hijo de vecino, a merced del primer canalla.

Estaba a punto de amanecer y Patsy sobrevivía milagrosamente. Eso me animó, aunque ningún cambio significativo ocurría. Luchaba y era lo que me importaba. Las enfermeras me aconsejaron descansar mientras ellas vigilaban. Salí a desentumecerme las piernas en el parque situado frente al hospital. Pretendía comprender, poner un poco de orden en este caos. Me sentía vacía, completamente hecha polvo, insensible al mundo exterior. Ninguna otra cosa tenía importancia. Necesitaba regresar inmediatamente con mi amiga; si moría durante mi ausencia, no me lo perdonaría.

Volví a tomar mi puesto y comprobé que todos los aparatos funcionaban. Me encontraba egoísta e irracional ya que, incluso en este estado lamentable, quería conservar a Patsy cerca de mí. Luego, un momento después, le decía que podía partir, que una región magnífica la esperaba en otra parte. ¡Que mis abuelos estarían allá y la acogerían tendiéndole los brazos! Al pronunciar estas palabras, la pena me atrapaba pero, simultáneamente, una gran paz me animaba el alma.

Me preguntaba si debería creer en las historias que se contaban a propósito de los moribundos que decidían el momento de morir. Algunos prolongaban su agonía varios días con el fin de poder abrazar una última vez a un ser querido. ¿Sería ese el caso de Patsy? ¿Esperaba a Rock, a la única familia que le quedaba? El año pasado, su padre había muerto, solo, en un tugurio de la parte baja de la ciudad. Mi amiga había afirmado que a ella le tenía sin cuidado, que su viejo sólo recogía lo que había sembrado: ¡el vacío! No debía realmente pensar lo que decía, pues su tristeza saltaba a los ojos. Su partida no había disipado el rencor que ella abrigaba; ¡la muerte más bien, había frustrado su venganza!

¡Confusa, no sabía ya cómo actuar, qué decir o hacer! Al incitar a Patsy a partir, le retiraba su derecho a elegir. Me convertía en un elemento extra que debía combatirse, le minaba la poca energía que le quedaba. El miedo a equivocarme y poner el desorden en sus últimos momentos de vida me hundía. ¡Era insostenible! La G.B. debía estar perturbada también ya que, por una rara vez, no emitió ningún comentario desagradable.

Mi hermana no superó nunca el umbral fatídico de las cuarenta y ocho horas. Se apagó en mi segunda noche de vigilia. Algunos minutos antes de que ella me dejara, mientras que le tarareaba una canción de cuna, observé que su respiración se modificaba. Su soplo se volvió continuo y muy débil, casi imperceptible; apenas su pecho se levantaba. Extrañamente, tuve la impresión de que su rostro se relajaba a pesar de la inflamación. Yo proseguí con mi canción, los sollozos ahogándose en mi garganta. No me atreví a mirarla con demasiada insistencia por temor a profanar ese momento tan íntimo, tan solemne. Una lágrima apareció en la orilla de su ojo, resbaló a lo largo de su mejilla. Por esta simple señal, me hizo comprender que ella había estado todas estas largas horas. ¡Su martirio acababa! Nunca había sentido tal sensación de amor y de gracia.

El tiempo parecía suspendido, inmovilizado en una extraña quietud. La atmósfera de paz y de serenidad fue de corta duración: un equipo de urgencias se precipitó para reanimar a la paciente del 6. En lo más profundo de mis entrañas, sabía que sus esfuerzos eran inútiles. Patsy había tomado su decisión; no les permitiría traerla una segunda vez entre nosotros. Este mundo la había herido y rechazado cruelmente. ¡Ella se iba con dignidad! Dejando su cabecera, intocable y triste, yo experimenté a pesar de todo la exaltación, teniendo el sentimiento de haber cumplido mi misión acertadamente, en la medida de mi comprensión. El abuelo estaría orgulloso de mí.

Esperaba en la sala de descanso para recuperar sus pertenencias cuando vi aparecer a Rock, el rostro azorado y los ojos alucinados. Había faltado a la última cita con su hermana. Se lanzó a mis brazos y me estrechó con violencia.

—¡Mataré al hijo de perra que le hizo eso! Prometió con una voz silbante.

Lo empujé tiernamente y lo conduje ante Patsy.

La habían conducido a una habitación privada en el mismo piso, esperando su transferencia hacia la morgue. Por pudor y respeto, dejé solo a Rock.

De regreso a casa, me hundí en un sueño agitado. Tuve pesadilla tras pesadilla; las imágenes y los sonidos rompían mi espíritu en forma acelerada. Mi ansiedad me desconcertaba completamente. En una de las escenas, me veía acorralada en el fondo de una callejuela, atacada por un agresor invisible. A cada golpe dado por ese fantasma demente, experimentaba un dolor fugaz. El sujeto me infligía las mismas heridas que a Patsy. El cuadro volaba en pedazos y yo me encontraba catapultada en un largo túnel mal iluminado. Oía a un niño que lloraba a lo lejos, pero yo permanecía incapaz de descubrirlo en la penumbra. Cuanto más avanzaba, más el pasillo se estrechaba, hasta llegar a devorarme.

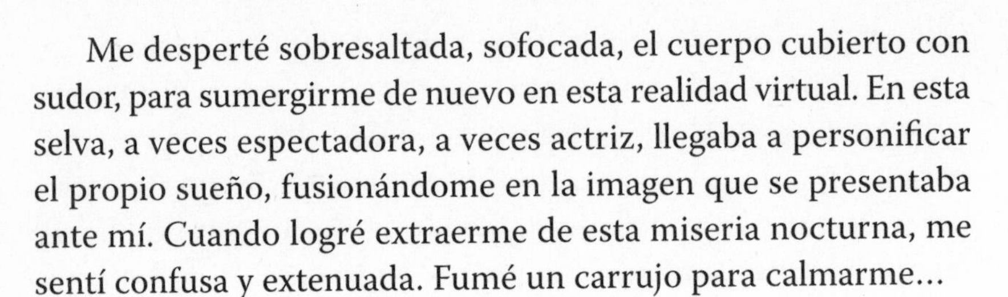

Me desperté sobresaltada, sofocada, el cuerpo cubierto con sudor, para sumergirme de nuevo en esta realidad virtual. En esta selva, a veces espectadora, a veces actriz, llegaba a personificar el propio sueño, fusionándome en la imagen que se presentaba ante mí. Cuando logré extraerme de esta miseria nocturna, me sentí confusa y extenuada. Fumé un carrujo para calmarme...

No vi a Rock, sino dos semanas más tarde. Mientras tanto, me había quedado enamorada de él. La noche, sola en mi habitación, fantaseaba y me inventaba bellas historias de amor. Rock tenía los mismos ojos que su hermana; al mirarlo, encontraba una partícula de Patsy. Eso aliviaba mi pena y suavizaba mi duelo. En el hospital, me había resultado tan frágil que me aferré ante todo de su vulnerabilidad. Lo conocía muy poco, sólo a través de las palabras de mi amiga. Las raras veces donde nos habíamos cruzado, había envidiado la complicidad que lo unía a su hermana. ¡En esa época, nunca habría tenido la idea de considerarlo de otro modo más que como el hermano de mi mejor amiga!

Después, la situación había evolucionado. ¡Nunca he sabido si nuestra relación hubiera sido, para Rock y para mí, el fruto de un infeliz cúmulo de circunstancias! ¿A pesar de todo me habría gustado, no había sido por mi amistad con su hermana y por su muerte trágica? En la actualidad, prefiero creer que le gusté realmente con pleno conocimiento de causa.

Me enamoré por segunda vez, y me sentía un poco culpable de introducirme en el corazón de mi enamorado, forzando la entrada. Utilizaba a Patsy como llave maestra. Actuaba sin premeditación —y por otra parte, me sentía incapaz—. Sin embargo, esto no duraba, a veces, me sentía *vulgar*, feliz, pero un poquito *vulgar*. La muerte de Patsy obsesionaba a Rock, que estaba decidido a descubrir al asesino. La investigación se atascaba y, dada la profesión de Patsy, muy poca energía y personal se dedicaban a este asunto.

Rock buscó a Stan, el *padrote* de su hermana. Este último era todavía imposible de encontrar desde la agresión. Rock no lo creía el autor del crimen, pues no tendría ninguna ventaja al eliminar su medio de sustento. Sin embargo, sospechaba que conocía al asesino. ¿Era cómplice? ¿Había encargado una corrección que se le había salido de las manos? Todas estas preguntas avivaban el odio de mi novio. Él desaparecía varios días, dejándome sin noticias. No tenía ningún medio de reunirme con él para tranquilizarme. Me desgastaba imaginándome los peores escenarios.

Vivíamos a cien kilómetros por hora; ¡nuestros reencuentros se volvían apasionados y tumultuosos! Rock rechazaba que yo trabajara en la calle.

—¡No pude hacer nada por Patsy, pero no estaba de acuerdo! Tú la conocías, sólo hacía lo que se le metía en la cabeza. Si deseaba lograr algo yo no me metía. ¡Júrame que no te acercarás a ese nido de avispas!

Su petición era febril y persistente. Me parecía extraño prometer que evitaría el infierno. ¡En el pasado, Yan exigía lo contrario, en nombre del amor, él también!

—¡Si necesitas dinero, sólo tienes que pedirlo!

—No hay ningún problema, mi cheque me basta por el momento.

Prosiguió por el impulso:

—¡Patsy se rompió el culo por nada, todos estos años en la calle para que un desgraciado la matara! ¡La calle nunca deja nada bueno, Rubby!

No pude dejar de replicar:

—Sin embargo, Patsy tenía plata. ¡Quince mil dólares, no es nada!

Rock parecía extremadamente sorprendido.

—¿Qué quieres decir? ¡Ella no tenía ninguna cuenta bancaria!

—Quizá, pero este verano me mostró su dinero. Estábamos en la sala y extendió quince pilas de mil dólares. ¡Si hubieras visto sus ojos, brillaban de orgullo y de malicia! A todos los paquetes de mil, ella les hacía un guiño a la efigie de Borden y decía: *Gracias, Señor!* Nos reíamos como niñas. ¡Patsy hablaba de su restaurante, de la decoración, de los clientes que se disputarían una mesa!

Rock me examinó incrédulo.

—¿Cómo hizo para que los polis no encontraran nada? ¿Dónde guardaba ella esa plata?

—¡No sé nada! Ella había ido al baño y, cuando se reunió conmigo, tenía el fajo de billetes. ¡Si no me crees, es tu problema!

Su insistencia me ponía nerviosa.

—No te enojes bebé, es justo lo que yo quería saber. Patsy me había hablado efectivamente de una sorpresa que me reservaba. Pero nunca mencionó la existencia de ese ahorro.

—Pensándolo bien, no me sorprende. ¡Sin decirme explícitamente que tú no estabas al corriente, Patsy a menudo me confió que dejaría la calle con la cabeza en alto y que sorprendería a un montón de gente!

Rock mostró señales de nerviosismo y de febrilidad. Esta noticia daba una luz diferente sobre la muerte de su hermana. El dinero podía ser el móvil del crimen. Se propuso regresar al departamento y registrarlo meticulosamente. Eso me hizo temblar. ¿Si el culpable no había recuperado el dinero, quizá nos lo cobraría a nosotros?

Rock me tomó en sus brazos y me reconfortó alisando mi cabello. Incapaz de resistir al llamado de sus manos, mi cuerpo reaccionaba al menor roce. El olor de su piel me embriagaba. Alcancé el punto de ruptura mientras que Rock tardaba en penetrarme. Sus caricias me condujeron a una magnífica y dolorosa espera, ampliando mi deseo. Cuando por fin se impuso, nuestro goce rompió en cascadas de placer. ¡Lloré de amor y de satisfacción!

Con Rock, aprendí la diferencia entre coger y hacer el amor. La mayor parte del tiempo, después de nuestros jugueteos, me sentía completa, satisfecha. Mi ingenuidad me había llevado a creer que una acumulación de orgasmos se traducía en amor. Rock me ofrecía mucho más que Yan. Nunca la G.B. envilecía nuestras relaciones. Para mí, este índice significaba que íbamos por buen camino.

Rock volvió con las manos vacías, hecho una furia, después de registrar la casa de su hermana. De tres cosas una: los polis, al corriente, guardaban esa información secreta, o bien, había un corrupto entre ellos, o incluso el asesino se paseaba con más de cien sonrisas de Borden en la bolsa. Ninguno de esos caminos, todos plausibles, eran muy tranquilizadores. ¡Un policía deshonesto y un asesino loco, podían hacer mucho daño! Rock nadaba en plena confusión. Permanecía en contacto con Arlie, pues ella se metía un poco por todas partes en la ciudad. La muerte de Patsy la había puesto patas arriba, ella se había jurado desenmascarar a Jack el destripador. No dejaba de repetir: "¡Le cortaré el pito en rodajas y le haré comer sus cojones de mierda al desgraciado!".

Todos estos acontecimientos me desestabilizaron y me llevaron a aumentar mi consumo, en número y en variedad. Consultaba siempre a Bélaski, pero le disimulaba tanto la información que ella no podía ayudarme eficazmente. Perspicaz y con experiencia, debía sentir que yo la evitaba. Me propuso una corta estancia en Prévost con el fin de efectuar un balance más profundo y ajustar por tanto mi medicación. Me negué terminantemente; nada de alejarme de Rock y de estar secuestrada, aun para una buena causa. Ella se resignó. ¡Era mejor trabajar con una cabeza dura que en una silla vacía!

La *Gran Bocona* me acompañaba al consultorio de la psiquiatra, sin intervenir. Prefería soltar sus cochinadas en privado, en el camino de regreso: "Pobre hadita, ¿crees realmente haberla engañado tan fácilmente? Mientes con una incompetencia que desarma. La próxima vez, tendrás la ventaja de callarte o responder a medias. ¡Al menos, pasarás por una loca y no por una pendeja!"

Los meses pasaban y el asesino de Patsy corría siempre, con sus cojones y el dinero en primer lugar. Un nuevo capricho se abrió camino en mi cerebro fragmentado: deseaba un bebé, un verdadero bebé poseyendo todos sus pequeños atributos. Esta idea me ponía literalmente enferma. A la vista de una mamá empujando una carreola, lloraba. Cuando por casualidad veía de pronto un anuncio de pañales, me debía esforzar para no salir corriendo a comprarlos. ¡Era una locura! ¡Bebía leche en cantidades industriales, por si acaso! No me atrevía a contarle a Rock, me daba demasiado miedo su reacción. Nuestra situación no favorecía mucho mi idea: vivíamos de la ayuda social y de oportunidades.

Con veintiún años, instalada desde ahora en casa de Rock, pensaba que un niño vendría a consolidar nuestra unión. Deseaba hablarlo con Marie. Desde que ya no vivíamos juntas, nuestra relación se había enriquecido y transformado. ¿Volvía a habituarse a la superficie? La niebla que la había cubierto bruscamente, parecía disiparse. Deseaba confiarle y contarle un montón de cosas.

Me organicé para que me invitara a cenar a su casa, esperando estratégicamente, al menos hasta las veintiún horas. Sin embargo, era necesario reconocer que bebía con moderación en mi presencia —una bella señal de afecto de su parte—. Esa noche, Rock quiso acompañarme y yo debí usar una gran diplomacia para disuadirlo sin despertar sospechas.

En la mesa, ante mi comida preferida —un asado de res muy jugoso—, la conversación iba a buen paso. Me enteré que Sophie había dejado el salón de belleza desde hacía varios meses, previo aviso. Nadie sabía dónde se escondía ni lo que hacía. Sus padres no estaban tranquilos. Intentaron por todos los medios encontrarla: investigadores oficiales y privados, médiums —que explicaban hasta cierto punto el entusiasmo de su hija por las casas encantadas—. Al anunciarme esta noticia, tenía la impresión de que Marie me mandaba un mensaje: "¡Sé prudente! No me dejes caer como tu padre, me volvería loca!". A mi madre le gustaba Rock, pero la muerte de su hermana, así como el círculo en el que participaba la ponían nerviosa y la incomodaban, con mucha razón. Ella era, a pesar de todo, una mujer honesta, una mujer que me había inculcado el orgullo de ganarse la vida trabajando. Al igual que ella, deseaba que mi novio sentara cabeza y se convirtiera en un buen ciudadano. ¡Había conocido su parte de miseria y sinsabores! Yo estaba locamente enamorada y consideraba todas las esperanzas permitidas.

En el postre, Marie me dio la ocasión de abordar el tema de mis preocupaciones.

—¿Te acuerdas de Andrée Léger? Preguntó ella con un tono despreocupado. ¿Tu amiga del Sophie-Barat que dibujaba tan bien?

Mi madre me sirvió una generosa porción de pastel de chocolate.

—Andrée.¡Por supuesto! ¿Aún tienes noticias de ella?

Eso me asombró. Ignoraba que ella mantuviera el contacto.

—¡Sí! Su madre vino al restaurante la semana pasada. Imagínate: Andrée está embarazada y parirá este verano.

Los ojos de Marie brillaban. Creí incluso descubrir un signo de orgullo. Sin poder impedirlo, los celos se apoderaron de mí. Los aromas de un pasado aún virgen de enfermedad salieron a la superficie, dejándome entrever lo que habría podido ser mi vida si la G.B. no se hubiera metido...

—¡Super! ¿Será un niño o una niña? Pregunté, simulando entusiasmo.

—Según la ecografía, un varón.

Respiré profundamente y lancé:

—¿Qué dirías tú de ser abuela también?

La boca entreabierta, el tenedor suspendido en los aires titubeando con respecto a lo que le diría a continuación. Marie parecía completamente sorprendida. Finalmente su bocado de pastel aterrizó sobre la mesa, a medio camino entre la servilleta y el plato.

—¿Esperas un bebé? ¿Para cuándo?

Con el nerviosismo, estuvo a punto de aventarme su tenedor a la cara. No quería sobre todo crearle falsas esperanzas. La interrumpí inmediatamente para disipar el mal entendido.

—No, no, no estoy embarazada. Quería simplemente saber lo que pensabas. ¿Cómo reaccionarías ante esta posibilidad?

—¿Cómo reaccionaría? ¡Nada serio; estuviste a punto de convertirte en huérfana!

Recuperada de sus emociones, Marie bebió un trago de café y permaneció pensativa. No sabía cómo interpretar su reacción. ¿Se sentía decepcionada, o al contrario, respiraba mejor? ¿Temía heredar otra *esquizo*frénica en la familia? ¿Me creía capaz de criar convenientemente a un niño? Todas estas preguntas y otras más se amontonaron en mi cerebro de por sí, atestado. Había venido a buscar un consejo pero, obviamente, Marie prefería abstenerse y no inmiscuirse en mi vida.

De regreso a casa, la G.B. no fue tan discreta: "La pequeña hada encinta, ¡formidable! Ya tendré a quien causar otro aborto. Y cuando crezca ese chiquillo, le enviaré a mi hermanita ¡como dama de compañía! Es bueno animar a la familia, ¿verdad?".

Sola, no me pude contener:

—¡Pendeja, residuo de baba apestosa¡ ¡Nunca te han golpeado!

La G.B. cultivaba el arte de frenar mi entusiasmo. Con ella como mentor, dos opciones me ofrecían: retroceder o quedar suspendida.

Mi comportamiento excesivo —aumento del consumo de leche, hipersensibilidad— comenzaba a intrigar a Rock seriamente. Antes de hablarle, deseaba consultar a una última persona: Arlie. A pesar de su extravagancia, tenía el corazón en un buen lugar y sabría aconsejarme juiciosamente. Nos citamos en una taberna de la calle Saint-Denis, un lugar caluroso y propicio para las confidencias. Arlie parecía a veces poseer un sexto sentido. Apenas nos instalamos delante de nuestras tazas de café con leche, inició la conversación contándome sus aspiraciones pasadas de futuro padre.

—Desde la noche de los tiempos, soñé traer al mundo a una pequeña niña. Me la imaginaba bonita como una madona con un airecito sagaz. Las muñecas siempre me han fascinado. De niño, pedía prestada a escondidas las Barbie de mi hermana y me divertía durante horas. Una niña, es linda; se puede vestir como una princesa, peinarla, mimarla. Antes de sufrir mi cambio de sexo, profundicé bien la cuestión. Pensé en congelar mis espermatozoides, pero la idea de que pudieran aterrizar en cualquier útero me cosquilleaba. Espero que no te aburra con estas viejas historias, mi nena.

Ella me miró con un aire atormentado. Aunque abordaba este tema con tono de broma, adivinaba la seriedad de sus palabras.

—No, te aseguro. Continúa, eso me interesa.

Me hizo un guiño seguido de un suspiro de alivio.

—Me creerás si quieres, hasta intenté embarazar a una amiga. Con su consentimiento, ¡por supuesto! Intentamos todo: la relajación, el masaje erótico, el baño de espuma, sin olvidar la champange... Ni pensarlo, no me inspiraba. Mi compañera no podía hacer nada. Era yo el problema; ¡tenía la impresión de autoabusarme, carajo! Terminé por abandonar la idea. ¡Quizá yo no estaba hecho para ser padre, después de todo! Y si efectivamente, una pequeña niña hubiera nacido, nunca habría tenido el valor de llegar hasta el final de mis convicciones. Creo que habría seguido siendo un chavo con esencia de mujer. ¡Simplemente insoportable!

Al contar este episodio de su vida, mi amiga revivía una vieja herida mal curada. Se le notaba en la forma en que su mirada quedaba fija en el vacío, fruncía las cejas en busca de un recuerdo doloroso.

En adelante, veo a Arlie con un aspecto distinto. Ella amaba secretamente un sueño muy legítimo que la mayoría de los hombres acarician: volverse padre. ¡Pero, en su cabeza de niño, las cosas se habían embrollado y su vida se había vuelto bastante complicada! Arlie revelaba muy raramente su fragilidad. Le gustaba reír y compartir su alegría. Repugnaba apiadarse de su suerte y, sin embargo, yo intuía mucho sufrimiento procedente de su infancia. La superficialidad aparente y la falsa desenvoltura que exhibía a primera vista la protegían de intrusiones indeseables. Se trataba en realidad de un sistema de protección. Este descubrimiento me hizo sentirla aún más unida y simpática. Eso me dio bastante confianza para abrirme y discutir de mi futuro maternal, a mi vez.

—Arlie, necesito decirte que quisiera tener un bebé. ¿Crees que debería lanzarme en esta aventura? Sé honesta: ¿Tengo madera de madre o no?

Antes de responder, ordenó un segundo café.

—¿Ves, nena? es difícil para mí permanecer neutra. Me inclinaría a decirte: ¡tú eres una mujer, afortunada, lánzate! Pero allí tienes tu enfermedad y allí tienes a Rock. Es necesario siempre pensar en lo peor: ¿Si el padre se quiebra, estás dispuesta a asumirlo? ¿Darás la prioridad a tu hijo o buscarás otro amante? ¿Por qué quieres un chavito exactamente, Rubby?

—¡Porque amo a Rock y porque, con un hijo, se formaría una verdadera familia!

Mi respuesta me desagradó, correspondía demasiado a un estereotipo. Me imaginaba la intervención de Bélaski: "¡Por supuesto, la familia que no tuviste! Sobre todo, para no cometer las mismas equivocaciones que tu madre."

—¿Y Rock, qué piensa? ¿Le tienes confianza?

—Esperaba el momento propicio para hablarle de ello. La muerte de Patsy todavía le obsesiona.

Este argumento pareció contrariar a Arlie. ¿Veía un pretexto o dudaba de las disposiciones paternales de Rock? Habría deseado tanto que alguien confirmara la validez de mi proyecto. ¡Necesitaba una respuesta, no preguntas suplementarias! Me dejó, prometiendo volvernos a ver cuanto antes.

Íntimamente, me percibía como el único amo del juego. ¡A lo mejor, el futuro padre no era más que una vuelta sobre el tablero, un progenitor-proveedor de fondos! Considerando la situación desde esa perspectiva, minimizaba los riesgos de desolladuras. Quedaba la G.B. por tener en cuenta. ¿Así como me había amenazado, me reservaba un hermano del mal en adopción? Según las estadísticas, una madre *esquizo* corría diez por ciento de mala suerte de dar a luz a un niño que sufriera también esta enfermedad. Prueba contra la cual, no podía hacer nada.

Por el contrario, existían dos elementos sobre los cuales creía tener una influencia: el momento de la concepción y el hecho de que el niño fuera zurdo. Efectivamente, algunos estudios demostraban que la gripe, cuando se contraía durante el segundo trimestre del embarazo, podía alterar el desarrollo del cerebro fetal. Las epidemias de gripe que ocurrían en el otoño, me harían concebir un pequeño Cáncer, Leo, Virgo, Libra o Escorpión, los otros signos implicaban demasiado riesgo. Por otra parte, mi fecha de nacimiento invernal y la reacción de la *Gran Bocona* me incitaban a creer lo bien fundado de esta teoría. En efecto, para exasperar y sacar a la G.B. de sus casillas, me bastaba recordarle que era el resultado de una gripe mal cuidada, que equivalía a un banal remanente mocoso. ¡Eso funcionaba siempre; la fulminaba!

El segundo elemento se refería a las zonas cerebrales y al hemisferio izquierdo. Esta región del cerebro —por otra parte, responsable de la estructuración del lenguaje— implica una disfunción en todo *esquizo* que se respete. En el caso de un zurdo, desarrollar el hemisferio derecho, puede compensar los déficits de su *coloc*. Causaría pues, que mi hijo se volviera zurdo o, peor aún, ambidiestro.

Muy decidida a poner todas las oportunidades de mi lado, me propuse reducir mi consumo de droga y alcohol, luego de tomar adecuadamente los medicamentos prescritos por Bélaski. La G.B. detestaba los antipsicóticos: dañaban sus cuerdas vocales y su moral... ¡Gran bien le hago! Su descontento no frenó mi determinación. Consciente que el parto podría desencadenar un episodio psicótico, consideré superar esta dificultad, avisando a Bélaski en tiempo y lugar.

Me quedaba una última etapa por cruzar y no la más fácil: informar a mi chico y ganarlo para mi causa. Preveía realizar una cena con velas —estimulación sexual, incluso en caso necesario—. Para destacar el acontecimiento, le preparé su comida favorita: caracoles al ajo, escalopas de ternera acompañadas de fettucini *Alfredo* y *fondue* de chocolate. Rock parecía nervioso; sentía que yo tramaba algo. En medio de la comida, sin contenerse más, preguntó de golpe:

—¿Rub querida, qué pasa? Actúas de forma extraña desde hace algún tiempo. ¿Hay una cosa que debería saber?

Me atrajo su mirada encerrando la mía. A pesar de mis preparativos, me tomó desprevenida. Para disipar mi nerviosismo, respiré a fondo y solté:

—¡Quiero un hijo! ¡Me gustaría tanto que me hicieras un bebé!

Era despreciable, me había expresado como si mendigara un permiso y esperaba su aprobación. La vergüenza me subió a la cara, mis ojos contuvieron las lágrimas. Habría querido dar marcha atrás y rebobinar esta escena que carecía de realismo.

Rock se levantó, me tomó en sus brazos y me susurró en la oreja:

—¡Como quieras, princesa! Tus deseos son órdenes. ¡Y un bebé para la señora!

Sus palabras me propulsaron al séptimo cielo, entre los ángeles, y su boca me abrió las puertas del paraíso. Desnudó mi pecho luego extendió chocolate sobre mis senos. Los lamió lentamente, su lengua jugando con mis pezones en erección. Hicimos el amor como hambrientos, en el mismo suelo de la cocina. Hartos y satisfechos, compartí con Rock mis recientes descubrimientos relativos a la transmisibilidad de la esquizofrenia.

Nuestra decisión de fundar una familia hizo alejarse el espectro de Patsy. Su muerte se remontaba a más de un año y el expediente permanecía abierto. Rock trabajaba tiempo parcial en un taller automotriz. Le gustaba este oficio; su patrón lo estimaba y le tenía confianza. Ganaba su vida honradamente por primera vez y parecía incluso tomarle gusto. Él mostraba un aire sereno a su regreso por la noche. Navegábamos en la buena dirección. Mi medicación me mantenía en un sano entorpecimiento y mi tensión disminuía. La G.B. se disimulaba en su agujero —adquirido, no desdeñable—. Marie se acercaba a nosotros, nos visitaba más a menudo y especulaba con entusiasmo sobre su futuro papel de abuela. Esta nueva perspectiva la regresaba al lado de los vivos.

Octubre corría y, con él, la esperanza de realizar mi sueño: un bebé. Extrañamente, a pesar de todos estos factores positivos, un oscuro presagio confundía mi espíritu. Mi felicidad no me impedía temer que un elemento capital se me fuera de las manos. Mi paranoia podía ciertamente explicar este fenómeno. Rock me reprochaba, con razón, de tomar mis estados de ánimo demasiado en serio, en vez de gozar del momento presente. Por fortuna, sabía desactivar estas pequeñas crisis de angustia.

Quedé embarazada exactamente como preví, a mediados de octubre; obtuve la confirmación a finales de noviembre. Las náuseas matinales, así como la extrema sensibilidad de mis senos me indicaron que mi bebé nacería bajo el signo de Cáncer. Pensando en lo que pasaba en mi cuerpo, el vértigo se apoderaba de mí. Se trataba de un acontecimiento a la vez extraordinario y desconcertante. Me asustaba la idea de que el bebé pudiera heredar una G.B. menor. Me esforzaba por alimentarme bien, aunque carecía a menudo de apetito. Había perdido algunos kilos, pero deseaba resueltamente invertir el proceso.

Rock estaba con los pequeños cuidados conmigo —comportamiento encantador e inusual—. De temperamento brusco, sin ser violento, mi novio afirmaba que la ternura pertenecía al patrimonio femenino y corría el riesgo de contaminar su virilidad. A ese nivel, mantenía ideas retrógradas a pesar de su natu-

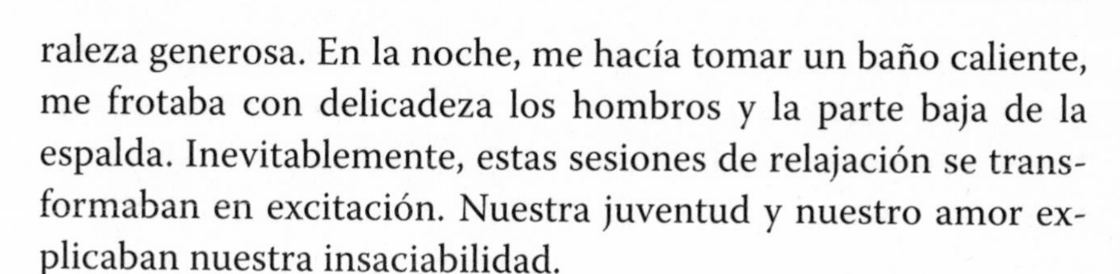

raleza generosa. En la noche, me hacía tomar un baño caliente, me frotaba con delicadeza los hombros y la parte baja de la espalda. Inevitablemente, estas sesiones de relajación se transformaban en excitación. Nuestra juventud y nuestro amor explicaban nuestra insaciabilidad.

Rock me enseñó a domesticar mis miedos y mis demonios; me llevó a los centros comerciales, los salones de exposición, los cines… Después de algunas horas de inmersión en esos universos agitados, regresaba muerta de cansancio. Dejaba estos lugares con el brazo unido al de mi chico. Aún si me daba cuenta de la importancia de estas lecciones, ocurría que nos peleábamos por ese motivo. Rock debía recurrir a una colección de excusas; de las promesas al chantaje, para convencerme de que lo acompañara. Quería que me hiciera fuerte. "Nuestro hijo necesitará de ti, querida, repetía él. ¡Somos dos en esta aventura, nosotros contamos contigo!". De vuelta a la casa, realizada mi misión, me reconocía orgullosa y agradecida. Se habría dicho que crecía. Después de todo, el mundo exterior no era tan espantoso como lo imaginaba; nadie me agredía, volvía de nuevo intacta.

La libertad condicional de Rock acababa; sólo el periodo de libertad permanecía. Se entendía de maravilla con Lucien, su agente, y su asociación finalizaría en la primavera. Una tarde, regresando de una entrevista con él, se mostró huraño y pensativo. En la tarde, lo sorprendí, involuntariamente, mirando una foto de Patsy. Me acusó de espiarlo y de estarlo asfixiando:

—¡No puedo tener la jodida paz! ¡Déjame respirar un poco!

Me deshacía en lágrimas y corrí a refugiarme a la sala. No merecía que me tratara de ese modo. Ignoraba por qué atraía su furia. Algunos minutos más tarde, se reunió conmigo disculpándose. Yo lo sentí enojado y, apretándome contra él, me transmitió su confusión. Arrepentido, buscaba obviamente hacerse perdonar su actitud. Al cabo del tercer beso, me mostré complaciente concediéndole mi perdón. La tensión era palpable y la atmósfera, casi favorable a la reconciliación. Rock vacilaba manifiestamente revelarme lo que le preocupaba; durante este tiempo, mi imaginación se aceleraba. Sintiéndome a punto de sucumbir a mi primera crisis de apoplejía, se decidió por fin a hablar:

—Invité a un tipo a tomar una copa, mañana por la noche. Nick, un ex de Bordeaux, se me echó encima cuando salía de la oficina de Lucien. Parece que tiene noticias sobre la muerte de Patsy. Insistió en verme. Eso parecía serio. Incluso me habló del dinero... Eso me ha golpeado. Con la llegada del bebé, toda esta historia casi se me había salido de la cabeza. Si quieres, podrías ir a casa de tu madre. Debido a mi testimonio, quisiera mejor verlo aquí.

No habría podido darme una peor noticia. Me sentí aspirada por un pasado aún vivo y temí perderme allí. Mi premonición se cristalizaba bajo la forma de un expresidiario. ¿Por qué Patsy elegía esta táctica para proporcionarnos recuerdos? Si Rock reanudaba ahora su búsqueda, corría el riesgo de dejar su alma. Por más que discutía hasta la madrugada, su sed de venganza revocaba mis argumentos a la categoría de miedos pueriles y sin fundamento. Pasaría por una cobarde ante sus ojos, una débil sólo buena para lamentarse y dejarse pisotear por su mundo imaginario. Vencida por mis propios pensamientos, no emití ninguna protesta. Ante mi no reacción, Rock suspiró de gusto. Se encerró en la habitación, únicamente para hacer algunas llamadas telefónicas. La saga volvía a ponerse mejor...

Acostada en la oscuridad, acaricié mi vientre todavía plano, tranquilizando al niño por nacer: "Verás, pequeño, tendré mucho cuidado de ti. Tu padre está atormentado por el momento, pero cuando sienta que te mueves, eso se le pasará. Ya te ama, sabrá protegerte. Es un grandulón con el corazón de oro. ¡Por el hermanito de la G.B., no tengas ningún temor! Bélaski me prometió inmunizarte". Todas las noches, susurraba una corta oración para alejar la mala suerte. Esa noche recé hasta el agotamiento.

Dormía muy poco y muy mal. Por la mañana, cuando Rock me besó antes de ir al trabajo, la niebla me rodeaba aún. Evité moverme, por temor a encontrarme demasiado pronto en la dura realidad. Fragmentos de ésta penetraron a través de mi sueño, intentando traerme al redil. Cuanto más me esforzaba en regresar al nido protector de lo irreal, más me alejaba. Prefería el combate opuesto, aquel al que se comprometía la noche cuando repetía los acontecimientos del día; el sueño ocultando poco a poco mis pensamientos, transformando el contenido, el ritmo y el color. Me dejaba deliberadamente sumergirme por esta deliciosa sensación de "parálisis cerebral". Terminé por levantarme y, puesto que largas horas me separaban aún del momento donde debía reunirme con mi madre en el restaurante, decidí hacer la limpieza. En este caso, se trataba de una excelente terapia ya que eso me impedía que divagara. Desempolvando el escritorio de Rock, observé una pequeña fotografía que databa de una decena de años; la veía por primera vez. Patsy y su hermano posaban delante de un chalé de troncos. Aunque más pequeño que su hermana, Rock le rodeaba torpemente los hombros con un gesto protector. Las lágrimas me subieron a los ojos.

Encontré a Marie hacia las dieciséis horas. El lugar donde trabajaba seguía siendo el mismo, a excepción de una nueva sección provista de una vitrina. Antes, inmensos tarros de productos marinados ocupaban este espacio. Siempre había odiado esta disposición: una montaña de pepinillos, de pimientos y de aceitunas que formaban una pirámide donde el polvo se acumulaba. Eran repugnantes, por siempre, las conservas. Me gustaba instalarme sobre un taburete y observar a Marie a escondidas, como cuando era niña. Algunos días, la esperaba después de la escuela, admirando su naturalidad, su habilidad para poner a los clientes cómodos, delimitando al mismo tiempo su espacio vital. En esa época, era muy diferente en la casa, como si su reserva de combustible se agotara en cuanto cruzaba la puerta. Mi madurez me permitía ahora comprender mejor los motivos que le habían incitado a beber y a apartarse.

Pasé un buen momento en compañía de mi madre, retrasando la hora de la partida. Me parecía difícil llamar por teléfono a Rock para pedirle el permiso de volver a casa. Esta situación inquietante alarmaría a Marie y correría el riesgo de trastornarla. Por otra parte, no deseaba empeñarme en una discusión interminable donde los pormenores escapaban a mi propio entendimiento. Yo sola debía solucionar este problema. Con el fin de prolongar mi plazo, decidí ir antes a tomar el autobús.

Al acercarme a casa, retrasé aún mi ritmo. Soñando despierta, me imaginaba a Rock jugando con nuestro hijo, maravillándose de la perfección de su pequeño cuerpo. Me ayudaba a cambiar su pañal y a vestirlo. En estos casos, la torpeza de un hombre tiene algo de atractivo y enternecedor. Un ser tan minúsculo puede poner muy bien al más sólido galán. Flotaba literalmente cuando entré al edificio.

Cuando introduje mi llave en la cerradura, descubrí que la puerta no tenía cerrojo. Rock descuidaba a menudo este detalle. En el momento en que yo giraba la manija, una mano ensangrentada me agarró el cuello y me jaló brutalmente al interior. Rock me puso de espaldas a la pared y me impidió gritar cubriendo mi boca con su mano libre. Con ojos locos, se dirigió a mí con una voz ronca:

—¡No mires, Rub, no es lo que tú crees! Quiso matarme. Pensaba que tenía el dinero de Pat. Tuve que defenderme. ¡Carajo, no es más que un ojete asesino! ¡Ayúdame, querida, necesito deshacerme de él!

Relajó su presión, pero mi lengua se negó obstinadamente a separarse. Intenté una mirada sesgada y vi sangre, demasiada sangre. Toda esa hemoglobina resucitó a la G.B.: "¡Enciende las velas, perra, eso urge!". Hablaba estereofónicamente dentro de mi cabeza. En el exterior, todo me parecía surrealista...

Al cabo de una eternidad, me moví y me encontré en el centro de una escena apocalíptica. Un hombre yacía de espaldas en medio del salón. Su boca permanecía abierta en un grito silencioso. Este rictus fúnebre me congeló la sangre. Sus grandes ojos abiertos reflejaban la sorpresa y la incomprensión; como si, hasta el último momento, la evidencia de su muerte se le hubiera escapado. Cuatro marcas rojas en el tórax se juntaban poco a poco, formando una inmensa mancha pegajosa sobre su jersey. Un rastro de sangre iba del sillón, cruzaba la mitad de la habitación y se detenía en el cadáver. A los pies del desconocido estaba tirado un cuchillo con mango de marfil del cual mis ojos no lograban apartarse. Un recuerdo pretendía mal que bien atravesar las brumas de mi memoria. Registré todos estos detalles fríamente. Si algún día mi cerebro y mi corazón llegaban a conectarse, amenazaba el cortocircuito, la catástrofe.

Durante este tiempo, Rock reunió mantas para envolver al muerto. En mi cabeza, una voz débil me exhortó a llamar a la policía y a huir. No obstante, este pensamiento fugitivo no suscitó ninguna reacción saludable por mi parte. En el momento en que Rock tendió la mano hacia el cuchillo, lo recordé. Había visto esta arma en casa de Patsy, hacía varios años, en la época del Sophie-Barat. Tim, su amigo, se la había dado en su cumpleaños.

¿Cómo es que este cuchillo asegurado se encontraba aquí? ¿Quién lo había guardado: Rock o el ex de Bordeaux? Si era Rock, entonces no podía tratarse de legítima defensa. ¡Y si Nick hubiera robado el cuchillo en casa de Patsy, se podía suponer que lo había utilizado para atacarla! Esta última reflexión me dio el golpe fatal. Caí de rodillas y vomité una bilis amarga con lo que me quedaba de lucidez.

La providencia, con los rasgos de Iván —nuestro vecino de piso—, no nos permitió nunca deshacernos del cuerpo. Desde que nos habíamos instalado en este edificio, ese tipo espiaba todas nuestras acciones y gestos; sin razón, nos había atacado. Hasta había intentado manosearme en el cuarto de lavado, en el sótano. Cuando Rock se enteró, le propinó una paliza memorable. Cuando los polis nos detuvieron esa noche, yo leí la satisfacción y una alegría sádica en la cara de Iván. Rock gritó su inocencia y se resistió a su detención. Todos esos policías, todos esos gritos, y ese cuchillo que me provocaba... Era demente.

Esa funesta tarde era un viernes y debí pasar el fin de semana en el puesto de policía. Me confinaron a una celda donde se encontraba una muchacha muy antipática. Más antisocial que una *esquizo* veterana, Rita me acogió haciendo un montón de alusiones a mi tamaño y a los enfermos mentales que surcaban las calles. Despreciaba al total de los seres humanos y me intimidaba enormemente, hasta sospechaba que estaba en complicidad con los *hombres de negro*.

Mi espíritu quedó a la deriva. La G.B., cuyo desencadenamiento llegaba al extremo, soltó locuras sin descanso. Yo tenía la cabeza atestada de imágenes de violencia y de gritos. El sábado, muy tarde, por la noche, sentí un vivo dolor en mis entrañas. Una señal de alarma se desencadenó inmediatamente dentro de mi cerebro en ebullición. Totalmente enloquecida, comprobé y vi sangre manchando mi pequeño calzón. ¿Sería posible que se me arranque a mi bebé? Un segundo dolor, más viril, me dobló en dos. Cuando recuperé mi respiración, comprendí que perdía a mi hijo. La pérdida de este minúsculo embrión de algunas semanas cavó un vacío inmenso. Rita no movió ni el dedo meñique, ni vino en mi ayuda. Todo lo que se le ocurrió decirme fue:

—¡Deja de berrear, pinche pendeja, no vas a morirte!

Definitivamente, la maldad de esta muchacha competía con la de la G.B.

Efectivamente, sobreviví. En prisión, tras un examen médico, se confirmaron mis temores: Había tenido un aborto. Me sorprendí al considerar ese estado de cosas como casi banal y de tal manera plausible. ¿Qué niño querría nacer en similares condiciones: padre asesino y madre loca?

Capítulo 20

Ayuno

Me encarcelaron en Tanguay por segunda vez, en una confusión mental extrema. Mi clasificación no presentó ningún problema, me condujeron a psiquiatría. Después de la muerte de Olivier —seguía convencida de que este bebé habría sido un niño—, dos cosas me preocupaban: enterrar a mi hijo decentemente y hacer callar a la G.B. para siempre. Olivier, tendría dos años y medio hoy.

La pérdida de mi bebé en los baños de un puesto de policía me indignaba; no se trataba de un lugar de inhumación conveniente. Reflexioné mucho tiempo sobre esta cuestión y, un domingo, poco antes del oficio, decidí organizar un bello funeral para Olivier. Amasé la miga de una rebanada de pan y formé un pequeño corazón capaz de caber en mi palma. Con ayuda de un cortauñas, grabé una cruz minúscula sobre mi dedo anular izquierdo, en señal de alianza, luego dejé caer sobre el pan una gota de sangre que representaba ese embrión desaparecido. Por fin, tracé un signo de cruz con sal, para alejar a los malos espíritus.

Cuando los participantes anunciaron la misa, deambulé hasta la capilla, con ese pequeño corazón enrollado en el hueco de mi mano. A lo largo de la celebración, dirigí mis pensamientos hacia mi hijo y rogué por él. Antes de salir, hice bendecir mi rosario por el padre Charles. Así pues, cuando el padre lo llevó a cabo, él bendijo, por el hecho mismo, a Olivier, que disimulaba en mi mano. Me sentí muy conmovida reintegrándome a mi celda.

Después de acostarlo, hice un corto rezo, elevé el corazón sobre mi cabeza y comulgué con el cuerpo de mi hijo. Le juré llevarlo en mi corazón hasta mi muerte, y no sustituirlo nunca. De hecho, yo no tendría jamás otro hijo. Con mi ritual consumado, mi espíritu se encontró liberado. Fue mi última comida sólida.

En un mismo soplo, me propuse escribirle a Marie para anunciarle que no sería nunca abuela, al menos no en esta vida. Había intentado en algunas ocasiones llamarle por teléfono, pero no encontraba las palabras que hirieran sin hacer mal. Había sufrido tanto, que me maldecía de infligirle esta pena adicional. Su vida estaba marcada de esperanzas frustradas y sueños inacabados. Ese sentimiento de tristeza que padecía por mi madre me cruzaba sin herirme; estaba desmembrada. Marie recibiría mi carta en tres días. Esa noche, me dormí llorando.

Desde lo alto de mis veintiún años, me propuse un ayuno con el fin de expulsar a la *Gran Bocona* de mi cabeza. Realizaba mi última misión. Los primeros días, todo se desarrolló de maravilla. En las comidas, me hacía servir una ensalada, el plato principal y un postre. Una vez retirada en mi celda, tiraba con precaución la comida en los baños. La astucia funcionó muy bien, nadie sospechó de mi maniobra. Sin embargo, el efecto de las píldoras en mi estómago vacío resultaba explosivo y doloroso y comencé a sentirme débil.

Perdí fuerza, al igual que la G.B., estábamos sincronizadas. Ella cedía y acentuaba en lo sucesivo su discurso de palabras dulzonas: "Vamos pequeña hada, eres simpática. ¡Come esta mierda, no podemos estar mal! Sé linda al fin; come por mí..." Me sorprendía por saberla a mi merced; vi mi victoria perfilarse en el horizonte. Hice esfuerzos sobrehumanos para permanecer un poco funcional. Al quinto día de privación, caí en el pasillo cuando iba a la ducha. Afortunadamente, sólo Ming, una china que hablaba mandarín, fue el testigo silencioso de esta escena. Tan delicada como yo, llegó a pesar de todo, a levantarme. Ella estaba encarcelada por el asesinato de su marido. ¡Sin embargo, parecía tan frágil y vulnerable!

Ming se volvió la única persona que gravitaba en mi ambiente inmediato, la única detenida que toleraba después de mí. Nuestra amistad se desarrolló en silencio, allí donde las palabras permanecen en exilio forzado. Se instalaba en mi buró, cerca de mi cabecera, tarareándome las tonadas de su lejana región. El ritmo entrecortado y las altas notas alcanzadas, cristalinas, de sus melodías, me tranquilizaban. A veces, el tiempo de un momento sublime, llegaba a refugiarme fuera de mi cuerpo, en un espacio de paz, mecida por el canto de Ming. Admiraba su fuerza tranquila y su serenidad.

El ayuno constituye un proceso curioso, que desarrolla su propio tiempo y decreta sus propias normas. Se puede decidir dejar de comer, pero el desarrollo del programa escapa después a nuestro control. En mi caso, los cuatro primeros días resultaron los más dolorosos, aunque soportables. Es necesario decir que conservaba una relación mínima con la comida: comía solamente para alimentar mi osamenta, pues no era ni gourmet ni golosa.

Para comenzar, un calor se instaló en mi estómago, como una ligera quemadura. Insidiosamente, esta sensación se propagó e irradió mi abdomen. Ligeros mareos, uniéndose a un principio de intoxicación me asaltaron. En algunas ocasiones, mi vista se nubló, pero esta ceguera sólo fue momentánea.

Lo más difícil era liberarme de la comida. La G.B., muerta de hambre, intentaba corromperme: "¡Veamos esa lasaña, tu plato preferido! Y el pastel, carajo, una obra maestra pura. ¡Sé buena onda, come!" Contaba mentalmente para evitar oír sus lloriqueos y sucumbir a la tentación. Temblaba tirando la comida en la taza del baño. La G.B. me insultaba y me amenazaba; perdía decididamente la chaveta. Su sufrimiento reforzó mi determinación.

Al compás de los días, no sentía más el hambre de la misma manera. El atractivo de los alimentos se volatilizó y fue sustituido por una forma de asco. A la vista de la comida, mi estómago se rebelaba. Mi cuerpo reaccionaba instintivamente, considerándolo como un intruso y un veneno. Superaba el punto del no-retorno. Me levantaba solamente para lavarme y satisfacer mis necesidades básicas. Tomaba el baño mejor que las duchas, ya que temía caer. Mi piel se deshacía como un viejo papiro y mi cabello se volvía seco y quebradizo. Las melodías de Ming se hacían más tristes, más melancólicas.

Algunos vigilantes comenzaron a preocuparse por mi estado. Los tranquilicé lo mejor que pude y Ming me apoyó, jugando el juego. Mi plan fue ventilado al cabo del vigésimo primer día por Abygail, una nueva detenida. De unos treinta años de edad, parecía acumular la experiencia de una centenaria si se creían sus relatos. Su verborrea me volvía loca. Además, pretendía continuamente inmiscuirse entre mi amiga y yo. Ella curioseaba en todas las esquinas —debía actuar como la soplona oficial de la cárcel—. Un mediodía, mientras tiraba mi comida, apareció en mi celda. Me miró con una sonrisa sarcástica antes de decir:

—¡Estaba segura! ¿Desde cuándo haces eso?

—¿Qué te importa? ¡Lárgate de aquí!

—Si fuera tú, bajaría la voz. Los guardias podrían presentarse y descubrir tu pequeña manía. Puedo volverme amnésica si me haces una buena oferta:

—¿Qué quieres? ¡Ni siquiera fumo!

Echó un vistazo codicioso en dirección a los productos de higiene sobre mi buró.

—¡Tu crema y tu champú harán el negocio por el momento!

Este chantaje barato me repugnó y me enfureció, pero yo no tuve otra opción más que someterme. Si Arlie hubiera estado allí, las cosas se habrían desarrollado de otra manera. En consecuencia, todo pasó muy rápidamente. El regateo de Abygail sólo duró dos días. Un mediodía, durante la siesta, me trasladaron a cuidados intensivos del Albert-Prévost. Partí sin nunca volver a ver el dulce rostro de Ming.

Mis recuerdos de este periodo siguen siendo confusos. Flotando en un estado de semi conciencia, yo viví periodos de calma donde el silencio reinaba como dueño y señor, donde las pesadillas se desvanecían. En otros momentos, los sonidos estridentes me rompían los tímpanos y me atravesaban el corazón igual que puñales. Un anillo que, descuidadamente, chocaba contra los barandales de mi cama me daba escalofrío. Mi cuerpo y mi cabeza vivían realidades diferentes. La gente se acercaba para cuidarme, luego regresaban a la niebla de donde habían surgido. El personal me informó que mi madre y Arlie me habían visitado, sin embargo mi memoria no conservaba ninguna impresión.

Me encontraba en el mismo lugar que Eve algunos años antes. En esta negrura, nuestras historias se confundían, salvo en que en la mía el tío pedófilo cedía su lugar a una G.B. de mierda. El tiempo transcurría sin temer, dejando reflejar un futuro dudoso, como un espejismo en un desierto ardiente: a veces promesa de vida, a veces mensajero de muerte.

Salí finalmente de la nada para aterrizar en tierra firme entre los adultos. Mientras tanto, se retiraron las acusaciones de complicidad en el asesinato, que pesaban sobre mí. Era libre ante la justicia, pero prisionera de mi mal. Por conducto de mi madre, Rock se enteró de nuestro hijo. Me escribió una bella carta que sospechaba no era completamente de su cosecha:

> *Querida Rubby, supe lo de tu aborto. Me odio por haberte arrastrado a este infierno. Nunca me perdonaré todo el mal que te he hecho. Olvídame, mi amor, no puedo darte sino desdicha. No debes sufrir más por mi culpa.*
>
> *Me declaré culpable de una acusación reducida de homicidio involuntario. Voy a pagar el pato siete años pero, con un poco de suerte, saldré en tres años. Sobre todo no me esperes. Mereces un tipo bien, que sepa darte seguridad. Te amo, estarás siempre en mis pensamientos.*
>
> *Rock, tu hombre.*

Había añadido algunas líneas debajo de la página, pidiéndome agradecer a mi madre haberlo prevenido. Comprendía muy bien que Marie quisiera cortar los puentes definitivamente. Esa fue su única carta. Con motivo de mis veintidós años, recibí tres tarjetas de aniversario: una procedente de mi madre; una de Arliette y una última de Aline, mi antigua enfermera.

Aline se consagraba siempre a los adolescentes; una de sus colegas la puso al corriente de mi hospitalización. Vino a verme de inmediato en su hora de cenar. No había cambiado ni un ápice. Su mirada a la vez dulce y viva incitaba a la confidencia y nos impregnaba de bondad de la cabeza a los pies. Detrás de su sonrisa, sus palabras tranquilizantes, creí descubrir una sorda inquietud. Es cierto que mi aspecto en general no inspiraba nada bueno. No obstante, llegó a levantarme la moral, a soplarme un poco de esperanza. Prometió obtener la autorización de visitarme regularmente y trabajar en estrecha colaboración con mi equipo asistente.

Del lado de los adultos, la dinámica se reveló muy diferente: la solidaridad brillaba por su ausencia. Yo me sentí como en un basurero; todas las locuras, todas las condiciones sociales se sobreponían en el más grande desorden. La enfermedad pasaba al segundo plan, en detrimento de una falsa paz: la calma por el embrutecimiento. La espera y los medicamentos constituían los únicos parámetros tangibles de este mundo en involución. En esta época, lloraba siempre más; me sentía responsable de todas las miserias del planeta.

Bélaski me recibió sin fruncir las cejas, como si nos hubiéramos visto una semana antes. La sentí menos "confrontadora", más consciente de mis límites y los tentáculos invasores de mi mal. Esta indulgencia ocultaba un sombrío pronóstico.

Entre mis cuatro paredes, disponía de todo el tiempo necesario para observar la decadencia de la civilización. Podía reflejarme en los ojos de una *esquizo* de cuarenta años y anticipar mi futuro: desolación y miedo. Una de las pacientes se llamaba Marthe; discutía sin problema con sus voces, que nombraba afectuosamente ACV: ¡aberración cromosómica vocal! Muy orgullosa de este nombre, lo utilizaba a veces para engañar a su interlocutor y atraerse su simpatía. La gente creía que había sobrevivido a un ataque cerebral. En cierto sentido, este acrónimo representaba de maravilla las voces de verdaderos asesinos. A pesar de todo, Marthe tomaba la vida por el lado bueno.

—Verás, tú lo harás. Con la edad, eso se convierte en una segunda naturaleza. A veces estás sola, a veces estás con varios. Es necesario aprender a "girar" en el sistema, y no es evidente. Hay siempre un pequeño demonio para recordarte que no eres normal. Tómame por ejemplo, eso ha sido Paulo, mi error. ¡Lo amé, como no tienes idea! Me habría hecho desdentar o afeitar el cráneo si me lo hubiera pedido. Al principio, era el paraíso; luego se convirtió en el infierno. No lo vi venir. Debía estar demasiado ocupada en lavar sus mugres. ¡Me tiene echa una... por los tallarines demasiado cocidos! Del golpe, allí despertó mis ACV. Tuve durante meses que recuperarme. En la actualidad, he comprendido: no estoy hecha para la vida común, ya tengo huéspedes. Intenté trabajar: ¡una verdadera masacre! Inestable, es lo que inscribieron sobre mi hoja de despido. ¡Inestable! ¡Querría verlos allí, los cómicos, con dos o tres ACV en la cabeza, un jefe sobre la espalda y un cliente indeciso! ¡Se desestabilizaría al menos, Dios mío! Entonces, yo "giraba", recibo ayuda social, voy al comedor público y, cuando mis ACV sobrepasan los límites, vengo a descansar aquí.

Marthe bebió su Coca-Cola con deleite. Juraría que estaba llena de ron...

A través de mi fracaso, un elemento permanecía estable: Arliette. ¡Qué aparición memorable, en el salón del hospital! Los pacientes hablaban de ella aún, semanas más tarde. Esa noche, un lunes, una calma terrible pesaba sobre el comedor. Es preciso decir que me encontraba en una unidad de sobre dosificados

—se habría podido oír un pensamiento volar si hubiéramos sido capaces de emitir uno—. Arlie hizo irrupción en el salón, se instaló delante del televisor y lanzó:

—¡Rub querida, ven a mis brazos, mi niña!

Unió el gesto a la palabra y se precipitó a mi encuentro, envolviéndome con sus grandes brazos nudosos. Su presencia me aportaba tal consuelo que lloré sin parar. Habría querido que "ella" me llevara lejos de este lugar maldito y comatoso; lejos de esas miradas acosadoras, atónitas; lejos de mi locura...

Sentada a mi lado, mi amiga hacía un inventario de sus buenos y malos golpes de los últimos tiempos. Exageraba y adornaba su relato con el fin de arrancarme una sonrisa. Un paciente, Maurice, no dejaba de examinarnos. Arlie se acercó, a pesar de mis advertencias, y lo increpó fulminándolo con la mirada:

—¿Hay algo que está mal, viejo? Tu jeta no me inspira nada bueno. ¿Nunca te han dicho que es desagradable fijarse en las damas? ¡No me digas, no podrías limpiarte la boca, babeas como un San-Bernardo en erección!

Maurice obedeció limpiándose la boca con el revés de la manga. Se levantó lentamente, dio un paso en dirección a la salida y, repentinamente, su cuerpo fue presa de violentas convulsiones. Cayó de cara contra el suelo, se orinó en el pantalón y babeó de lo lindo.

Arliette, de todos modos, se creyó responsable de la crisis y yo tuve que explicarle que ella no lo era para nada. Maurice sufría de epilepsia en una fase avanzada. Debía llevar un casco protector, pero se negaba a someterse a esa disposición. Además, se mostraba desagradable y vicioso con todo el mundo. Este último argumento barrió el malestar de Arliette y le hizo recuperar su bella seguridad. Me dio inmediatamente una buena noticia.

—¡Iba a olvidar lo más importante, nena! ¿Estás bien sentada?

—¡No te hagas del rogar, hermosura! ¡Con todos estos medicamentos, no permaneceré encendida mucho tiempo!

—Es con respecto a Patsy. El tipo que Rock se echó al plato, era su asesino. Es lo que mi informador me dijo y tiene esta *info* de buena fuente. El hijo de puta guardaba los papeles de identidad de Patsy y algunas de sus joyas en su casa. La policía cerró el expediente.

—¿El cuchillo? ¿Quién tenía el cuchillo?

El nerviosismo me produjo náuseas. Ese maldito cuchillo tomaba proporciones gigantescas en mi pequeña cabeza.

Arlie me miró con bondad.

—Ese culero de mierda lo robó de la casa de Pat. Primero había registrado el departamento y después se lo había llevado.

Me estrechó en sus brazos y me meció mucho tiempo.

Esa noche me dormí muy tarde. Me imaginaba a Patsy sola en esa callejuela, discutiendo con ese loco. Ella estaba muerta por la *pasta*, por un sueño, nada más.

Los días se estiraban. En Prévost, solamente con veintidós años de edad, me volvía vieja, una vieja *esquizo*. Algo en mí se extinguió, como un abandono voluntario casi sin dolor. Mi destino me parecía evidente. La enfermedad me transformaba en androide; algunas de mis emociones invernaban. Mi contacto con la realidad se efectuaba en blanco y negro. Mi sufrimiento emanaba de la mirada ajena ya que, en el interior, excepto la G.B., las cosas iban un poco mejor.

Decidí escribir a Marie con el fin de que pudiera comprender que la amaba cada vez más. Mis sentimientos seguían estando intactos, pero mi manera de comunicárselos difería. Finalmente, rompí la carta. Es muy loco cómo un gesto fallido o una carta jamás enviada puede subirse a la garganta...

Ocupaba mis interminables días en observar a los otros pacientes. ¡Es una norma de supervivencia en esta clase de lugar, créame bajo palabra! Frank, un fortachón de una treintena de años, muy simpático, hacía una dinámica psicológica; se le enseñaba a manejar su ira con más juicio. Debía seguir un régimen ya que su nivel de azúcar resultaba demasiado elevado. Esto le preocupaba un comino: no llegaba a prescindir del chocolate. "¡Prefiero estallar de una hiperglicemia que de un cáncer en los pulmones!" repetía con convicción. Cambiaba entonces sus cigarros por golosinas: una barra de chocolate valía diez cigarros, un caramelo de miel, dos cigarros, una bolsa de chips, cinco cigarros y así sucesivamente. Cuando me cruzaba en el pasillo, me saludaba amable y respetuosamente. Me sentía en confianza ya que su habitación estaba cerca de la mía. Frank frecuentaba a menudo a Yvan, un joven de unos veinte años que sufría de desorden bipolar. A su llegada, se encontraba en fase maníaca y no podía pasar sin frotar todo: las tablas, el piso, los baños, siempre con ayuda del mismo trapo. Algunas inyecciones lo habían puesto rápidamente del otro lado de la balanza. Sin embargo, incluso más relajado, no podía dejar de seguir el polvo y de expulsarlo soplando arriba cuando se creía solo. Una pequeña manía aceptable en resumen, y más bien cómica.

En una habitación simple vivía Muguette, de unos sesenta años de edad, sufría de demencia. Emito este diagnóstico bajo toda reserva. Tranquila, permanecía habitualmente replegada. En dos ocasiones, sin previo aviso y sin razón aparente, atacó a otros pacientes; actuando tranquilamente, sin emoción. Me encontraba allí cuando aplastó su cigarro sobre la mano de Vero. Ninguna palabra salió de su boca, dándonos a todos *mieditis*... En adelante, todo el mundo la vigilaba. En cuanto a Véronique, podíamos difícilmente clasificarla. Cubierta de tatuajes y gruñona, de la misma edad que yo, actuaba como una adolescente rebelde. No le agradaba nada: lo mismo la comida que los programas de tele o la temperatura. Poco importaba el motivo, si pudiera vociferar, todo estaría OK. Además de los tatuajes, múltiples cortaduras se esparcían en sus brazos —de las muñecas a los codos. Adoraba exhibir sus cicatrices —eso debía formar parte de su patología. Por último, el fantasma del 4, una mujer a la que se veía muy poco, comía en su habitación y una enfermera debía ayudarle a su aseo. Debido a su sonambulismo, se la ataba con correa para la noche. Toda clase de historias corrieron al respecto. Pero el misterio que rodea su internamiento permaneció por completo.

Por el momento, yo pertenecía a ese pequeño mundo, o a las mismas enfermedades que antes se codeaban, pero enarbolando en adelante caras envejecidas, a veces devastadas.

Marie hizo una visita relámpago que me afectó mucho, a pesar de mi aparente indiferencia. Al mostrarme así, deseaba evitarlo. Ante la adversidad, ella no tenía la misma fuerza que Arliette. En el salón de la unidad, mi madre parecía desfasada y herida; una expresión de fracaso agravaba sus rasgos. Finalmente, su propia miseria se me unió, no supo protegerme. Esta reflexión se arremolinaba en mi cabeza mientras que Marie buscaba desesperadamente un tema de conversación que rompiera nuestro malestar.

El encuentro fue doloroso y yo me prometí, en el futuro, evitar esas situaciones. Marie no debía sufrir más por mi falta. Al alejarme de ella, le daría una oportunidad.

El viernes que precedía a mi salida, nos reunimos en el salón para el bingo semanal. En un momento dado, Maurice se levantó muy excitado, gritó: "¡Bingo!" Y cayó sorprendido, arrastrando el ábaco en su caída. Decenas de bolas se paseaban sobre el piso. B-6 falló enviar a Marthe a bailar. Yo reuní algunas bolas pero O-67 se me escapó y siguió bajo la estufa. Mientras que las enfermeras se ocupaban de Maurice, una paciente puso accidentalmente fuego en un cesto de basura. El desorden general se desató. Veinte minutos más tarde, Vero hizo lo suyo, a su vez. Provista de un cuchillo de plástico, se cortó al antebrazo. ¡Un verdadero mundo de locos! ¡Esta chica se cortaba los brazos por una pequeñez! La punta de las orejas de la enfermera principal se volvió roja; era mejor eclipsarse de prisa. “Cada quien su miseria, pensé. ¡*The show must go on*!” Me refugié en mi habitación, coloqué la cabeza sobre la almohada y me dormí en seguida.

El lunes, Aline vino a saludarme y a desearme buena suerte. Yo creí oír “Hasta pronto”, pero mi imaginación me jugaba ciertamente unas bromas...

Capítulo 21

Afuera

Con mi receta médica en el bolsillo, no avisé a nadie de mi liberación. Quería deslizarme sin ruido en este mundo, historia por comprobar si Rubby podía aún procurarse un lugar. Si la G.B. se había despertado más, habría señalado seguramente la alusión: ¡deslizarse=arrastrarse=oruga! Afortunadamente, vegetaba en un recoveco de mi cráneo, reventada por los medicamentos.

Durante los primeros meses que siguieron a mi regreso entre la sociedad, la calma llana reinó en mi vida. Descubrí un pequeño alojamiento en el sureste de la ciudad. Un lugar atrapado en la monotonía permanente, donde los techos de teja y los rieles de ferrocarril oxidados, parecían decolorar el cielo en algunas partes, añadiendo un toque siniestro al decorado. Mi departamento ofrecía una ventaja no despreciable: un largo pasillo lo atravesaba de parte a parte —¡toda proporción guardada, por supuesto!—. Contaba treinta pasos de un lado al otro. Al aplicarme y al acompasar mi paso con mi respiración, un minuto transcurría entre mi salida del cuarto de baño y mi entrada a la cocina. Ganaba un *bono* de diez pasos si, al llegar al comedor, bifurcaba a la izquierda para alcanzar el lavabo. En esta etapa de mi viaje, aprovechaba para asegurarme que la ventana tenía bien puesto el cerrojo y cerraba herméticamente la cortina, ¡por si acaso! Acumulaba muchas millas en esta época: no me sorprendería tener cubierta la distancia Montreal-Quebec. Por otra parte, la alfombra daba fe. Para evitar usarla demasiado y molestar al proprietario, efectuaba a veces mi vaivén rozando las paredes. Colocaba mi pie contra la cenefa, tan cerca como me lo permitían mis caderas, y evitaba cuidadosamente los surcos del centro. De esta forma, podía realizar una ida y vuelta de cada lado de la pared, lo que triplicaba mi itinerario regular. El tiempo pasaba así, al ritmo de esta danza lineal.

Al abrigo de este cuchitril, me sentía más grande, en el límite de la normalidad, con seguridad lejos del mundo y de sus turbulencias. Vivía como ermitaño, limitando mis contactos sociales a Marie y Arlie. No tenía teléfono; utilizaba el situado en la esquina de mi calle. Salía cuando carecía de alimentos y aprovechaba para llamar por teléfono. No frecuentaba a ningún inquilino; decisión juiciosa, sobre todo en lo que se refería al tipo del 6 que, por sí solo, habría desalentado toda iniciativa en ese sentido. Este hombre grande y fortachón, con los ojos peligrosamente espaciados, se veía aquejado de labios muy gruesos que le impedían cerrar la boca, lo que le daba el aire de un mutante porcino. Me crucé con él en tres ocasiones y, siempre, debí contenerme para no salir pitando como un conejo. En resumen, causaba escalofrío en la espalda. La inquilina del 4 parecía siempre maltratada y lista para pelearse. Por esta razón, mis excursiones fuera del departamento seguían siendo rarísimas y sólo movidas por la necesidad.

Esperaba el gran día, donde Olivier, mi hijo, llegaría a mi cabeza, degradando a la G.B. No van a creer que me disparaba; se trataba simplemente de un juego, una manera muy personal de combatir mi soledad y de aportar un poco de sabor a mi cotidianidad. Me fijé una fecha muy precisa, el 4 de agosto, el mismo día que Rock —le debía quizá eso—. Así pues, tendría un pequeño León; lo prefería al Cáncer, este signo tenía una connotación enfermiza que me indisponía.

Las últimas semanas de mi "embarazo" fueron a la vez dolorosas y maravillosas. El verano, especialmente caliente, se eternizaba. La humedad era omnipresente en mi barrio. En realidad, venía en primera con los techos de teja y las paredes de madera. Me sentía pesada, mis pies hinchados eran evidentes, aunque evitaba encerrarlos inútilmente en los zapatos. Tomaba baños tibios para relajarme y refrescarme. Interpretaba tan bien mi papel de mujer encinta que llegué a experimentar pequeños dolores en el bajovientre, como si un pie minúsculo buscara penetrar demasiado pronto a la "realidad". En esos momentos, el corazón se me salía del pecho y debía sentarme con el fin de recuperar el sentido. Me gustaba creer en esta magia. Hablaba mucho con Olivier; le contaba sobre sus antepasados, esa gente que lo habría mimado más allá de los límites permitidos por su cartera. Paul y Lucie habrían sido completamente chochos ante este pequeño hombrecito. ¡Qué deliciosos estragos habría causado en su corazón!

Hacia fines de julio, mis noches se volvieron de pesadilla. Sueños inquietantes, de un realismo que debe cortar la respiración, cumplían mis noches. Uno ellos, cuya simple evocación me perturba aún hoy, se refería a la silla mecedora de mi abuelo. En mi sueño, me despertaba para ir al baño. A mi regreso, contaba mis pasos en el corredor, utilizando los surcos del centro; al décimo paso, oía un ligero susurro procedente de la cocina. Una atracción demoníaca me aspiraba en esa dirección, impidiéndome refugiarme en mi habitación. Al vigésimo paso, mis pies se hundieron hasta los tobillos en la alfombra; probaba todos los dolores del mundo al avanzar. Mientras tanto, el ruido se ampliaba y se transformaba en crujidos siniestros. Oía susurros hermanados a una risa muy suave, como ahogada por una mano. El alojamiento se encontraba sumido en la penumbra y cuando quería accionar el interruptor del pasillo, se hundía en la pared, pretendiendo comerme los dedos. Al trigésimo paso, permanecía prisionera de la alfombra y debía asistir, impotente, a la escena que se desarrollaba ante mis ojos.

Paul se mecía en su vieja silla, Olivier —tal como me lo imaginaba de un año— sentado sobre sus rodillas. Ambos me observaban con maldad y reían burlonamente señalándome con el dedo. Mi abuelo se mecía cada vez más fuerte; un largo quejido corría a lo largo de los barrotes, remontando hasta el respaldo. A cada balanceo, Paul se descomponía y su silla retrocedía imperceptiblemente. Olivier se reía a carcajadas, retirando enormes orugas de la cara de su bisabuelo y lanzándolas en mi dirección. Yo estaba petrificada. Cada bichito que me alcanzaba se clavaba en mi carne, quemándome hasta el hueso. Un pensamiento estúpido me cruzaba el espíritu. A pesar de todo ese horror, no podía impedir preguntarme cómo un niño tan joven llegaba a lanzar una oruga con tal destreza. Finalmente, a fuerza de retroceder, las cunas de la silla se fijaban en la pared y Paul, en un último esfuerzo para retirarse, se desmoronaba y caía en pedazos. La imagen, potente y aterradora, acababa con mi pesadilla. Me desperté asustada, víctima de náuseas. Nunca supe lo que ocurría con Olivier en estos giros oníricos. Sin embargo, parí al día siguiente, en un sueño similar.

En mi cabeza, Olivier siempre fue dotado del don de la palabra, incluso en los primeros días de su existencia "Rubbyana". A menudo me he preguntado con respecto a este fenómeno. Olivier es totalmente diferente de las otras voces. La G.B. sigue siendo independiente de mí, por más que piense Bélaski. Dice cosas desagradables, me maltrata, me acosa y manifiesta una voluntad propia. Olivier, en cambio, forma parte de mí, como si, en el momento de mi aborto, su alma se hubiera alojado en un recoveco de mi carne, negándose a dejarme. A la distancia, no creo haber imaginado a Olivier; simplemente se manifestó a su término, en el mes de agosto.

Me acordaré siempre de ese día. Por una rara vez, el sol y una brisa refrescante se dieron cita. Entreabrí las cortinas para mostrarle a mi hijo que la vida no correspondía a una eterna monotonía. Sentí su presencia a mi lado y extraje una gran fuerza. Después de su aparición, supe que él constituiría mucho más que un simple entretenimiento. Se volvía un antídoto para mi vida, más bien de mierda. Cruzada por una onda de alegría, yo salí de mi letargo. Desde ahora, todas las esperanzas me estaban permitidas.

Este memorable día se llenó de sol y de alegría. Tomé un copioso almuerzo y decidí ir al cementerio a presentar a Olivier a sus bisabuelos. Enclaustrada desde hace lustros, este paseo resultó mi primera y verdadera salida al mundo. En una esquina de la calle de la parada de autobús, vi una florería y compré dos rosas para depositarlas sobre la tumba de Lucie y Paul. Mi hijo no dijo nada ante todo este ruido urbano. La gente con quien me cruzaba debía tomarme por una iluminada o una drogada. Poco me importaba, yo deliraba de felicidad. Pronto, la montaña se perfiló en el horizonte, como un remanso de paz en medio del asfalto. Como siempre, al percibir las estelas alineadas hasta perderse de vista, tuve una pequeña punzada en el corazón. Por su parte, Olivier parecía impaciente de pisar aquel suelo. Tras caminar a lo largo de las alamedas centenarias, intenté explicarle la razón de mi fascinación por ese sitio. Delante de la tumba de Paul y Lucie, las preguntas brotaron. "¿Estás segura de que duermen allí abajo? ¿El abuelo está dormido sobre la abuela? ¿Nunca saldrán de allí? ¿Les gustan las rosas? ¿Por qué lloras?". Preguntas de niño que merecían por lo tanto reflexión. No me imaginaba que un pequeño pudiera provocar semejantes remolinos en mi cabeza. Con él a mi lado, mi vida tomó un cambio decisivo. La enfermedad y la *Gran Bocona* se relegaron a un segundo plano, como un ruido de fondo. Olivier tenía el poder de interferir su frecuencia.

Cuando abordaba el tema de Olivier con mi psiquiatra, guardaba una cierta prudencia. Temía su juicio y, sobre todo, que no aumentara mi medicación. Esta táctica me había sido inspirada por la G.B. en persona. Mientras que estaba de pie en la cocina, hablando de todo y de nada con mi hijo, esta última replicó. "¡Puta ridícula, hela ahí peinada y con su piojo! ¡Ten cuidado con tu ectoplasma; si se lo cuentas a Bélaski, estarás bien para la casa de los locos!". Eso me dejó de una pieza. Por un momento, no reconocí aún a la G.B. ¡Ella también se había encerrado desde hacía lustros; casi la había olvidado! Qué pobre *esquizo* era... Reanudábamos pues, la vida común. Los meses escaparon así, en compañía de mi hijo-fantasma y de la G.B.

Una mañana en que la G.B. se hacía muy feroz, busqué desesperadamente mi *walk-man* con el fin de cerrarle el pico. Olivier no me aportaba ninguna ayuda; no llegaba a materializarlo, pues ella me lo impedía. "¡Eh! ¿Pequeña hada, tu piojo hace la siesta o qué? ¡Si eso se descubre, es que un fantasma *esquizo* oye voces! No se mueve, voy a hacer que se presente." Terminé por arrojar mi *walk-man* debajo de mi cama. Cogí los auriculares temblando de rabia. Cuando quise accionarlo, no emitió el menor sonido, las baterías estaban descargadas. Debía a toda costa encontrar pilas, so pena de muerte. Dos opciones se me ofrecían: recargar las pilas, soportando los sarcasmos de la G.B., lo que me aparecía por encima de mis fuerzas, o comprar unas nuevas. La elección se impuso por sí misma. Salí corriendo y arremetí directo contra el abdomen del *mutante porcino*. Él me atrapó apenas, evitándome un clavado en la escalera, y recuperó mi *walk-man* al vuelo. Yo estaba ligeramente atontada. Se inclinó y dijo:

—¡Vamos, no hay fuego! ¿Te hiciste daño?

Durante un momento, me creí sorda; veía sus labios moverse, pero ningún sonido me llegaba. Observándolo desde ese ángulo, tuve la impresión que sus ojos se distanciaban más. No sabía ya dónde mirar. Me sacudió con suavidad y preguntó:

—¿Te sientes bien, pequeña? ¡Estás tan pálida que das miedo!

El sonido volvió de nuevo. Para mi gran asombro, su voz sonaba grave, reconfortante. Su brazo me sostenía aún y ese contacto me alivió. La G.B., quiso interponerse: "¡Reacciona, perra! ¡Deslízate entre sus manos, no es más que un torpe!". Se presentó y me llevó a lo largo del pasillo hacia su departamento.

—Me llamo Marc, vivo en el 6. Un buen vaso de agua te hará sumamente bien. No temas nada, dejaré la puerta abierta detrás de nosotros.

"¡Lárgate, puta! ¡Veamos su pantalón...! ¡Si se coloca detrás, a este tipo se le para como a un macho cabrío!". Seguí a Marc, sosteniendo preciosamente mi *walk-man* con las dos manos. Mi decisión era firme, la G.B. tomó su agujero.

Vacilé un microsegundo antes de cruzar el umbral del 6. Fui de sorpresa en sorpresa. En el salón dominaba un pequeño altar, probablemente dedicado a Buda. Algunos palillos de incienso y estatuillas que representaban a dioses hindúes estaban dispuestos a los lados de la divinidad. Sin muebles, apenas algunos cojines en el piso. Al entrar, Marc se descalzó con respeto. Sus gestos parecían naturales e impregnados de solemnidad; se habría dicho que se entregaba a un ritual. Mi asombro se transformó en fascinación. La vergüenza de tratarlo mentalmente como *mutante porcino* me embargó. No había nada más delicado que este hombre en calcetines. Permanecí en su casa unos quince minutos, el tiempo para conocernos más. Salí del 6 tranquila, con las nuevas baterías en la bolsa y una nueva amistad en perspectiva.

Marc era un personaje sorprendente; había desactivado la crisis casi sin saberlo. Entré a mi casa serena y la G.B. amordazada. Me había abierto a él con toda inocencia, sin retención, sin tener miedo de que me juzgara completamente idiota. Mi nivel de confusión era tal, que habría podido fácilmente desahogarme sobre el hombro de un asesino en serie, sin darme cuenta.

Hablándole —de la G.B., de los *hombres de negro*, de Olivier—, había olvidado sus rasgos sin gracia. Un poco como cuando uno se dirige a alguien que hace bizco. Mientras no se determine qué ojo controla, se siente un cierto malestar, un apuro muy justificado. Con Marc, uno terminaba por concentrarse no en sus ojos sino en su voz; lo que explicaba por qué sus palabras revestían tanta importancia. La naturaleza había compensado su fallo, gratificándolo con una voz magnífica. Además, sus palabras me apasionaban y denotaban una gran cultura. Me recordaba a Pierre, que había viajado mucho y se complacía en contarme sus aventuras alrededor del mundo. Eso me parecía tan lejos, de otro tiempo, de otra época.

Ahora que tenía un aliado en el edificio, conseguía sumergirme en su realidad sin demasiados riesgos. Sin embargo, un conflicto constante se me presentó: mi capacidad para funcionar en su universo se reducía. Desplegaba grandes esfuerzos, cada vez más, para conectarme. Era tan fácil —y por tanto tan miserable—

permanecer rodeada de Olivier y con la G.B. en la oscuridad. De mi entorno inmediato, sólo Arlie observó este hecho. En una cita, pasó a buscarme y debió insistir para que le abriera.

—¿Rub querida, me olvidaste o qué?

Ella avanzó en el pasillo emitiendo un largo silbido.

—¡Entonces! ¿Tu casero es incapaz de proporcionarte una alfombra de dos carriles?

Y se fue con una gran risa.

—¡Vamos, nena, sólo es una broma! Mueve tus nalgas, necesitas un poco de aire.

Prosiguió su investigación delante de una taza de café con leche, en nuestro restaurante preferido.

—¿Rubby, qué sucede? ¡Tienes una cara de desterrada!

Su voz traicionaba su inquietud, mientras que me observaba. Su solicitud me llegó directo al corazón

—Debí dormir mal, estos últimos tiempos. La G.B. me ha hecho enojar y mis pesadillas volvieron de nuevo.

—¿Le hablaste a tu *psi*? Podría ajustar tu medicación o adelantar tu próxima entrevista a solas.

—Es un hecho, debería verla la próxima semana. No te hagas, no es más que un mal paso. ¡Háblame más bien de tus conquistas!

Hizo una mueca, un poquito contrariada.

—¡No intentes ahogar el pescado, preciosa! Sólo está la G.B. Tu departamento parece una guarida oscura y mal ventilada. No quisiera ser indiscreta... pero ¿desde hace cuánto tiempo no has salido de ese agujero?

No me sentía con la fuerza para contarle todo con detalle. Se lo dije y se resignó, asegurándome su apoyo incondicional. Me dio un beso estrepitoso sobre la frente y comenzó a relatarme su última aventura.

Arliete parecía un ser chispeante de energía, cuya vida sentimental alcanzaba cumbres vertiginosas. No me engañaba con su maniobra; no la exageraba para impresionarme, sino para arrancarme una sonrisa. Esta manera de demostrarme su cariño me afectó sinceramente. Al final de la tarde, le dije algunas palabras sobre Marc.

—¡Vea eso! Señora, estoy volada por el del 6...

—¡No digas idioteces, si vieras su jeta, comprenderías!

Me di a la tarea de describirle el físico poco afortunado de mi nuevo amigo. Emitió aún algunas dudas sobre mis sentimientos con respecto a eso, pero terminó aceptando mis explicaciones.

Arlie me acompañó a mi casa y tuve que utilizar todo mi poder de persuasión para impedir que tocara en el departamento 6. Ante mi turbación, accedió a mis exhortaciones, obligándome a prometer que le presentaría a Marc, cuanto antes.

El periodo de fiestas pasó como ráfaga de viento. Había alcanzado la edad respetable de una esquizofrénica de veintitrés años. Veía a Marc sobre una base regular y amistosa. El tipo conocía a un montón de gente. Su departamento servía incluso de refugio a jóvenes fugitivos. Si era el caso, debía calmar al propietario y pagar los daños causados por algunos de sus protegidos. Pero, por regla general, los inquilinos del 6 se mostraban civilizados. Con todo ese incienso y esas divinidades, debían caer en una especie de entorpecimiento existencial benéfico. Hacía rabiar a menudo a mi amigo, al respecto.

Marc trabajaba voluntariamente para algunas asociaciones caritativas del barrio. No contaba sus horas y se sacrificaba en cuerpo y alma a esas causas. Me hablaba con pasión, los ojos destellando. Me aseguraba que la mayoría de los jóvenes con problemas lo aceptaban naturalmente, sin reticencia. Su físico no parecía repelerlos, ni disgustarlos. Por otra parte, adaptaba un muy bonito cuento a su situación:

Érase una vez un ángel espléndido que asistía a la procreación de un humano. Se maravillaba del desarrollo y la transformación del embrión. Muy pronto, fue evidente que el feto sería de sexo masculino. Algún tiempo antes de la entrega, el ángel se preocupó debido a que este pequeño ser tenía los ojos demasiado distanciados y los labios demasiado gruesos. Se abrió al Creador, indignado de que un humano tuviera que llevar esta carga. Le imploró intervenir. Dios respondió: "Puedo rectificar la situación, pero la condición que te impongo, si la aceptas, tendrá crueles consecuencias: deberás asumir este karma en su lugar durante veinte años y, por añadidura, los que tú salves querrán secretamente no perpetuar su descendencia". El ángel aceptó el trato y Vic Charland, el padre de Marc, nació.

Esta muy bella historia representaba en realidad el rechazo que había vivido en su familia, sobre todo por parte de su padre. Yo aprendí también que, tras una grave enfermedad, mi amigo había quedado estéril. Este cuento hacía vibrar una cuerda sensible en todos esos jóvenes que sufrían. Indiscutiblemente, Marc poseía el don de reconfortar a la gente y darles confianza.

Fue en esa época cuando di el gran salto: la iniciación a la heroína. Sin embargo, yo odiaba las agujas... Conservo un recuerdo más bien turbio de ese periodo. Todo comenzó un viernes de mayo. Marc acudió al lecho de su madre, gravemente enferma, y me confió su llave para que se la diera a dos de sus amigos que llegarían a la ciudad. Mi papel se resumía en asegurarme que se instalaran confortablemente en el departamento. Marc no había visto a sus amigos desde hace mucho tiempo y me hizo una descripción sumaria.

¡Cuál no fue mi sorpresa al ver presentarse a dos individuos, poco o nada parecidos a la imagen que me había forjado! Viejo, la treintena bien cumplida, cabello largo a la moda de los años setenta, con las prendas de vestir anticuadas. Su mirada me llamó la atención, sobre todo la de Víctor; parecía animado de una especie de fiebre que paradójicamente colocaba el iris con una fijeza de ciego. Entornaba lentamente sus ojos, luego fijaba su atención sobre otro objeto. ¡Fraccionaba su visión voluntariamente, era fascinante!

Víctor y Bill fueron los protagonistas de mi ruina. Debo reconocer, en mi descargo, que ellos desprendían una buena dosis de misterio y carisma. Todo se desarrolló con mi consentimiento. Yo no sufrí ninguna presión por su parte. Podría cobrarle a alguien intentar colocarme del lado de las víctimas. Imposible, no me queda más que la autoflagelación.

Capítulo 22

El comienzo del fin

El mismo día de su llegada, Víctor y Bill me invitaron a cenar. Rechazando mi desconfianza natural, acepté su oferta. Bill había preparado un plato a base de gérmenes de judías y de una tonelada de verduras cortadas finamente. Esta receta deliciosa procedía de su viaje a Japón. Hecho bastante inusual, yo me sentí bien en su presencia. Si Bill hablaba mucho; Víctor se mostraba más reservado, más enigmático, a la imagen de su mirada.

Terminada la comida, Víctor encendió varias velas y palillos de incienso, procedentes de su reserva personal. Dispuso a continuación el perfecto instrumento del heroinómano sobre la mesa baja, a algunos centímetros de Buda. Mi fascinación y mi curiosidad no abdicaron ante la perturbación de la G.B.: "¡Lárgate, puta! ¡Esa cosa podría ser peor que la casa de los locos¡ ¡Es una jeringa, idiota! Siempre le has tenido miedo a los piquetes. ¡Reacciona, perra!". El entusiasmo de la *Gran Bocona* me incitó a quedarme, más que a salir pitando. Mi función motriz se encontraba en punto neutro, pero mi cabeza giraba al máximo rendimiento.

Bill levantó su manga izquierda, dejando al descubierto numerosas marcas de aguja sobre su antebrazo. Observaba con intensidad cada movimiento de su amigo, inmóvil, como suspendido. Víctor le agarrotó el brazo y se lo golpeó ligeramente para hacer saltar la vena. Durante todo este tiempo, no intercambiaron ninguna palabra. Todo se realizaba como se debía: sin precipitación, sin tropiezos. Cuando Bill tuvo su piquete, Víctor repitió la operación sobre sí mismo. En ese preciso momento, me sentí excluida. La G.B. suspiró de gusto cuando abandoné el departamento.

Dos días más tarde, la misma situación se repitió, con la única diferencia de que formé parte del viaje para bien, pero sobre todo para mal. Incluso no sentí la aguja perforar mi piel. Víctor fijó en mí sus ojos de ciego, hipnotizándome. La heroína invadía mi organismo traidoramente, sin despertar mi desconfianza. ¡Yo me sentí exactamente bien, sin voz! Luego, poco a poco, un calor benéfico se difundió en mi cuerpo, pulsando al ritmo de mi corazón. Se habría dicho que esta quietud emanaba de mi plexo y amoldaba mis pulsaciones cardíacas para regar cada parcela de mi ser. Tuve la sensación de encontrarme, de volver a ser de nuevo Rubby, hija de Marie y nieta de Paul y Lucie, simplemente. Mientras que estaba sentada en el suelo, junto a la pared, esta revelación se impregnó con fuerza en mi espíritu. Ahora, todo parecía de una limpidez desarmante, yo existía más allá de la G.B. y los *hombres de negro*, más allá de la locura, todo al final de una aguja...

El tiempo se estiró languidamente. Víctor y Bill me acogieron dándome de comer y de beber. Su atención tenía algo de conmovedor, pero también de indecente: paralelamente al paraíso artificial que me ofrecían, me abrían las puertas del infierno.

El descenso fue lento, muy, muy lento, y continúa aún hoy. Al principio, no encontré ningún inconveniente, sólo esta maravillosa paz me envolvía y me desarmaba. Descubría un estado de felicidad que duraba mucho tiempo, postrada en lo más profundo de mis entrañas. La *hero* le aportaba la esencia necesaria para dilatarse; para encenderme. Al principio, estaba más sosegada, una clase de Rubby condensada. La droga reunificaba mi pequeña yo, era súper. Tras esta primera experiencia, la G.B. me puso mala cara varios días. ¡No me compadecí en absoluto! Yo recibí incluso esta tregua, experimentando una alegría salvaje. Por otra parte, me apresuré en profundizar los vínculos con mi hijo. Su presencia embalsamaba mis pasos en su realidad. Su voluntad de vivir me impresionaba, prediciendo una larga alianza espiritual.

Víctor y Bill dejaron Montreal antes del regreso de Marc. Así pues, yo pude decidir sola si debía confiarle mi experiencia o callarla. Inmediatamente después de entrar, Marc se materializó sobre el umbral de mi puerta. Parecía abrumado y triste; tenía dos enormes ojeras. Yo creí entender que su madre se moría y que pensaba en acompañarla en esa última transición. Mi pequeña experiencia resultaba muy ridícula en comparación al desasosiego que él tenía. Marc me hablaba siempre de su madre con amor y respeto. Ella colmaba lo mejor que podía la negligencia y el rechazo, apenas velado, de su marido ante su único hijo. Aunque la presencia de su padre volvía las cosas más difíciles, Marc no podía decidirse a abandonar a su madre. Antes de partir, optó por el subarriendo de su departamento puesto que conocía a algunos arrendatarios potenciales y fiables. Con toda esa prisa, no encontré nunca la ocasión favorable para contarle a Marc de la *hero*. Después de todo, prefería aún engañarme más, que enfrentar la verdad. El debate permaneció cerrado. Al menos, por el momento... Marc dejó el barrio prometiendo escribir para mantenerme informada. El nuevo arrendatario del 6 me intimidaba, a pesar de las buenas palabras de Marc al respecto. Por consiguiente, decidí retirarme y esperar el regreso de mi amigo. Conocí más tarde una fase de vacilación; ninguna dirección parecía segura, evidente. Y además, ignoraba si quería avanzar y hacia qué objetivo.

··*·*·*

La filiación de Marc puso en relieve mi propia relación con Marie. Mi madre, muy viva, habitaba en la misma ciudad. Esta toma de conciencia me hizo sentir nostalgia. Yo debí reconocer que me aburría con mi madre. Desde mi salida del Prévost, nuestros intercambios se limitaban a breves llamadas telefónicas. No la había visto desde hacía varios meses y yo era en parte responsable. Soy yo quien evitaba a todo el mundo, prefiriendo vivir con mis fantasmas. Organicé pues, un encuentro sobre un terreno neutro: el jardín botánico. Este ambiente facilitaría el contacto, disimulando al mismo tiempo nuestro respectivo malestar.

Llegué a nuestra cita media hora antes, yo me ubicaba hacia atrás de la cuarta ventanilla, lo que me permitía supervisar las dos entradas meridionales. Había mucha gente para un día entre semana. Debí disminuir mi vigilancia algunos segundos, pues no vi a Marie sino hasta el último minuto, cuando ella ocupaba todo mi campo de visión. Un pensamiento fugaz rozó mi conciencia: descubría mis orígenes, la raíz de mi mal. Esta acta difamante me sorprendió y me entristeció. Marie lucía un aire torturado en su interior; sus ojos se movían demasiado deprisa, por tirones. Había adelgazado, sus hombros se doblaban. La G.B. sacudió mi torpeza. "¿Eh, pequeña hada, bonito espectáculo, verdad? ¡Tal madre, tal oruga!". Esta estúpida reflexión interrumpió mis divagaciones y me trajo a la tierra.

Sin ponernos de acuerdo verdaderamente, tomamos la avenida que desembocaba al pabellón que acogía la exposición de bonsáis.

—Pareces en plena forma, comenzó Marie. Cuenta un poco lo que te pasa de bueno.

Pronunciando estas palabras, mi madre se inmovilizó delante de un roble enano centenario. Juraría que se dirigía al árbol. Desde que Wolf le había explicado las particularidades de la esquizofrenia, tenía la impresión de que Marie no se atrevía a mirarme a los ojos. Esta pequeña manía me irritaba. No me gustaba que me examinaran, pero a pesar de todo había un límite. No teniendo nada muy interesante, ni muy tranquilizante que confiarle, desvié la conversación rápidamente.

—Voy bien, el pasito a pasito habitual, todo camina. ¿Y tú?

—Cambié de horario, trabajo de día solamente. Es tan provechoso. Los clientes consumen menos, pero son más numerosos. No hay tiempo de arrastrar los pies. ¡Terminaron los borrachos babosos!

Soltó esta última palabra con tanto ardor y rabia que tragué penosamente. La G.B. intervino: "¡Bonito espectáculo! Una alcóholica que menosprecia a sus semejantes y una drogadicta que se desconoce. ¡Peligroso combo!". ¡Cuando se metía, la G.B. se volvía una verdadera mancha! Nos gratificó con sus ignominias a lo largo del recorrido. Al final de la tarde, me sentí extenuada, a punto de explotar. Teniendo en cuenta las circunstancias, nuestros reencuentros sucedieron bien. Mi madre pareció más tranquila cuando me dejó, prometiendo invitarme a su casa pronto.

Venida la noche, fragmentos de mi día desfilaron en mi espíritu. Un hecho se impuso, Marie no emitía ya ninguna frecuencia. ¿Mis sinsabores de repetición habían destrozado su registro emocional, desapareciéndole su cólera o su vergüenza conmigo? Yo me dormí llorando, llena de remordimientos.

El subarrendatario del 6 se llamaba Jean. De tamaño mediano, más bien agradable, tenía mi edad, cabello negro con reflejos azulados, así como inmensos ojos negros. Rasgos regulares encuadraban su boca sonriente. Exhalaba un aura de confianza en sí y de seguridad que me volvía más inaccesible. Mirándolo bien, me recordaba a Yan, pero además maduro y además cortés. Por más que me escondía en mi casa para evitar toda señal de ánimo, Jean me invitó a pesar de todo en dos ocasiones. A la tercera tentativa me dejé atrapar. Me encontraba en casa del conserje, una versión en vivo de *Robocop*, con el fin de cobrar mi dinero del mes. Este último cobraba mi cheque de ayuda social, restando el costo del alquiler y otorgándose una comisión del cinco por ciento por su trabajo. Después, me ponía el saldo en billetes de veinte dólares. "La ayuda" de *Robocop* me evitaba muchos problemas, como abrir una cuenta bancaria, tener una tarjeta de débito que me obligaría a utilizar el cajero automático y a memorizar un número de identificación personal. Mi pequeño cerebro se enmarañaba ante tantas complicaciones. La otra solución consistía en recuperar uno mismo su cheque, lo que representaba una operación arriesgada y temeraria en mi rincón de la ciudad.

Al salir de la oficina, Jean se me echó encima. Me interceptó tomándome por los hombros y me dijo:

—¡Te tengo! ¡Sin preguntas esta vez no te me escapas!

Lo miré, alelada, no sabiendo qué actitud adoptar.

—El sábado, tengo una reunión y quisiera verte ahí. ¡Acepta, te lo ruego, me dará verdaderamente gusto!

No tenía más escapatoria; su perseverancia rozaba por otra parte el patético cómico. Con el fin de evitarse dificultades, informó al portero de su proyecto y obtuvo fácilmente su aprobación.

Pasé el resto de la semana maldiciéndome por mi debilidad; anticipaba las situaciones más desastrosas. La G.B. me fustigó añadiéndole a su copla mi fobia a las agujas y a las fiestas, que cambian a fiestotas e, inevitablemente, a "piquetotes". Cuanto más me envenenaba la existencia, más me gustaba contrariarla. Todos sus fantasmas macabros eran sin fundamento. Jean tenía el aire de un muchacho *limpio* aunque ella no compartía mi opinión: "¿No tiene rastros de aguja sobre los brazos, y detrás, perra? ¿Lo observaste entre los dedos del pie puta?". Por más que me exprimía los sesos, no llegaba a comprender dónde la G.B. encontraba todas estas burradas. Se trataba efectivamente de una prueba suplementaria de su autonomía existencial. Me quedaba al menos un consuelo: estaría sola con Jean algunas horas. Esta posibilidad, debía reconocerlo, me encantaba y halagaba mi pobre ego.

Me presenté en el 6 hacia las catorce horas, mientras que esperaba a los otros invitados hasta las diecisiete horas. Me sentía calmada, la G.B. me había dejado tranquila desde la víspera —estaba enojada—. Jean había hecho algunos cambios en el departamento.

—Tranquilízate, guardé cuidadosamente a Buda y a sus discípulos en el cobertizo del sótano. Tenía miedo que algún canalla los rompa por accidente.

¡Qué delicadeza! Definitivamente, Marc había elegido bien a su sustituto. Las tres horas de preparativos se distribuyeron aproximadamente así: se consagraron noventa minutos a la comida y a la decoración, treinta minutos a la domesticación mutua seguidas de una media hora de caricias, luego de treinta minutos de reconquista. Este programa me dejó jadeante, sin defensa y en órbita. Aún enganchada en las primicias, la tarde se desarrolló sin mí. ¡La G.B. habría dicho bien, Jean no disimulaba ninguna marca entre los dedos del pie!

En esa época, me habría gustado comprometerme con Jean. Sin embargo, su carácter impetuoso y su fogosidad me desconcertaban y me asustaban. Él pretendía ya mudarse a mi casa: esta posibilidad seguía siendo inaceptable. Imposible. Impensable. ¿Cómo explicarle los surcos en la alfombra, Olivier y mis peleas con la G.B.? No me sentía dispuesta en absoluto, era demasiado rápido y demasiado pronto. Jean interpretó mi reticencia como de indiferencia y cesó sus avances. Desapareció del panorama después del regreso de Marc.

Si Dios existía de verdad, me habría permitido vivir relativamente en paz rodeada de mi hijo, de mis voces, de mi madre y de mis dos amigos. Pero el diablo se mezcló bajo los rasgos de Lucienne.

Mi amigo reanudó el servicio y sus protegidos deambularon de nuevo en el edificio. Los mismos tormentos inscritos sobre caras diferentes y, sin embargo, la compasión de Marc parecía siempre tan viva. Se hizo fiador ante el propietario de una joven pareja recien salida de la desintoxicación. Lucienne y Damien se instalaron así en el 8, con dos habitaciones y media amuebladas. Parecían simpáticos y de buena compañía. Nos gustaba reunirnos en casa de Marc, fumar un carrujo y discutir largas horas. Generalmente, me limitaba a escucharlos rehacer el mundo. Nuestros dos amigos percibían ayuda social y redondeaban sus fines de mes trabajando tiempo parcial en una fábrica. Desbordaban literalmente de proyectos maravillosos.

Una noche en que regresaba tarde de una cena en compañía de Arlie, vi de pronto a Lucienne sobre Saint-Laurent. Su ropa, su maquillaje, su actitud no dejaban ninguna duda; ella vendía sus servicios. Me di toda la vuelta. Un transeúnte me empujó violentamente, obligándome a proseguir mi camino. Ella nunca tuvo conocimiento de mi presencia, su segunda profesión la suprimía de la realidad. A la altura de Ontario, observé una última vez en su dirección y la vi correr hacia un auto.

Esa noche, la imagen de Lucienne comerciando me dio vueltas en la cabeza y me atormentó. En mi sueño, a veces Patsy, a veces ella o yo, se inclinaba en la portezuela mientras sonreía al cliente. Tres identidades intercambiables que desafiaban las miradas codiciosas y despectivas de la calle. ¿Por qué Lucienne mentía? ¿Damien sospechaba de eso por su parte?

Tras este triste descubrimiento, me costaba trabajo mirar a mi amiga a la cara. ¿A quién pretendía engañar con sus bellas palabras? Durante algún tiempo, espacié mis visitas al 6. Luego, una tarde volviendo del mercado, Lucienne forzó prácticamente mi entrada. Se instaló en mi departamento al momento en que yo empujaba la puerta. Lívida, las gotas de sudor perlaban su frente. Temblaba y no dejaba de disculparse. No emitió ningún comentario a propósito de la alfombra y se abandonó sobre el sofá de la sala. Del doble fondo de su mochila, extirpó una jeringuilla cargada de heroína. A pesar de su agitación, Lucienne se disparó directamente por encima del pie. Se acurrucó y cerró los ojos; ya estaba en las nubes. Llevaba aún mis bolsas de provisiones, es decir hasta qué punto los acontecimientos se trastornaron.

Tomé la jeringuilla con mucha precaución para depositarla sobre la mesa antes de que mi amiga se hiriera. La G.B. me saltó a la cara: "¡Deja eso, perra! ¿Te volviste loca o qué?". Su ataque fue tan virulento que de buen grado me hubiera disparado para cerrarle el pico. Desgraciadamente, tenía el arma, pero me faltaban las municiones. Temblaba de rabia, de envidia e impotencia mirando a Lucienne.

Cuando volvió en sí y fue de nuevo "lúcida", un silencio embarazoso se instaló entre nosotras. Lloró suavemente, sin lágrimas. Después de esta pausa forzada, se resignó a hablar:

—Lo siento, Rubby, no podía soportar más, mucho tiempo. ¡Son una farsa todos estos discursos, no puedo resignarme, es mejor estallar! ¡Es tan bueno... tan repugnante!

No me atrevía a tocarla, ni a tomarla en mis brazos, hasta tal punto parecía frágil. Levantó la cabeza, pareciendo leer en mis pensamientos, y prosiguió:

—Damien no sabe nada, eso lo mataría. Piensa que estoy en clases. ¿Sabes? Es algo más bien cerebral entre nosotros y cuido siempre mis partes bajas...

Lucienne esbozó una pálida sonrisa. Se calmó poco a poco y yo le prometí no decirle nada a Damien, el tiempo que ella reúna el valor necesario para hablarle. En ese intervalo, prefería aún que se drogara en mi casa, en vez de hacerlo en la calle. Me explicó que se trataba solamente de su tercera dosis desde su reciente recaída. No había previsto que su novio regresara del trabajo a esa hora. Por esa razón mi presencia providencial en el pasillo le había salvado la situación. Damien la seguía de cerca sin saberlo.

El engaño duró una decena de días. Lucienne lloró mucho, se disculpó, lloró más. Finalmente, un viernes por la noche en el que nos reuníamos todos en casa de Marc, ia verdad estalló. Damien cayó de las nubes mientras que Marc recibió el golpe sin moverse: había visto otros. Damien vio a su compañera con una mirada incrédula; quería saber desde hacía cuánto tiempo ella lo engañaba así. Su pregunta no implicaba tanto un reproche, como un inmenso desamparo, como un náufrago que ve a su compañero de infortunios hundirse en las olas. Me sentí culpable de haber participado en esta mascarada. Sin embargo, Damien me agradeció, hasta cierto punto, haber limitado los daños.

No hubo pelea, ni gritos, solamente una profunda decepción.

Al final del mes, Damien nos anunció que dejaba la ciudad. Lucienne, desamparada, me pidió albergarla el tiempo que volviera a asentarse. A pesar de las advertencias de Marc, acepté ayudarla. Lucienne me necesitaba y ese sentimiento de ser útil a alguien me gratificaba. Por una vez, alguien sobre este planeta resultaba más desgraciada que yo. Deseaba salvarla como antes había querido salvar a Yan. Fue la decisión más desastrosa de mi vida.

Mi resistencia a la *hero* fue a mi imagen: pasiva y débil. Muy rápido, el dinero faltó y yo debí volver a la calle: sus olores, su fauna y su ley. Al principio, acepté solamente hacer las pipas; eso implicaba menos riesgos y me permitía no recurrir al apoyo de una red. Realizaba este movimiento en el auto del cliente la mayor parte del tiempo, a veces en una callejuela o en un parque. A través de ese lío, llegaba a pesar de todo a crearme una rutina, una clase de plan de encuentro. Holgazaneaba todo el día, saltaba mi medicación de la noche e iba a trabajar hacia las veintiún horas. Según mis ganancias, regresaba entre las dos y las tres de la mañana y Lucienne me inyectaba mi dosis. Ella velaba por el suministro y su *dealer* demostraba su confianza ofreciéndole cocaína de la buena. Para no asustar a las presas de caza, evitaba pincharme en las manos. No quería parecerme a esas chicas cuyos brazos recordaban un mapa de carreteras. Yo consumía en forma moderada, mientras que Lucienne se hundía inexorablemente. En esa época, me maquillaba muy poco: una delgada línea negra sobre el párpado. Con el tiempo, me pasé de la raya. Resultado: ¡en la actualidad, tengo el aire de una pobre estúpida!

Gracias a sus numerosos contactos, Arliette terminó por conocer mi verdad. Acudió volando. Al penetrar en el edificio, cayó sobre Marc y, creyéndolo responsable de mis sinsabores, le mostró un trato memorable. Intrigada por toda esta bronca, arriesgué un ojo en el pasillo y reconocí entonces a mi amiga.

Cuando el conflicto pasó, no pude impedirme sonreír. Tan pronto como Arlie me percibió, todo su enojo voló y corrió hacia mí. ¡Es una locura como me gustaba esa mujer! A menudo, le decía riendo que si hubiera sido un chavo, me habría casado con ella sin ninguna duda...

Al ver el burdel en la cocina, Arlie retrocedió y sopló:

—Mi pobre querida, ahora todo irá bien. ¡Estoy aquí, mi niña, estoy aquí!

Nunca había visto a mi amiga tan afligida. En ese preciso instante, un miedo terrible, a la décima potencia me inundó. Nada comparable a lo que había conocido hasta ahora. Sentí una mano ardiente machacarme las vísceras y licuar mi cerebro. Ante la actitud desconcertada de Arlie, la situación me pareció grave. "¡Grave lo que dices, puta! Es peor que eso. ¡Me mato en repetírtelo desde hace meses, perra! ¡Estás con la mierda hasta el cuello!". Ella me hizo una buena media docena de propuestas, pero ni una me convenía. Bajo ningún pretexto habría abandonado mi independencia y mi libertad, incluso para vivir con mi mejor amiga.

Me di cuenta que al rechazar su ayuda, la lastimé y añadí a su confusión una capa de abatimiento. Ella quiso alejarme de Lucienne y su influencia dañina. Ahora que sabía a Marc fuera de la jugada, dirigió sus rayos contra mi *roomate*. Por suerte, ésta última estaba ausente, si no habría pasado unos quince minutos muy malos. Al término de largas negociaciones, llegamos a un compromiso: me concedía un mes de prórroga para pensar. Pasado este plazo, le comunicaría mi decisión.

Arlie se mostró más tranquila y me dejó. Por mi parte, detrás de la puerta cerrada, lloré mucho.

Me acuerdo de esta escena con una claridad asombrosa. Yo debí volver a representarla por lo menos un centenar de veces en mi cabeza. Como si un simple *remake* pudiera modificar el curso de mi existencia. A lo sumo, mi conciencia se tranquilizó, volviendo mi falta más soportable, casi venial. Estas lágrimas pertenecían al acontecimiento original o al *remake,* no sabría decirlo. Ésa fue la última vez que vi a Arlie. Una mañana, al regresar de una noche especialmente penosa, Lucienne me anunció que la habían encontrado colgada en su departamento.

La noticia fue devastadora y el *shock* fulminante.

Lucienne, esa eterna inmadura, carecía de sutileza y amaba el sensacionalismo, tres ingredientes altamente tóxicos y muy eficaces para difundir tal catástrofe. Sentada en la mesa de la cocina, esperaba que me inyectara. Yo tenía la boca abierta, el brazo atado con una correa y el corazón ardiendo. Ella debió tomar mi silencio por una invitación, ya que prosiguió sobre su impulso; yo no podía hacerla callar. Vi de nuevo a Arlie abrazarme y arrancarme la promesa de pensar en su propuesta de vivir juntas. Se trataba seguramente de un error: imposible que terminara sus días balanceándose al final de una cuerda, orinándose encima... La *hero* y la muerte de mi amiga se introdujeron en mis venas como un veneno mortal, engañando mi vida. Lucienne terminó por irse a dormir y yo permanecí largas horas sola. Incluso la G.B. me abandonó a mi suerte.

Me levanté, utilicé los surcos del pasillo y me fui...

Caminé a través del departamento.

Caminé a través de mis recuerdos hasta el día donde había encontrado a Arlie, la primera vez, en esa comisaría deteriorada.

Caminé a través de mi pesadilla.

Caminé en la noche sin comprender, sin aceptar.

Nunca di crédito a la tesis del suicidio. Arlie amaba demasiado la vida para destruirla voluntariamente. Había cruzado duras pruebas sin flaquear, saliendo cada vez más fuerte y más alegre. En esa tormenta, Marc me fue de una gran ayuda. Ante la comisaría se volvió responsable de la investigación para informarse de las circunstancias que rodeaban la muerte de mi amiga. Me volví alérgica a la palabra "suicidio"; nadie se atrevió ya a pronunciarla en mi presencia. Lucienne habiéndome enterado a costa suya, se mostró un poquito más moderada en sus palabras. Marc me informó que Jack, el hermano de Arliette, la había encontrado, vestida con ropa de hombre, afeitado el cráneo, una carta sobre la mesa, explicando su acción. Ella mencionaba ahí su cambio de sexo, sus pesares y la imposibilidad de dar marcha atrás. ¡Pamplinas y conjeturas! En primer lugar, a Arlie le causaba alegría volver a ver a su hermano que vivía en Londres y albergarlo algunos días. Nunca habría tenido el mal gusto de dejarle descubrir su cadáver. A continuación, mi amiga estaba loca por su cabellera, su orgullo: por nada del mundo, la habría rasurado. Y por fin, había elegido y asumido serenamente su metamorfosis. En su corazón y de la cabeza a los pies, representaba a la mujer más femenina que había tenido el honor de conocer, y eso, aunque poseía grandes pies, como lo pregonaba la G.B. Nada ni nadie podía negar esta verdad.

Me sentí incapaz de asistir a su entierro. Por el contrario, para honrar su memoria, permanecí en abstinencia y me enclaustré durante tres días: prohibición de píldoras, droga, alcohol y sexo. Incluso Lucienne se encontró un refugio temporal. Este periodo de castidad fue intenso, a toda prueba; no obstante, eso me consoló. Tendida en la oscuridad, en ausencia, insultándome con la G.B. y convencida que los *hombres de negro* iban a desembarcar, lloré a Arlie y maldije esta puta vida. Mi hijo se encontró en cuarentena, lo juzgaba demasiado débil para asistir a esta ceremonia del recuerdo.

Al salir de ese trance, decidí desaparecer y ampliar mis horizontes. La presencia de Lucienne me irritaba pero, antes de echarla, debía estar en condiciones de bastarme a mí misma, cuestión de sustancias y técnica. Previo a la mudanza, cumplió ese contrato y me dio una última flor: me presentó ante el gerente del motel *Lys d'Or*. Se trataba de un lugar bien situado y muy frecuentado, donde se cambiaban las sábanas regularmente y dónde la comisión exigida por el gerente resultaba razonable. Me pinchaba en casa antes de ir a trabajar, ya que se prohibía formalmente esta práctica en el motel, no se toleraba ningún deterioro. Armada de mi lápiz para los ojos, podía hacer frente a todos los tipos excepto a Marc. Su bondad y su comprensión me humillaban, me herían. Se cree sin ningún motivo que una puta no tiene orgullo, mientras que a mí se me dificultaba el contacto con mi amigo. Habría preferido temerle, como antes; al menos, habría podido reaccionar huyendo. Mientras que ahí, mi sonrisa disimulaba además una mentira, un malestar inexpresable. Una parte de mí misma pensaba no merecer la atención y la mano tensa de Marc. Mi situación no era tan precaria como la de algunas jóvenes vagabundas. ¡Mi amigo debía tener prioridades mucho más urgentes que mi pequeña persona, sobre todo al apoximarse las fiestas!

Otro acontecimiento que precedía a la muerte de Arlie me atormentaba: el olvido del primer aniversario de nacimiento de Olivier. Desde mi primer *shoot,* los meses se volatilizaban como por arte de magia. Era maravillándome de sus progresos que la evidencia me había afectado: mi hijo tenía un año cumplido. Me sentí indigna y decidí reparar este error celebrando la Navidad con él. Cuando exploraba mi memoria, mis propias Navidades de niña rodeada de Lucie, Paul y Marie reanimaban mi noche. Todo parecía tan simple entonces, me mimaban y me querían. Ahora, me correspondía perpetuar esa costumbre cerca de Olivier. Además, mis genes reclamaban expresamente esta transmisión. No podía dejar esos recuerdos de amor pudrirse en mi pobre cabeza.

Pensaba cenar en Nochebuena con mi hijo, enseguida hacer una siesta, y luego reunirme con mi madre. Este programa me concedía el respiro necesario para recuperarme, ya que no me pincharía en Navidad —me había hecho esta promesa—. Mi cuerpo mostraba signos de fatiga, mi piel se cicatrizaba menos bien. Queriendo evitar los abscesos, tenía que espaciar la frecuencia de las inyecciones y buscaba nuevos sitios no infectados.

El 24 de diciembre, regresé hacia las veintiuna horas con treinta, completamente extenuada. Mi último cliente se había mostrado difícil e insaciable; sólo una contorsionista lo habría satisfecho. Con un baño caliente y espumante, mis músculos adoloridos encontraron una apariencia de suavidad y mi cabeza un poco de coherencia. Una decena de velas iluminaban el departamento, era relajante. Locuaz, Olivier quería saber todo de la estrella de Belén. Poniendo la mesa, le dije mi versión de los hechos. Al aplicarme a reconstruir la historia con verosimilitud, la emoción me ganó. Mi soledad me parecía menos atractiva que prevista, sobre todo en esta víspera de Navidad.

Todos los seres queridos que he amado me susurraron que los reuniera; simples murmullos, pero sus mensajes me llegaron claramente. Olivier me miró de una manera extraña, como si sospechara algo. Afortunadamente, este descontrol en el más allá, se esfumó al cabo de algunos minutos. Me di cuenta que estuve a punto de sucumbir a la tentación. Casi deploraba la ausencia de la *Gran Bocona*. Habría hecho la diversión, ya que yo sola lo lograba mal.

Ahogué mis lágrimas y decidí realizar algunos pasos de danza para mi hijo. Di vueltas en la cocina lanzándole besos. Él sonreía, con sus manitas tendidas hacia mí. Sin tener cuidado, aceleré el paso y choqué con la licorera colocada sobre la barra. Indirectamente, la botella de vino osciló y la recuperé antes de que se rompiera sobre el suelo. Sin aliento, doblada en dos, pero muy orgullosa de mi hazaña, me voltee hacia mi hijo para que admirara mi destreza. Permanecí petrificada: la cortina sobre el lavabo flameaba. Incapaz de reaccionar normalmente, observé la pequeña llama de la vela agrandarse al contacto del tejido y subir al asalto de la ventana. Antes de arrancar la cortina y de abrir el grifo, retrocedí algunos pasos. La G.B. gritaba mientras que Olivier lloraba.

Fui a dar al pasillo del edificio gritando a la vez y toqué a la puerta del 6. ¡Cuando Marc me abrió, el humo me denunció! Ayudado de varios compañeros, mi amigo controló el principio de incendio, pero mi cocina se encontró en un estado deplorable. Marc convino una tregua con *Robocop* y me albergó por la noche.

El 25 de diciembre, como convenimos, cené con Marie.

Capítulo 23

La desbandada

Al día siguiente de Navidad, Marc negoció mi rendición a cambio de la promesa de que no se levantaría ningún cargo criminal contra mí. En efecto, cuando *Robocop* percibió los surcos de la alfombra y las velas dispersadas un poco por todas partes en el alojamiento, mi condena cayó. La vergüenza me paralizó. Todas esas caras me observaron examinando la alfombra, las velas y la mesa alzada en dos. Discretamente, mi amigo se aseguró de que ningún otro se encontrara en el departamento. Todo el mundo parecía convencido de que un visitante misterioso se escondía en el armario de escobas, listo para salir. "¡Busque al intruso y le señalará a la loca de la casa!". Se burló la G.B. Me sentí muy pequeña. Deseaba solamente desaparecer.

Marc me encontró temporalmente un lugar en una casa de alojamiento, negociando la razón de mi expulsión. Para el caso, se me acogió como una mujer víctima de violencia psicológica; con mi aspecto, asumía este papel de maravilla. Viví diez días en el *Refugio del Viento*, pero nunca logré adaptarme.

Provistos de las mejores intenciones, los pensionados y, a veces, el personal violaban inconscientemente mi burbuja. Mi espacio vital sufría y se reducía al mínimo: una cama y un armario en chapa de madera. En prisión, se gozaba de más espacio, uno ocupaba su propia habitación. En el Refugio, me juntaron con Maude, una mujer de treinta años, y con Penélope, su hija de cinco años. Este nombre me hizo un efecto gracioso; lo asociaba a personajes míticos y legendarios, no a verdaderas personas. Sin embargo, la Penélope de Maude era muy real y, como muchos niños, se reveló desconcertante, imprevisible y entrometida.

Saltaba las comidas para evitar encontrarme en sociedad, pero una ayudante natural, presidiaria como yo, o una empleada me arrastraba a veces, casi a la fuerza, hasta el comedor. ¡Qué pesadilla, mujeres y niños por todas partes! En el hospital, la situación me parecía más tolerable: era una *esquizo-junkie* rodeada de maniacos, de otros *esquizo*s y de depresivos. Los niños no molestaban en los pasillos y yo no tenía que simular ser normal como aquí. Eso exigía mucho de mí, de parecer normal, pero perturbada...

La construcción de la casa databa de 1948; se constataba leyendo la inscripción grabada en la piedra en números romanos, sobre la puerta de entrada. Tenía diez habitaciones, dos cuartos de baño, un inmenso salón-sala de juego así como una cocina que hacía las veces de comedor. El sótano servía de lavandería; se almacenaban también los productos no perecederos y los efectos personales de los beneficiarios. El barrio era pacífico, salpicado de espacios verdes —como en mi infancia—. Me sabía muy afortunada de haber descubierto un lugar vacante en este periodo del año. Como me lo ensenó Maude, heredaba a una víctima vuelta a alimentar a su verdugo. Desgraciadamente, esta etapa casi inevitable formaba parte del proceso de desapego: el pensamiento mágico de que el verdugo se enmendó. Penélope había reaccionado mucho a este abandono y, desde entonces, reclamaba a su padre con fuertes gritos. Daba lástima verla; su madre, cuya cara llevaba aún las marcas de los golpes, intentaba confortarla. Olivier nunca había conocido esta vida de niño lastimado por la esperanza y las traiciones. Este escaso consuelo me mantenía a flote.

Una tarde en que Penélope participaba en una actividad de grupo en el salón, su madre me abordó:

—¿Puedo hacerte una pregunta?

Maude actuaba habitualmente de manera muy reservada, su demanda debía pues ocultar una urgente necesidad de ayuda. Eso me puso a temblar; no obstante, le hice una gran sonrisa para animarla a proseguir.

—¿Debería regresar con él o no? Sería tan simple.

La duda y la desesperación arrugaban su dulce rostro. Su confianza me afectó y me molestó. Siendo nueva en materia de violencia conyugal, tenía miedo de no darle una opinión clara. Sin embargo, no pude dejar de responder con un tono muy poco categórico:

—¿Hablas en serio?

Inspiré profundamente para reducir el malestar que crecía en mí y añadí:

—Debes pensar en tu seguridad y en la de Penélope. ¿Su padre ya la tocó?

Negó con la cabeza.

—¡Todavía no ha sido violento, sabes! Antes, era encantador. Hace cuatro años, perdió su trabajo y comenzó a beber. ¡Dice que no puede vivir sin nosotras!

Al pronunciar estas últimas palabras, vi con horror que sus ojos brillaban. ¡Qué catástrofe! Habría querido sacudirla y mostrarle su reflejo hinchado en un espejo.

¿Hablaste de eso con Chantal? Seguramente sabría aconsejarte. ¡Es una profesional, después de todo!

Mujer enérgica y notable, Chantal era la responsable del refugio. Ella consideraba a cada pensionada como un miembro de su propia familia.

—Sí, por supuesto, nosotras hablamos mucho. Me acompaña en mis gestiones exteriores, es de verdad formidable. No querría decepcionarla.

Los hombros de Maude se abatieron. La dura realidad pareció alcanzarla poco a poco.

En aquel momento, Penélope brincó en la habitación y entregó un dibujo a su madre. La llegada de la pequeña me alivió. Supe que para mí era hora de dejar ese lugar. Sobre todo teniendo en cuenta que mi "destete" prematuro me ponía los nervios de punta y el corazón en el pecho. Yo no podía ser de ninguna ayuda para nadie. Y después, privaba a una víctima potencial de un refugio saludable.

Me despedí de Maude apresuradamente y me reuní con Marc en el piso de abajo. Se encontraba en gran conversación con Pénélope y un muchacho de la misma edad. Eso me asombraba de ver a mi amigo crear relaciones tan fácilmente. Lo envidiaba, ya que por mi parte, ni siquiera era capaz de hacerlo tan intensamente con mi propio hijo.

Mi nuevo alojamiento se situaba cerca del puente Jacques-Cartier, en un edificio de veinte departamentos. Vivía en el tercer piso, en el fondo del pasillo, cerca de la salida de emergencia. Bromeando, Marc comprobó el detector de humo y me recomendó evitar los platos de queso fundido durante determinado tiempo. No entendía bien que quisiera aún ayudarme; yo representaba un verdadero peligro, una calamidad ambulante. Me sentía indigna de su amistad. Sin embargo me demostraba amor y respeto. Marc me sabía muy afectada por la muerte de Arlie y temía saberme sola. Hasta pensó en mudarse para acercarse, pero éramos perfectamente conscientes de que ese proyecto admirable resultaba irreal. Antes de su partida, le prometí hacer cita con Bélaski. Por su parte, me traería documentación sobre Drogadictos Anónimos.

Esa primera noche sola no fue muy clara. La cara de Maude me obsesionaba; ¡esperaba que estuviera bien y que no regresara a los brazos de su idiota marido! Entre mis clientes, algunos correspondían a este perfil: ¡verdaderos incapaces crónicos! Incapaces de armar algo y era por la falta de su mujer, incapaces de obtener una promoción y era aún por la falta de su mujer... ¡Siempre la misma cantinela sobre acuerdos diferentes! Me hablaban del amor que le tenían a su cónyuge con el mismo entusiasmo que debían poner para castigarla. Esta violencia gratuita era ya terrible en sí misma, pero se volvía infernal cuando se mezclaba a un niño como Penélope. Apretaba los puños de rabia y menosprecio cuando Dana murmuró: "¡No puedes hacer nada, mi ángel, no puedes salvar el mundo! Cálmate, te hieres inútilmente." Dana intervenía rara vez en mi vida pero, cuando lo hacía, era como si mi abuelo me abriera los brazos, como si regresara al redil, antes de que todos estos años de locura no se derrumbaran sobre mí y quebrantaran mi razón. Me dormí deseando que Maude y su hija se fueran.

Al despertar, mis demonios se agitaban, la *Gran Bocona* al frente. Sentí una necesidad urgente de cocaína. Mi piel me picaba, mi termómetro interno se alteraba y mi corazón enloquecía. Después de un buen *pericazo*, estaría en condiciones de entrar en contacto con Bélaski. Había asumido el compromiso con Marc y lo respetaría. La G.B. no se privó de darme su opinión: "¡Valiente hadita, una verdadera mujer de palabra! Ella se droga leyendo su breviario de las doce etapas de los D.A. (Drogadictos Anónimos) y corre a lloriquear con su *psi*." ¡Mientras que la G.B. soltaba sus sarcasmos, significaba al menos que yo aún vivía!

Tardé una eternidad —tres horas— para proporcionarme la *hero*, ya que mi *dealer* se decía en quiebra de mercancía. No me jugaba esta mala pasada por primera vez; hasta sospechaba que buscara deshacerse de mi pequeña persona. No obstante, yo pagaba siempre el precio exigido y nunca criticaba la calidad del producto. Me inyecté mascullando injurias con respecto a él mientras que la G.B. se despedía a la francesa. ¡Maravilloso silencio, maravillosa paz!

Dos días más tarde, me senté sabiamente enfrente de Bélaski mientras que Marc me esperaba en la sala de a lado. Me sabía sobre una cuesta peligrosa, ¡oh! cuán familiar: los *hombres de negro*, las conspiraciones, la G.B.... Todos estos elementos se unían con el fin de precipitar mi pérdida. Debía obrar con cautela si quería evitar el internamiento. Sin embargo, tenía la experiencia de mi locura; estaba fuera de toda cuestión que me dejara manipular. El doctor intentaría en primer lugar obtener mi aprobación para la hospitalización, y yo no estaba dispuesta a perder mi libertad. ¡Bélaski no podía robarme mis pensamientos, pero quizá era mejor cesar mis divagaciones, por si acaso! La entrevista se desarrolló muy bien, mejor dicho bien, hasta que ella mencionó el nombre de Arlie.

—Háblame de tu amiga Arliette.

Pregunta maldita que arrastraba en su estela cuestionamientos aún más falsos. ¿Quién había lanzado el pedazo? ¡Ese no podía ser sino Marc, ya que el asesinato disfrazado de suicidio de un transexual no podía atraer la atención de un *psi*! "Responde, perra, y deja de dártelas de Sherlock Holmes. ¡Fue un suicidio, idiota!". La G.B. parecía furiosa, yo la acorralaba.

—No tienes nada qué decir.

Rozando el pánico, rogué para que se contentara con esa respuesta lacónica.

—¿Cómo vives su muerte? Un suicidio, es difícil.

¡Vivir su muerte, qué paradoja, carajo! ¿Cómo se puede vivir una muerte? ¡Se la sufre, es bastante ya! ¡Y yo estaba harta, que se hablara de suicidio! "¡Deja de hacer pendejadas, puta! ¡Cállala!". Se desgañitó la G.B., poniéndome en guardia. Lancé el pedazo.

—No se suicidó, fue un asesinato.

La G.B siguió acorralada. Al tomar la defensa de mi amiga, sentí un gran orgullo.

—Continúa, Rubby, te escucho.

Retrocedió su silla y se recargó, confortablemente lista para oír la confirmación de mi delirio. ¡Yo odiaba estas preguntas abiertas donde era libre de colgarse! ¡Si soltaba mis sospechas, me juzgaría completamente paranoica, por lo tanto peligrosa, por lo tanto "internable", con o sin mi consentimiento! Observé su título colgado en la pared y, durante una fracción de segundo, la tomé por una impostora. "¡Avívate, hadita, es Bélaski, tu *psi* preferida!". La G.B. nunca hablaba tanto en el consultorio de un *doc*; eso me perturbó.

—Arlie adoraba la vida. ¡Nadie se suicida cuando adora la vida! ¡Y luego, si de verdad hubiera querido matarse, habría elegido un final espectacular, como lanzarse del puente Jacques-Cartier en horas pico!

¿Pero qué es lo que me detenía? ¡Me desbloqueaba completamente!

Si Bélaski disimulaba un timbre de alarma bajo su oficina, los encargados ya debían estar en alerta. No me quedaba más que una salida: la fuga. Cogí mi bolso de mano y puse los pies en polvorosa. Marc me rescató delante del edificio y corrió a mi lado sin pronunciar una sola palabra. Seguía directo adelante, sin objetivo, pretendiendo solamente poner la mayor distancia posible entre la medicina y yo. Después de veinte minutos de ese paso del infierno, entré en un bar y me abandoné sobre un asiento. Marc se instaló frente a mí.

—¿Por qué nadie me cree cuándo digo que la mataron?

No formulaba una pregunta y aún menos un reproche, simplemente mi verdad personal. Mi amigo me explicó que había actuado así en mi beneficio, no para dañarme. Yo quería a Marc. Podía pues perdonarle todo, incluso su traición y su escepticismo. Terminé por recobrar mis facultades y mi amigo me acompañó a mi departamento. Esta vez, ninguna promesa se intercambió, ya que mi enfermedad se insinuaba desde ahora entre nosotros y rompía mi confianza.

El miedo de ver surgir una ambulancia me atormentaba en forma continua; decidí pues abandonar mi vivienda rápidamente. Era una lástima ya que había pagado el mes en curso y nunca podría recuperar mi dinero. No obstante, me quedaba lo suficiente para subsistir hasta el próximo cheque de ayuda social. En caso necesario, redondearía mis ganancias con algunos clientes del *Lys d'Or,* puesto que tenía aún mis contactos. A pesar de todas estas mudanzas, conservaba preciosamente mi barca y sus tres remeros, regalo póstumo de Pierre. En ese triste día, su angustia me pareció aún más evidente. Metí alguna ropa abrigadora en mi mochila y deslicé mi baratija dentro de una media de lana.

Gracias a Marc, conocía lugares viables dónde dormir. Sin embargo, durante el día, debíamos regresar a la calle y arreglárnoslas. Estas restricciones me convenían completamente pues eso me evitaba socializar. Los alojamientos para mujeres eran más seguros que aquellos para hombres debido al número limitado de lugares; menos mundo, menos trifulcas, menos robos... No obstante, guardaba siempre mi mochila cerca y ataba una de las correas a los barrotes de la cama. En algunos lugares, se me confirmó que estas precauciones resultaban necesarias. Mi dinero y mis papeles personales no los dejaba nunca, incluso bajo la ducha. Los parámetros y las leyes de este mundo diferente, extraño, me liberaban. Hasta ahora, había gozado de un privilegio considerable: un techo sobre la cabeza.

En esta época, todo se volvió precario, comenzando por mi salud mental. Otro tanto, con mi juventud, había pasado una fase en que planeaba mis menores gestos, lo mismo, con venticuatro años, no podía prever mis días siguientes. Constataba mi poca importancia; con o sin mí, el mundo proseguía su marcha inexorablemente. La *Gran Bocona* apoyaba esta idea: "¡Anda, perra! Eso te esperará en vano. ¡Tú no eres más que una larva insignificante!".

Cuando era niña, tenía la obsesión de que Godzilla no devastara mi ciudad o que un maremoto no la tragara. Ciertamente, tenía miedo de morir, pero temía aún más que mi madre, mis abuelos y Husshy desaparecieran dejándome sola atrás. Rogaba pues todas las noches, pidiendo a Dios llamarme junto a él primero. ¡Y luego, un día, había dejado de rogar y de creer en los reflejos de las muchachitas en los espejos! Había crecido y me había convertido en egoísta. En la actualidad, mis temores de antaño se materializaban. Aquellos que yo amaba descansaban bajo tierra excepto Marie y, contrariamente a mis rezos, traidoramente, proseguía mi camino sin ellos. Me sentía como una viejita con el corazón atiborrado de fantasmas. Había llegado a una fase donde ni siquiera me atrevía a llorar con mis ojos, con el fin de mostrarme más fuerte. Me dolía en silencio, pero guardaba mi energía para sobrevivir. Si revelaba mi fragilidad, no vendería cara mi piel; la calle me aplastaría.

En esos primeros días de vagabundeo, pensaba a menudo en Rock, el padre de mi hijo. Me agradaba creer que Olivier, un bonito niño encantador, con rasgos delicados y con los ojos almendrados como Patsy, se le pareciera físicamente. Mi ex purgaba una sentencia en una institución federal; yo le explicaba a Olivier porqué permanecía en ese lugar. Para ayudarme a conciliar el sueño, me imaginaba cualquier otro desenlace a nuestro idilio pasado. Gracias a ese *remake*, sacaba el valor para avanzar.

Sin consideración, la G.B. me ponía los pies sobre la tierra: "¡Para de soñar, puta! ¡Estás en la calle, a trabajar la acera! Eso se corta allá."

En mi recorrido de vagabunda, cruzaba un lugar extraordinario donde yo sacaba un poco de consuelo: en *Casa Emma*. En el albergue del Ejército de Salvación, la chica que ocupaba la cama enfrente de la mía me había hablado de ese refugio para mujeres con problemas. Una bella leyenda rodeaba su creación. Emma, una joven prostituta, soñaba con un lugar donde ella pudiera descansar sin que nadie la juzgara o le planteara preguntas molestas. Un espacio sin humillación donde la tolerancia y la aceptación prevalecieran. Ella no desistía de su idea; en la calle, la apodaban afectuosamente Emma-la-soñadora. En donde ella se encontrara, sobre la acera, en un café, en la estación, hablaba de su proyecto con tanta convicción y entusiasmo que, progresivamente, rompió el aislamiento e infundió la esperanza en el corazón de las chicas. Incluso corría el rumor de que existía un fondo con ese fin. Y luego, a la edad de veintidós años, Emma fue asesinada. La historia quiso que un benefactor, que presumía ser un antiguo cliente de Emma, fuera el comprador de una casa centenaria donde había creado en su memoria el refugio actual. Hoy en día, además de acoger a las mujeres que atraviesan por un paso difícil, la casa propone varios programas y actividades. Este centro de día abre sus puertas de siete a diecisiete horas y distribuye almuerzos y cenas.

Una bonita mañana, decidí mudarme. Cuando puse los pies ahí, comprendí que la persona que me había hablado de ella no exageraba. El lugar lograba una atmósfera de complicidad y de camaradería propicio para los intercambios, respetando al mismo tiempo la intimidad, la integridad y los límites de cada una. La única exigencia consistía en pagar con una tarea doméstica. En la entrada, uno daba su nombre a una encargada y reservaba para una o dos comidas.

El refugio constaba de varias piezas; mi preferida se encontraba en el tercer piso, bajo las cumbres. Tres bonitos tragaluces adornaban esta habitación desnuda. El piso en madera llana había perdido su lustre, tomado un caluroso color caramelo quemado. El local no era demasiado popular, ya que hacía frío en el invierno y era muy caliente en el verano; además, para evitar los riesgos de incendio, se nos prohibía fumar. Yo me instalaba sobre un cojín junto a la ventana del fondo y observaba a la gente ir y venir al refugio. Muchos estudiantes vivían en el barrio. Pensaba en mi fuero interior que les gustaba flirtear con la pobreza porque podían darse ese lujo. Esta idea me lastimaba y me hería, pero no llegaba a debilitarme.

A veces, una mujer acercaba su cojín del tragaluz más alejado de mí. Se habría dicho un ángel extraviado en nuestro mundo. De unos treinta años, su cuerpo grácil se doblaba bajo una abundante cabellera rojiza. Su mirada cándida acentuaba la fragilidad de su fisonomía, despertando entre sus interlocutores una necesidad imperiosa de protegerla. Su sonrisa ocultaba una timidez y una desazón imperceptibles. Su vista me perturbaba; ¡tenía miedo por ella y, al mismo tiempo, me fascinaba ver que ella sobrevivía en nuestra dimensión, después de todos estos años! No conocí nunca su nombre —ni siquiera le dirigía la palabra—. La última en penetrar en la habitación sonreía a la ocupante; estaba bien así.

En una ocasión, una mujer llamada Marie-Paule se acomodó en mi mesa para cenar. Hablaba poco y permanecía, al igual que yo y el ángel del tercero, apartada del grupo. Su cara constelada de arrugas y sus ojos parecían acumular una profunda sabiduría. Mostraba un aire resignado, pero sereno. Un mediodía, mientras que acabábamos nuestra comida, dijo:

—¡Me encuentras miserable y a pesar de ello me las arreglé!

Quise protestar, pero ella me lo impidió, prosiguiendo:

—No tengo la costumbre de repugnar a los otros con mis historias, entonces seré breve. Te me pareces. He ahí por qué quisiera ayudarte. Las voces estarán siempre allí, por más que tú hagas. ¡El peligro, es remplazarlas por algo peor! ¡La miseria, es triste, pero cubierta de droga o de alcohol, es cruel y eso se vuelve francamente infernal!

Tomó su charola y se eclipsó en la cocina. Con el mismo movimiento, una inspectora se acercó y me asignó la tarea de limpiar las mesas. Aliviada, aproveché esta oportunidad para fingir serenidad, pues las palabras de Marie-Paule me habían estremecido. ¡Mi enfermedad y mi dependencia a las drogas debían saltar a la cara para que una simple extraña me predijera el futuro aún sin consultar las cartas del Tarot!

Esa noche, tuve una horrible pesadilla. Tenía el cuerpo cubierto de abscesos; cuando estallaban, salía una larva. Gritaba como una desenfrenada y Marie-Paule acudía, esgrimiendo una enorme jeringa llena de gusanos hormigueantes. Ella se burlaba: su risa recordaba la de la G.B. Me desperté en crisis para constatar que Danielle, la inspectora de noche, me sacudía suavemente el hombro. ¡Debí de hacer todo un jaleo! Me llevó un vaso de agua y permaneció ante mí el tiempo que volvía en mí. No puse los pies en *Casa Emma* el resto de la semana y me limité a una dosis de heroína al día. ¡Algunas horas de un maravilloso silencio, de una maravillosa paz! La predicción de Marie-Paule me golpeaba ligeramente el espíritu porque la sabía acertada. No tenía nada contra el hecho de semejarme a ella más adelante, pero treinta años de dificultades me separaban.

Examinaba las calles y las callejuelas del barrio en todos los sentidos. Conocía todos los cafés y bares de la esquina. Algunos comerciantes usaban tácticas particulares para disuadir a los clientes indeseables y a los vagabundos. Los baños permanecían siempre cerrados; ni pensar que un transeúnte pueda usarlos sin pedir primero algo. Era necesario pedir la llave a la cajera o también esperar que ella se dignara a accionar la apertura eléctrica. Una gran cadena utilizaba otro sistema igualmente eficaz: se accedía fácilmente a los baños, pero la calefacción funcionaba al máximo, tanto y tan bien, que más allá de cinco minutos el desvanecimiento le acechaba a uno. ¡Otra técnica consistía en limpiar la mesa inmediatamente al último sorbo de café tragado! Al servir, el empleado preguntaba sin sutileza si le deseaban encargar otra cosa. Por regla general, el máximo de tiempo tolerado para un café simple no excedía sesenta minutos. Para una vagabunda, este respiro se apreciaba en su justo valor. Elevada en el norte de la ciudad, donde esas mezquindades no existían, me sentía más pequeña y más enferma que nunca en ese contexto.

Mi situación me parecía irreversible y gangrenosa. La G.B. me acompañaba casi permanentemente; sólo la heroína lograba cerrarle el pico. Elevado precio a pagar por algunas horas de silencio y de paz. Por añadidura, como lo temía, mis brazos comenzaban a parecer un mapa de carreteras y la línea de lápiz negro sobre mis párpados se ampliaba evidentemente. ¡Habría querido tanto desaparecer detrás de sus fronteras! La G.B. me trataba de perdida y de tarada: "¡Mira a esta puta adornada con sus pinturas de guerra! ¡Incluso no es capaz de hacer de buscona como premio!". Yo iba a la deriva sin buscar agarrarme a lo que fuera. ¡Me imaginaba chupando vergas hasta irritarme los labios, rodeada de *hombres de negro*! Profundamente lamentable, pero era mi vida, y mi corazón se obstinaba en latir. Mi memoria huía; valía mejor así, eso hacía menos mal.

Por el contrario, cuando mi hijo insistía para que le hablara de mis abuelos, mi memoria volvía de nuevo en desorden. No llegaba ya a distinguir lo real de lo ficticio. Olivier quería también saber de Maggy: "¿Estaba todavía en el espejo? Di, ¿no tenía frío la niñita?". Relataba el pasado fantaseando al mismo tiempo sobre un futuro utópico donde yo me parecería a Marc, capaz de escuchar a Pierre, uno de sus protegidos, confiarle que a la edad de ocho años, él se daba de golpes con el borracho de su padre para proteger a su pequeña hermana. O también Brigitte, declararle sin vacilar que su padre le daba regularmente las semillas para las generaciones futuras. Cuando el niño nacía, lo daba en adopción. ¡Yo los habría animado a sacar su odio para que respiraran un poco mejor!

Mi hijo se mostraba de una curiosidad insaciable: "¿Y Puck, tu gato? ¿Puedo tener uno, yo también? ¡Uno verdadero!". Esta palabra me llevaba de nuevo confusamente en su espacio-tiempo. Olivier me confortaba mirándome tiernamente: "¡No te preocupes, mamá, no es importante todo eso! ¡Lo esencial, es que te amo!". ¿En qué momento de mi vida la brecha que me separaba de su realidad definitivamente se había abierto, precipitándome a la locura? ¡Ningún medicamento llegaría a taparlo, mi lucha permanecía sin salida!

Incluso mi hijo se daba cuenta...

Capítulo 24

En otra parte

Un año más tarde, en alguna parte de Montreal.

Estaba sentada sobre un banco del parque desde hacía tres días cuando los *hombres de negro* me llevaron. Tenía veinticinco años y Olivier dos años y medio. ¡No era bonita, por más que se diga!

P.D.: "¡ Eh! ¡Mirón literario, esto se ha terminado, acabado, *kaputt*! La pequeña hada no dirá más ni una palabra. ¡Disparada, fuera del campo! Observa a ese molusco con los ojos pintados parecidos a dos alas de cuervo; ella se arrastraría y eso no me asombraría. ¡Qué puta! *Anyway*, es tu problema, tenías que desconfiar. Ella te había prevenido desde el principio:

> "...las palabras me fascinan pero ellas
> se me escapan, danzan en mi cabeza...
> desaparecen..."

G.B.

Epílogo

Rubby no está sola en este infierno; está usted, Olivier, la G.B., Dana y 18 500 *esquizo*s sólo en la región metropolitana... No sé si este testimonio le tranquiliza, le preocupa o le reta. En realidad, los estudios informan que un 1% de la población sufre de esta enfermedad, algunos en silencio y otros con gran alboroto, estos últimos se encuentran a la hora del noticiero.

Rubby existe en algún sitio, sobre un banco del parque, en una callejuela o en un refugio, ya que el tercio de las personas sin hogar serían *esquizo*s que abandonaron su tratamiento. Otros, más privilegiados, permanecen con su familia y sus amigos. Rubby no es la única en interrumpir su medicación detrás de su ambiente; a veces, los efectos secundarios pueden ser dolorosos: hipotensión, trastornos de la vista, problemas de memoria o de concentración, subida de peso, boca seca, rigidez muscular, temblores, etcétera.

Los hombres son más afectados por esta enfermedad que las mujeres. En número por supuesto, ya que por lo que se refiere a su furia, hay varios factores en cuestión: las G.B. que se esconden en la cabeza o en otra parte del cuerpo, la frecuencia y la duración de sus ataques, la existencia o no de *hombres de negro* o de pequeños hombres verdes y, por último, la extrañeza del comportamiento que no escapa a nadie, excepto al paciente. La edad crítica para su aparición se sitúa entre 18 y 23 años para los hombres, 22 y 26 años para las mujeres. Una diferencia importante. Dado que la esquizofrenia deja secuelas a nivel de adaptación social, si la G.B. empieza a salir a los 18 años, los enfermos corren el riesgo de viajar ligero con muy pocos equipajes, en regiones a veces áridas y heladas... ¡A su regreso a nuestra realidad, hacia la edad de 40 años, tendrán más dificultad para adaptarse a una sociedad que se habrá movido muy rápidamente durante su ausencia!

No sirve de nada mortificarse o buscar un culpable. Estas trece letras e-s-q-u-i-z-o-f-r-e-n-i-a que significan literalmente "espíritu dividido" nos desafían. Varios factores deben tomarse en cuenta en la aparición y la evolución de este mal: los aspectos biológico, psicológico y social. En efecto, la herencia no explica todo. Si se tiene una madre o un padre esquizofrénico, los riesgos de parecerse a él son del 10%. Si los dos padres son tocados por ella, los mismos riesgos suben al 33%. ¡Se pueden llevar los genes de la enfermedad, nunca oír la G.B. y a pesar de ello transmitirla!

Últimamente, gracias a las imágenes por resonancia magnética (IRM), los investigadores pudieron observar qué regiones del cerebro se activaban en el momento de las alucinaciones. ¿Es decir que nos será posible, en un futuro más o menos cercano, acosar a las G.B. y amordazarlas definitivamente? Puede albergarse esta esperanza.

Puesto que hay varios componentes en cuestión, hoy, se prefiere hablar de vulnerabilidad al desarrollar esta enfermedad. Se afectan tres zonas del cerebro: la corteza prefrontal, la corteza temporal y la corteza límbica. Además, las situaciones estresantes, la intrusión, la hostilidad, la protección excesiva pueden debilitar la resistencia de los pacientes y desencadenar psicosis esquizofrénicas. Algunos rasgos de carácter que pudieran parecer insignificantes en la infancia, como la timidez, el repliegue, el aislamiento, etc, se convierten en criterios de primera importancia en el aspecto psicológico y afectivo de la enfermedad. Pero, atención: existe tanta diversidad en las manifestaciones de la esquizofrenia como número de pacientes.

¿Ahora que conoce mejor esta enfermedad, cuál podría ser su papel durante esta travesía? ¡Puede ayudar simplemente sin perjudicar! Rubby sólo pide un poco de espacio para respirar, ella teme su mirada reprobatoria, indiferente o llorosa.

Rubby está suficientemente estigmatizada, no hay necesidad de añadir su rechazo. No es afortunada, forma parte del 5 al 10% de pacientes que conocen una evolución más difícil de la enfermedad, a pesar de la aportación farmacológica (neurolépticos, antidepresores, etcétera).

Fuentes

Société québécoise de la schizophrénie
7401, rue Hochelaga
Montreal (Québec)
H1N 3M5

Tel.: (514) 251-4000#3400
1866888-2323

Sitio Web: www.schizophrenie.qc.ca
Correo: infoaschizophrenie.qc.ca

TÍTULOS DE ESTA COLECCIÓN

Aunque usted no lo crea de Ripley. Edición de aniversario
Balada. *Maggie Stiefvater*
Chamanismo. Puerta entre dos mundos. *P. J. Ruiz*
Código Da Vinci. La leyenda del santo grial. *J. A. Solís*
Crímenes sexuales. *William Naphy*
¿Dónde están enterrados?. *Tod Benoit*
El código de Dios. *Gregg Braden*
El código Jesús. *John Randolph Price*
El libro de sanación chamánica. *Kristin Madden*
El libro de Enoc. El profeta.
El libro sin nombre. *Anónimo.*
El quinto evangelio. *Fida Hassnain y Dahan Levi*
El verdadero secreto. *Guy Finley*
En el jardín del deseo. *Lean Whiteson*
Fundadores. Sociedades secretas. *Dr. R. Hieronimus*
Glamazona. *Athena Starwoman y Deborah Gray*
Grandes matrimonios en la literatura. *Jeffrey Meyers*
Hitler y sus verdugos. *Michael Thad Allen*
Hónrate a ti mismo. *Patricia Spadaro*
La conspiración del grial. *L. Sholes y J. Moore*
La cosmología oculta de la Biblia. *G. Strachan*
La Inquisición. La verdad detrás del mito. *John Edwards*
La niebla. *Bruce Gernon & Rob MacGregor*
La SS. Su historia 1919-1945. *R.L. Koehl*
La verdadera pasión de María Magdalena. *E. Cunningham*
Lamento. *Maggie Stiefvater*
Las leyes del pensamiento. *Bishop E. Bernard Jordan*
Los derechos de México sobre el territorio de los E. U.
Los documentos de Takenouchi I. *Wado Kosaka*
Los piratas de las islas británicas. *Joel Baer*
Los templarios. *Juan Pablo Morales Anguiano*
Masonería. Rituales, símbolos e historia de la sociedad secreta
Mensajes de la Madre María al mundo. *Annie Kirkwood*
Misterios y secretos de los masones. *Fanthorpe*
Misterios y secretos de los templarios. *Fanthorpe*
¿Quién lo descubrió? ¿Qué y cuándo? *Ellyard*
Revelación del código masónico. *Ian Gittins*
Rey de oros. *Raciel Trejo*
Satán en la iglesia. *Cam Lavac*
Sé quien quieres ser y obtén lo que quieras tener. *C. Prentiss*
Secretos de la Lanza Sagrada. *J. E. Smith y G. Piccard*
Símbolos secretos y arte sacro. Tradiciones y misterio.
Sobrevivir para contarlo. *Immaculée Ilibagiza*
Tu nombre es... Mamá. *Antología*
Un sitio aparte. El infierno de la esquizofrenia. *Rachel Gagnon*
Una historia ilustrada de los caballeros templarios.

Impreso en los talleres de
MUJICA IMPRESOR, S.A. de C.V.
Calle camelia No. 4, Col. El Manto,
Deleg. Iztapalapa, México, D.F.
Tel: 5686-3101.